故宫经典 CLASSICS OF THE FORBIDDEN CITY
BAMBOO, WOOD, IVORY AND RHINOCEROS HORN CARVINGS
IN THE COLLECTION OF THE PALACE MUSEUM

故宫竹木牙角图典

故宫博物院编 COMPILED BY THE PALACE MUSEUM
故宫出版社 THE FORBIDDEN CITY PUBLISHING HOUSE

图书在版编目（CIP）数据

故宫竹木牙角图典/张荣、刘岳主编.－北京：故宫出版社，2010.6（2021.6重印）
ISBN 978-7-80047-998-4

Ⅰ.①故… Ⅱ.①张…②刘… Ⅲ.①竹雕－中国－古代－图集②木雕－中国－古代－图集③牙雕－中国－古代－图集④角雕－中国－古代－图集 Ⅳ.①K879.32

中国版本图书馆CIP数据核字（2010）第091137号

故宫经典
故宫竹木牙角图典
故宫博物院编
主　　编：张　荣　刘　岳
撰　　稿：刘　岳　刘　静　冯贺军　赵丽红　芮　谦
宋永吉　赵桂玲　张林杰　谢　丽　李天垠
摄　　影：冯　辉　刘明杰　刘志岗　赵　山
图片整理：徐彩兰

出 版 人：王亚民
责任编辑：徐小燕　王　静
装帧设计：张志伟
制　　作：北京纸墨春秋艺术设计有限公司
出版发行：故宫出版社
地址：北京东城区景山前街4号　邮编：100009
电话：010-85007808　010-85007816　传真：010-65129479
网址：www.culturefc.cn
邮箱：ggcb@culturefc.cn
制版印刷：鑫艺佳利(天津)印刷有限公司
开　　本：889×1194毫米　1/12
印　　张：28.5
字　　数：70千字
图　　版：598幅
版　　次：2010年6月第1版
2021年6月第3次印刷
印　　数：5001-7,000册
书　　号：ISBN 978-7-80047-998-4
定　　价：460.00元

经典故宫与《故宫经典》

郑欣淼

故宫文化，从一定意义上说是经典文化。从故宫的地位、作用及其内涵看，故宫文化是以皇帝、皇宫、皇权为核心的帝王文化和皇家文化，或者说是宫廷文化。皇帝是历史的产物。在漫长的中国封建社会里，皇帝是国家的象征，是专制主义中央集权的核心。同样，以皇帝为核心的宫廷是国家的中心。故宫文化不是局部的，也不是地方性的，无疑属于大传统，是上层的、主流的，属于中国传统文化中最为堂皇的部分，但是它又和民间的文化传统有着千丝万缕的关系。

故宫文化具有独特性、丰富性、整体性以及象征性的特点。从物质层面看，故宫只是一座古建筑群，但它不是一般的古建筑，而是皇宫。中国历来讲究器以载道，故宫及其皇家收藏凝聚了传统的特别是辉煌时期的中国文化，是几千年中国的器用典章、国家制度、意识形态、科学技术，以及学术、艺术等积累的结晶，既是中国传统文化精神的物质载体，也成为中国传统文化最有代表性的象征物，就像金字塔之于古埃及、雅典卫城神庙之于希腊一样。因此，从这个意义上说，故宫文化是经典文化。

经典具有权威性。故宫体现了中华文明的精华，它的地位和价值是不可替代的。经典具有不朽性。故宫属于历史遗产，它是中华五千年历史文化的沉淀，蕴含着中华民族生生不已的创造和精神，具有不竭的历史生命。经典具有传统性。传统的本质是主体活动的延承，故宫所代表的中国历史文化与当代中国是一脉相承的，中国传统文化与今天的文化建设是相连的。对于任何一个民族、一个国家来说，经典文化永远都是其生命的依托、精神的支撑和创新的源泉，都是其得以存续和赓延的筋络与血脉。

对于经典故宫的诠释与宣传，有着多种的形式。对故宫进行形象的数字化宣传，拍摄类似《故宫》纪录片等影像作品，这是大众传媒的努力；而以精美的图书展现故宫的内蕴，则是许多出版社的追求。

多年来，故宫出版社出版了不少好的图书。同时，国内外其他出版社也出版了许多故宫博物院编写的好书。这些图书经过十余年、甚至二十年的沉淀，在读者心目中树立了“故宫经典”的印象，成为品牌性图书。它们的影响并没有随着时间推移变得模糊起来，而是历久弥新，成为读者心中的故宫经典图书。

于是，现在就有了故宫出版社的《故宫经典》丛书。《国宝》《紫禁城宫殿》《清代宫廷生活》《紫禁城宫殿建筑装饰——内檐装修图典》《清代宫廷包装艺术》等享誉已久的图书，又以新的面目展示给读者。而且，故宫博物院正在出版和将要出版一系列经典图书。随着这些图书的编辑出版，将更加有助于读者对故宫的了解和对中国传统文化的认识。

《故宫经典》丛书的策划，无疑是个好的创意和思路。我希望这套丛书不断出下去，而且越出越好。经典故宫藉《故宫经典》使其丰厚蕴涵得到不断发掘，《故宫经典》则赖经典故宫而声名更为广远。

目 录

概　述

张荣　刘岳

竹刻、木雕、象牙及犀角雕刻工艺，往往被合称为竹木牙角雕，有时还将果核雕刻等也包括进来，从而构成一个在青铜、陶瓷、玉器、金银器等为人熟知的工艺类别之外的各种较小类别的概括性称谓。这种合称出现的时间可能是晚近的事，不过，其包含的几种工艺之间确有一些相近之处。

首先，这几种工艺的历史都颇为悠久，有的可以追溯至新石器时代甚至更早。由于竹、木及动物骨、角等天然材质能够在自然环境中相对轻易地获取，所以对这些材质的广泛利用应该早于青铜、陶瓷等人工材质。它们可能更早地被用来制作与人们息息相关的各种生活用品及工具等，这从古代与器具有关的汉字，多从“木”、从“竹”，就不难想见。而零星的考古发现，似乎也证实了这一点。更为重要的是，这几种工艺出现虽早，却一直与日用联系较密切，竹、木等俯拾皆是，往往即取即用，难成重器，加之质地容易朽坏，所以留存实物与文献记载非常零散；象牙与犀角虽然比较珍罕，但原料过于稀少，而且本身形态局限性很大，因此可资排比的资料也不多。可以说，在相当长的历史时期内它们都没有形成自身脉络清晰的发展线索。我们今天对这几种工艺的研究主要集中于明清时期。因明代中晚期以后整个工艺美术领域的繁荣与发展，带动竹、木、牙、角雕刻也留下了数量可观的实物制品与文献资料。而要谈这一时期工艺美术的发展，就必需联系当时的时代环境。

明代中晚期，在苏州等江南地区，随着商品经济萌芽，城镇生活的风尚正在由淳厚俭朴转向奢侈靡费，时人记载这一变化时谓：“民间风俗，大都江南侈于江北，而江南之侈尤莫过于三吴。自昔吴俗习奢华、乐奇异，人情皆观赴焉。吴制服而华，以为非是弗文也；吴制器而美，以为非是弗珍也。四方重吴服，而吴益工于服；四方贵吴器，而吴益工于器。是吴俗之侈者愈侈，而四方之观赴于吴者，又安能挽而之俭也？”[1]市场需求的增长，使工艺品也获得了较大的发展空间。而商业的兴盛，带动商人地位的提升，士、商身份的消长，如多米诺骨牌引起连锁反应，“明清社会结构的最大变化便发生在这两大阶层的升降分合上面”。[2]士、农、工、商“四民”的界限有时已难以划清，“四民不分”或“四民相混”成了重要的社会现象。“工”的地位也有相应提高。社会阶层的松动，令思想禁梏废弛，市民文化兴起，某些士大夫的价值观趋向多元，工艺制作也得到前所未有的重视。“公安三袁”之一的袁宏道就曾慨叹：“古今好尚不同，薄技小器，皆得著名”，那些工艺佳品，“士大夫宝玩欣赏，与诗画并重”，而“当时文人墨士名公巨卿，炫赫一时者，不知湮没多少，而诸匠之名，顾得不朽”。[3]著名的文人张岱指出看重他们的理由是“盖技也而能近乎道矣”。[4]透露出的是一种旧的等级观念被打破后朴素的人本主义思想：“则天下何物不足以贵人？特人自贱耳。”[5]有些士子还用开放的观念指导人生选择，“弃儒就贾”的情况即颇不鲜见。[6]而更多的是将才智与精力用于那些“不急之务”，并与世风相鼓荡，就成了消费时尚的引领者，如《遵生八笺》《长物志》之类大量指导手册就是例证 。[7]竹、木、牙、角雕刻在很大程度上是这种文人生活不断丰富化与细腻化的见证，它们构成了书房里案头清供中最重要的组成部分。

这其中还有一些士大夫不单热情鼓吹、赞助，甚至亲身参与工艺制作。以竹刻为例，“嘉定四先生”之一李流芳（1575～1629年），在书画之余常以之自娱[8]，钱大昕(1728～1804年)、吴历(1632～1718年)、恽寿平

(1633～1690年)等偶尔奏刀，沈白、瞿中溶、程庭鹭、程祖庆（庭鹭之子）、张陈典等人的竹刻之名亦都为文名所掩。[9]他们的参与，实为此种工艺加分不少。

除去发展状况有相似处外，在明清时期涌现出的众多工匠中，不少是兼能治竹、木、牙、角者，如“嘉定三朱”之朱缨以刻竹名世，但于犀、牙等材料亦精熟[10]；金陵的濮仲谦则“一切犀、玉、髹、竹皿器，经其手即古雅可爱，一簪一盂，视为至宝”。[11]这都说明了竹、木、牙、角等几类工艺间在雕刻技法、器形设计、装饰意匠等方面确实不无相通的地方，而这种一专多能的状况也更进一步加深了它们相互影响、相互借鉴的特点。

此外，如前所述，竹、木、牙、角几乎都被用来制作小件的陈设品、文房用具、玩赏器物等，制品的性质与应用的范围也很相似。

当然，竹、木、牙、角雕刻在共性之外，都分别有各自独立的面貌。面对材质的不同属性，这几类工艺都具备一套完善而独特的雕刻技术，有自家传承有序的演生规律，更有许多姿态各异的作品传诸后世。后面我们将分别进行详细地描绘，这里就不再赘述了。

注释：

[1] (明)张瀚撰，盛冬玲点校：《松窗梦语》，卷四，页29，中华书局，1985年。

[2] 余英时：《中国近世宗教伦理与商人精神》，见《士与中国文化》，页528，上海人民出版社，1987年。

[3] (明)袁宏道撰，钱伯诚笺校：《袁宏道集笺校》，卷二〇，“时尚”条，中册，页730～731，上海古籍出版社，2007年第2版。

[4] (明)张岱撰，马兴荣点校：《陶庵梦忆》，卷一，“吴中绝技”条，页21，中华书局，2007年。

[5] 同前注，卷五，“诸工”条，页60。

[6] 同前注2之例举，页533。

[7] 参见毛文芳《晚明闲赏美学》中的细致分析，台北学生书局，2000年。

[8] 褚德彝：《竹人续录》，卷上，“李流芳”条，转引《竹个丛抄》，1930年褚氏自印本。

[9] 吕舜祥：《嘉定的竹刻》，收入王世襄编：《竹刻》，页102，人民美术出版社，1991年。

[10] 王世襄：《竹刻简史》，收入《锦灰堆——王世襄自选集》，壹卷，页272，生活·读书·新知三联书店，1999年。

[11] 《太平府志》中语，转引自李放：《中国艺术家徵略》，卷二，1911年义州李氏铅印本。

竹

刘岳

我国竹类资源丰富，分布广泛，国人也成了最早认识、且最善于利用竹的民族。据考古发现，距今一万年前长江中下游和珠江流域的原始人类已开始栽培和使用竹类。[1]而南朝宋人戴凯之所编《竹谱》记载的竹名及其性状已有四十多种，到了元人李珩的《竹谱》中，这个数字增加至三百三十四种。在对竹的认识不断深入的过程中，竹也逐渐渗透到人们生活的方方面面。就如晋人郭义恭所胪列：

> 广人以竹丝为布，甚柔美；蜀人以竹织履；可制箧编笆为篱笆；断材为柱，为栋，为舟楫，为桶斛，为弓矢，为笥、盒、杯，为箔、席、枕、几，为笙、簧乐器；实可服食，汁可疗病，笋可为蔬。其中恒多，莫可枚举。[2]

不论是修造建筑、制造交通工具，还是用作生产、生活用具，乃至饮食、服饰、乐器、文具等领域，竹的身影都无处不在。在这个过程中，竹与文化也产生了紧密联系，其象征意义日益丰满："不刚不柔、非草非木"[3]，及坚挺、长青、中空、分节等自然属性经过传统思维模式转化后，被比附于士人最高的人格理想"君子"，于是竹具有了"刚、柔、忠、义"和"本固、性直、心空、节贞"等儒家式美德，——"竹之于草木犹贤之于众庶"[4]；另一方面，像王徽之"不可一日无此君"、苏东坡"无竹令人俗"等倡导，以及"竹林七贤""竹溪六逸"等故事，又投射出道家式的自由精神。可以说，竹完美地体现了士人儒道互补的众趋人格模型，其意涵已深深植入一般知识人的精神世界。竹文化在文学、绘画领域都影响甚大，直接取竹为材料的竹刻艺术发展成为一门独立的工艺门类，也就是顺理成章的了。

一、竹刻工艺历史简述

竹材易朽，史前期实物留存无多。据考古资料，目前已知最早的成形竹制品，为江苏常州新石器时代早期（约10000～4000年前）的矛形竹器。[5]晚此之竹制品则以编织物为主。

春秋战国时期的竹制品可以原属楚国控制范围的湖南、湖北、河南部分地区的考古发现为代表。其数以千计，品类亦较多样。既有丧葬用的大竹席、竹帘、竹网；日用器具又有竹笥、竹篓、竹篮、竹扇、竹席、竹篼箕、竹井圈、竹筒、竹夹、竹鼎盖等；用作兵器的竹弓、竹矢杆、竹矢箙、戈矛柄、肩舆与车舆之构件，用作文具之竹笔杆、竹片、小竹筒，及排箫、篪、笙、竹相等，达二十六种。[6]

而为以往竹刻研究者所公认的"现知较早有高度纹饰的实物"[7]，还是长沙马王堆一号墓出土西汉早期的两件彩漆竹勺，虽器表髹漆，但因竹胎运用了浮雕与镂雕技法，故多被取作竹刻的珍贵例证。

在此后漫长的历史时期里，虽然文献中不乏筇竹杖[8]、蕲簟[9]等工艺名品的记载，但堪称竹刻艺术品者却不多见，而流传的实物更是少之又少。

据《南齐书》载，齐高帝（479～482年在位）曾以"竹根如意"赐明僧绍，这是文献中所见最早的竹制圆雕器物。北周庾信有"野炉燃树叶，山杯捧竹根"的诗句[10]，或同样为以竹之地下茎为材料制作的酒具。

关于唐代竹刻的记载，以北宋郭若虚《图画见闻志》中所记德州刺史王倚家藏笔管为最著，其上刻《从军行》诗意图，"人马毛发，亭台远水，无不精绝"。[11]而实物则有江西南昌出土的竹根俑，造型粗朴，脚用竹根，身用竹茎，头发、左手另用竹签插入[12]，这是已知最早的竹制圆雕人物。日本奈良正仓院则藏有最早的传世竹刻品——留青"尺八"，器表留青筠作阳文，有仕女、树木、花蝶等，纯为唐风。[13]

至宋则终于有了第一位载名典籍的竹工匠人詹成，据说其"雕刻精妙无比"。[14]实物则只见宁夏之西夏陵出土的竹雕残片，推测"是盘类边缘装饰中的一段"。[15]

而元人杨瑀记"家藏竹龟"，"首尾四足，皆他竹外来者。窍小，两头倍大，可转动而不可出，……不知何法得人。……特以鬼工称之。”[16]

早期竹制品，除穷工极巧者外，大都囿于实用，以批量生产的产品为主，还难以称作历史意义上的独立工艺门类。不过，在缓慢的孕育发展期里，竹刻也为其自身的勃兴准备了条件：工艺技法均已赅备，竹文化的积淀日益深广。随着时代环境的变迁，士大夫越来越多地鼓吹、赞助，甚至亲身参与到竹刻中来，使艺术化的创作得到更多重视，终于在明代中晚期走向了繁荣发展的阶段。

若论竹刻必自朱鹤始。虽然《竹人录》将创始之功尽归于他，显系夸大之辞，但朱鹤为嘉定地区竹刻有影响力的先驱之一，当不成问题。朱鹤长子朱缨继承了乃父刻竹家法，而更胜一筹。1966年，上海宝山顾村镇明代朱守诚墓出土的刘阮人天台图香筒，为我们提供了一个较为可信的朱缨作品实例。[17]朱缨技艺再传至儿子稚征，逐渐发扬光大。这祖孙三人合称“三朱”，以他们为核心，嘉定竹人摸索出了吸收书画创作经验，或自行绘制粉本，或将画样经调整移植于作品上，俾使构图完整、留白适度的做法，完善了“窪隆浅深可五六层”[18]的多层雕镂技巧，这些都是具有开创性的，遂令“嘉定竹器为他处所无”。[19]此后该地工匠“争相摹拟，资给衣馔，遂与物产并著”。[20]嘉定竹刻历数百年发展演变，始终占据竹刻史之主流。可以说，谈到竹刻就不能不提及嘉定，反之亦然。嘉定因竹刻而名闻遐迩，竹刻因嘉定而发扬光大。揆诸史籍，再无一地可以相提并论。

“三朱”之后，嘉定地区知名的竹人还有侯崤曾、秦一爵（有的文献误作“秦一姐”）及沈氏兄弟汉川、大生，并汉川之子沈兼。这些竹人卒年多已入清，其创作风格自也延续下来，因此，明末清初之作品面目有一脉相承之特点。

而明代晚期嘉定地区之外，最重要的竹人为濮仲谦。《竹人录》作者将其列为与“嘉定派”相颉颃的“金陵派”创始人。[21]他的主要风格一为重视选材，“用竹之盘根错节，以不事刀斧为奇”[22]，另一则为“灭尽斧凿痕”[23]的所谓“水磨器”[24]，推测应为极浅的浮雕或浅刻，若不向光纹饰几不可见。

除去嘉定、金陵两地，浙江、江苏等地亦有竹人活动，严望云（一作阎望云）即为代表。严为浙中名匠，著名鉴藏家项元汴（1524～1590年）赏重之。[25]望云仅偶为竹刻，但传世望云所制竹根雕碧筒杯，与著录之形制、题诗、款识俱相吻合，这在已知竹刻作品中是极为少见的。

大约从清康熙至乾隆中期（约17世纪后期至18世纪中期偏晚），嘉定竹刻迎来了历史上的全盛时期。名家辈出，新创纷呈，也带动了整个社会对竹刻的认识、欣赏和收藏。其声名远播之下，终至“与古铜、宋磁诸器并重，亦以入贡内府”。[26]

被誉为朱稚征后“嘉定第一名手”的是吴之璠。他创制“薄地阳文”法[27]，又擅长自画自刻，后世接受其影响或模仿其作品的竹人很多。有人以为在康、雍（1662～1735年）之际曾形成一个以吴之璠为首的竹刻流派。[28]

与吴之璠同时而稍晚的嘉定竹人，还有封锡禄。封氏一门皆能刻竹，锡禄（字义侯）与兄锡爵（字晋侯）、弟锡璋（字汉侯），号称“鼎足”。[29]由于声闻于朝，康熙四十二年（1703年），锡禄、锡璋入京供职于养心殿造办处。封氏擅于用竹根圆雕人物立像，《竹人录》称这一类作品“盛于封氏”，而“精于义侯”。[30]锡禄二子始镐、始岐及弟子施天章，于雍正初年即进入清宫造办处当差，不过，他们主要从事的是“牙匠”活计。雍正时，施天章较得重视，乾隆则赏识始岐（档案中名封岐）。[31]

除封氏外，顾珏的风格纤巧细腻，《竹人录》比之于“齐梁绮靡”，[32]据说他每制一器，必经一二载而成，开雕饰繁缛之风。

这一时期嘉定以外的竹人中最堪述及的是李希乔与张希黄。

李希乔，安徽歙县人。其创作手法可能与濮澄近似，为浅浮雕或浅刻，故有“镂刻灿然如写生，扪之无毫发迹，虽近世濮阳仲谦号竹工绝技，不是过也”[33]的赞誉。张希黄，里贯不详，或谓江苏江阴人，或谓浙江嘉兴人，或谓湖北鄂城人。其活动年代，旧说以为明人[34]，然颇有争议[35]，我们推断其为清早期至中期的可能性较大。希黄刻竹另辟蹊径，改革留青阳文工艺，成为史有明文善刻留青的唯一一人。

清代中期嘉定竹刻发展依然兴盛，而在繁荣的背后亦胎孕着转变之机，其关键人物就是周颢。

周颢（1685～1773年），似为职业画家，“若谓刻竹家自朱氏祖孙以来皆能画，乃竹人兼画师，则芷岩（周颢号）实画师而兼竹人也”。[36]他最为人所称道的是以阴刻为主，在竹筒上表现山水、竹石等，前人描述为“画手所不能到者，能以寸铁写之，当时以为绝品”。[37]围绕他的这类作品，竹刻史上有一个颇不容易解释的赞誉：在周颢之前“刻竹多崇北宗”，周颢一出则“合南北宗为一体”。[38]似乎是说，以前用竹刻表现山水，多用立体的办法来突出空间层次，难以传达文人画中的细腻皴点，有金石味，少笔墨韵；而周颢尝试用刀痕再现披麻皴、解皴索等细密皴法，描绘南方山水的朦胧湿润，其拓本效果有如黑白颠倒的水墨画。这无疑进一步增加了对竹刻创作的艺术要求，提高了士大夫对竹刻的关注，不过，可能也成为竹刻向平面化的面貌、文人化的趣味蜕变的转折点。周颢在清代中晚期竹刻发展过程中，影响深远，如周笠、严煜、吴嵩山、杜世绶、徐枢、孙效泉等都或直接受教，或私淑其风。[39]

而邓氏一门父邓孚嘉、叔邓士杰、子邓渭亦有名于时。其中邓渭善刻文字，细小整饬，功力甚深，故有“嘉定竹器刻字”以之“为最”的评价。[40]而这种技法也是开清中晚期竹刻风格之先的。

王氏则是另一数代有竹人涌现的世家。最早的王之羽，从吴之璠游，尽得其奏刀之法，传子王质、侄王鉴，而质子王玘，再传侄王恒，已发展为以较浅之浮雕及阴刻为主的风格，具有此一阶段嘉定竹刻的典型特点。

这一时期嘉定还有一位重要竹人张宏裕，约活动于乾隆晚期至嘉庆年间，他最为人称道的是“以三寸竹为人镂照”。[41]可惜，目前我们还没有见到他这类作品传世。

嘉定以外，此时各地均出现不少有成就的竹人，其中最重要的无疑为潘西凤。

潘西凤，浙江新昌人，侨寓扬州，本为饱学之士[42]，与当地文人名士多有交往。其刻竹以浅刻及天然竹根巧作为主，恰与濮仲谦相近，故郑燮赞其为“濮阳仲谦以后一人”[43]，也使论者目之为金陵派传人。

这一阶段还有一种特殊的竹工艺逐渐成长并广为传播，那就是竹黄工艺。

竹黄工艺约于明晚期出现于福建上杭，据载当时有竹匠名温泰湖者，制竹黄锁，坚好似铜，钟惺（1574～1625年）见而奇之，为作《竹锁铭》。[44]上杭竹黄工艺闻名之后，湖南邵阳最先引入。道光后期四川江安亦习得此技，甚至竹刻重镇嘉定，也有人往邵阳学习。经过改进推广，出现了批量生产经营竹黄器的店铺，著名的如时大经的“文秀斋”、张学海的“文玉斋”、韩玉的“云霞室”等，受到市场欢迎，声誉反超过创始各地。随着竹黄工艺的日益成熟，至乾隆十六年（1751年），清高宗南巡时，以采备方物而入贡，并因“质似象牙而素过之，素似黄杨而坚泽又过之”[45]的独特美感而得到皇帝喜爱，遂成为官吏恭进及内府采购、定制的重要品类。《贡档》中江宁织造、两江总督、两淮盐政、江西巡抚、湖北巡抚等都曾呈进竹黄烟壶等物[46]，正可说明这一点。由此也可知，宫中的这类制品多来自地方，但亦不能排除“召匠入宫制造”，“或兼而有之”的情况。[47]

竹黄器物在宫中除作为一般陈设赏玩品外，很重要的作用是作为赏赐或赠送臣子与外国的礼物。[48]从目前留存作品看，品类有各式盒、笔筒、水丞、唾盂、鼻烟壶、冠架、如意、图章、多盛盘、仿家具之文具小柜、插屏等，以文房用具为主，工艺上既有本色浅刻，也有结合火绘、玉石镶嵌，及自竹黄中衍生出的竹丝、棕竹镶嵌等。其工艺水平远较民间制作为高。但值得注意的是，它们“似全部为乾隆时期制品，此后宫廷未再制造或采办”[49]，至于具体原因还有待进一步考证。

竹黄虽优点很多，应用面广，但竹黄层甚薄，只宜浅刻，故其盛行后，圆雕、透雕、高浮雕、深刻等传统技法完全无用武之地。一般竹人只愿制作简易而产量较大的竹黄器物，很少再去雕制费力难成的竹刻艺术品。所以时人慨叹：“吾疁刻竹，名播海内，清季道咸以后，渐尚贴黄（即竹黄），本意浸失。”[50]其结果是，竹黄工艺与周颢等所倡导之阴刻法一道，从内、外部分别挤压传统竹刻工艺，使其在清中期以后发生显著转向。

清中期宫廷中还出现另一类特殊竹刻品，以商周青铜器等古代器物为蓝本，或取其型，或取纹饰，巧妙融会；主要用竹根剪裁，严谨规整，雕镂精美，流、柄、活环等俱全，颇见匠心。这类器物出现之原因，似应联系当时社会文化潮流、宫廷审美趣味，特别是皇帝个人的倡导来分析。雍正、乾隆等朝均曾有意识地建立一种理想的宫廷工艺审美范式，尤以乾隆干预最力、效果最著，竹刻当亦是其中一分支。此类作品与《西清古鉴》等宫中谱录所载颇有相近处，故其形式当出于内廷造办处。

清代中后期，竹刻艺术的发展进入延续与衰落阶段。其表现是留名史册的竹人较前更多，但自具面目、堪称大家的却罕有。作品的表现技法以低浅阳文与阴刻为多，擅长圆雕、高浮雕与镂雕者寥寥；作为主导的嘉定竹刻逐渐势微，虽然前述创始“文玉斋” 的张学海和“文秀斋”的时大经人称“两美”[51]，却不足以挽回时人对绝大多数“业者列肆以营生，则竹贾而非竹人矣”[52]的恶评。

回顾竹刻艺术的历史，我们以为，如果抛开社会经济的影响，竹刻衰落的根本原因,恰恰在于其自身对艺术化的不断追求。要知道，自来传统中并没有独立的工艺评价系统，故而对竹刻的赞语多见“用刀如用笔”、“俨如名画”等等，这就导致了竹人在创作中有意识地向书画等地位更高的艺术形式靠拢，尤其是当各种技法已经烂熟、无从突破的情况下，更唯求于审美意韵上寻得出路。如果说像周颢这样的大家尚可在工艺与书画韵味间保持平衡的话，继之者则不得不面对过犹不及的尴尬。而从立体到平面的倾向正是竹刻史发展内在逻辑的表征，对清晚期的某些人来说，拓本效果的重要甚至已不下于实物本身。[53]这种倾向正与竹刻和文人士大夫的关系相表里。因文人的参与、鼓吹与赞助，竹刻方得异军突起。但与文人画相仿，作为业余遣兴，文人的介入要求降低技术门槛，提高文化内涵，此时竹刻中流行摹刻金石文字，即是乾嘉学风的影响。《竹人续录》中大量印人兼竹人的记载，也说明了此时的竹刻与治印性质日近，已成为文人全面修养的一个组成部分。从某种程度上说，竹刻本身的工艺性被有意无意地忽视，其创新发展的动因也就丧失了。

二、竹材的选择与制品的类型

竹之为用，大抵根据所制器物不同，分取竹筒或竹根。竹筒表面平滑细致，装饰多阴刻、浅浮雕等；竹根坚厚，纹理纠结，多依形态而作圆雕、高浮雕等。嘉定竹刻很早就根据不同材质，发展出不同的工艺和制品，其中既有“以竹筒刻人物、山水，若笔筒、酒杯、香筒诸器者，是就竹之围圆而成，俨然名画也”，又有“以老竹根就其高卑、曲折、深浅之宜，刻为人物、山水、果蔬、花卉，名为阳文”。[54]

对于竹筒雕刻，嘉定最初采用本地种植广泛的哺鸡

竹，制成品长不过尺余，阔不过三寸。直到清康、乾以后，才逐渐采用外来的毛竹或楠竹等刻制大件。其时刻竹店往往联合派人在新竹初伐时到湖州梅溪、泗安等地挑选优良材料，重价雇人掮运下山，置诸竹排上运回。将材料竹节切分开来，制成筒形或剖成片形坯料，然后再经久藏待用。[55]

这一类制品包括：

1. 笔筒

取竹筒一节，大、小、圆、椭悉依本形，以膈为底，表面可以进行浮雕、镂雕、阴刻等装饰，口、底可镶以木。成书于晚明的《文房器具笺》即有："笔筒，湘竹为之，以紫檀、乌木棱口镶座为雅，余不入品。"[56]

2. 诗筒

据近人褚德彝《竹刻脞语》载："截竹为筒，圆径一寸或七八分，高三寸余，置之案头，或花下分题，斋中咏物，零星诗稿，置之是中，谓之诗筒。"今多将小型笔筒作为诗筒。不过，据清人查慎行《诗筒为损持赋》："谁将围寸竹，截作径尺筒。"[57]又《竹人录》载侯崤曾"手制诗筒，邮递赠答"，则其形制可能较为细长，两端或有盖，中储诗稿，可为邮传用的容器。

3. 香筒

前引《竹刻脞语》于"诗筒"后又说：

> 圆径相同，长七八寸者，用檀木作底、盖，以铜作胆，刻山水人物，地镂空，置名香于内焚之，名曰香筒。

传世香筒中，似尚未见有带铜胆的实例，故也有推测其用法为将线香插入底托中央小孔，再套入竹筒，盖上顶托，香烟则从镂空部分溢出。[58]

4. 臂搁

臂搁多作长方片状，覆瓦式，为写字时枕臂的器具。多于正面阴刻或浅浮雕纹饰，高浮雕及镂雕少见，因其有碍于手感。早期作品背面一般光素，晚清以后，应用刻竹黄之法装饰图文者渐伙。

5. 扇骨

以竹为折扇骨架，取其轻便有韧性，可以用阴刻、留青、镂雕等技法，方寸之间，驰骋技能。竹扇骨明晚期已流行，《万历野获编》称：

> 吴中折扇，凡紫檀、象牙、乌木，俱目为俗制，唯以棕竹、毛竹为之者，称怀袖雅物，其面重金，亦不足贵，唯骨为时所尚。[59]

此后，制扇好手代不乏人，而以浙江嘉兴、江苏苏州为最集中。晚清民国以来更为兴盛，与名家扇面相得益彰。

竹筒还可以制成花插、镇尺、联对等，以适合竹筒外形的器物为主。

竹的根部形态多样，竹肉较厚，可为圆雕或多层雕镂作品，有经验的匠人经悉心选择，善加利用，可收事半功倍之效。据说嘉定竹人张学海常于天井中摆设无数毛竹根，每天观察构思，有所得才动手制作。其制品多供陈设玩赏，如：

1. 圆雕人物、动物和植物，如寿星、东方朔、弥勒及狮子、螃蟹、蟾蜍、佛手、葫芦等。有些更制成景物复杂、场面宏大的山子之类。

2. 文房用具。以笔洗、水丞、储物盒等为多见，某些还雕成松树、荷叶等仿生形态，既有实用功能，又有竹根特殊的肌理。

此外，还有各式仿古器物、印章、簪钗等多种品类。

三、竹刻的特殊工艺

竹刻技法中既有与其他雕刻工艺相通的阴刻、浮雕、镂雕等[60]，也产生出一些专门工艺。

1. 留青阳文

所谓留青，又称“皮雕”，即在竹筒的表皮层上刻出纹饰，并去掉其余部分，露出竹肌为地，表现为极浅的阳文，可以说是去地浮雕的一种特殊演化；而竹皮色浅而滑润，竹肌色深而具纵向丝纹，且时间愈久，色调与质感的差别愈大，所以整体言之，其装饰效果又是通过色泽、肌理、质地等方面对比来实现，绝非一味追求高低起伏层次，而是充分考虑了竹材的独特属性。

目前已知最早应用留青装饰的制品是日本正仓院所藏唐代尺八，此后之实物则少之又少，擅长此工艺的也只见张希黄、尚勋等区区几人。翻检史籍，留青在竹刻中心嘉定未获重视，可能是制约其发展的重要原因之一。直到晚清民国时，金西厓等人才将此种技法推向高峰。

2. 薄地阳文

清初竹人吴之璠创制一种减地浅浮雕技法，将竹表剔去一层，留下浮凸纹饰。能于较小高度内，表现物象微妙的凹凸变化，游刃有余，绰有余裕，《竹人录》命名为“薄地阳文”。在清中期吴氏声名广播后，嘉定竹人学之者甚众。

3. 陷地深刻

此工艺为减地浮雕法的一种变体。在纹饰范围内剔刻竹肌，其间留出浮凸部分，看似阳文，实则并未高出器壁原有高度，装饰效果颇为强烈。在嘉定地区，陷地深刻法初见于清代早期，清中期较盛行，常见题材有荷花螃蟹、秋圃白菜等。从传世作品上看，有时下陷部分纹饰可多达五六层，巧妙化用浮雕、镂雕等法，大大丰富了竹材的表现力。

4. 竹黄

竹黄又称“贴黄”“翻黄”等[61]，清宫中则称为“文竹”，或取其雅。其工艺是将竹节内壁约3毫米厚的黄色皮层切割下来，经蒸煮软化后翻转压平，粘贴于木制器物胎骨上，磨光并雕刻花纹。其外表光洁温润，精致的近似象牙，而器形又不受竹材围圆的限制，因此一经发明，很快就流行开来。

注释：

[1] 张之恒：《中国原始农业的生产和发展》，《农业考古》，1984年第2期。

[2] (晋)郭义恭：《广志》语，转引自王乾：《〈竹谱〉和我国早期竹文化》，《古今农业》，1988年第1期。

[3] (南朝宋)戴凯之：《竹谱》语，见《影印文渊阁四库全书》，第845册，页173，台湾商务印书馆，1986年。

[4] 参见(唐)刘岩夫：《植竹记》、白居易：《养竹记》，转引自《佩文斋广群芳谱》，卷八三，《影印文渊阁四库全书》，第847册，页282，台湾商务印书馆，1986年。

[5] 吴苏：《圩墩新石器时代遗址发掘简报》，《考古》，1978年第4期。

[6] 陈振裕：《楚国的竹器手工业初探》，收入《楚文化与漆器研究》，页158，科学出版社，2003年。

[7] 王世襄：《竹刻简史》，收入《锦灰堆——王世襄自选集》，壹卷，页271，生活·读书·新知三联书店，1999年。

[8] 《竹谱》载：“竹之堪杖，莫尚于筇。”见注3，页176。早在西汉时，筇竹杖已通过西南丝绸之路销往海外，见《史记》，卷一二三，《大宛列传》。然有学者以为“筇竹”非竹而为棕榈科之“省藤”，即今所谓“广藤”也，见任志强校注：《华阳国志校补图注》，卷四附三，《蜀布、邛竹杖入大夏考》，页326～328，上海古籍出版社，1987年。

[9] “蕲簟”自唐代开始名重一时，曾为贡品，明清时仍为“蕲州三绝”之一，参见何明、廖国强：《中国竹文化研究》，页65～67，云南教育出版社，1994年。

[10] 参见(北周)庾信撰，(清)倪璠注，许逸民点校：《庾子山集注》，诗名《奉报赵王惠酒》，页286～287，中华书局《中国古典文学基本丛书》本，1980年。又注引王韶：《南雍州记》载，刘宋时名士辛宣仲，截竹为罂，自谓：“我惟爱竹好酒，欲令二物常相并耳。”则亦当为竹筒制作的简易酒具。

[11] (宋)郭若虚：《图画见闻志》，卷五，“卢氏宅”条，《影印文渊阁四库全书》，第812册，页560，台湾商务印书馆，1986年。按，文中未注明为何种材质所制，但考虑到当时笔管通用竹材，故历来研究者均引述之。王世襄先生且以为其技法为留青，见注7《竹刻简史》，页271。

[12] 刘楚邕：《嘉定竹刻艺术简史》，收入郑孝同主编：《嘉定竹刻艺术》，页7，学林出版社，1990年。

[13] 参见傅芸子：《正仓院考古记》关于“刻雕尺八”的论述，页38，辽宁教育出版社“新世纪万有文库”本，2000年。

[14] (元)陶宗仪：《南村辍耕录》，卷五，页63，中华书局，1959年。

[15] 宁夏回族自治区博物馆：《宁夏八号陵发掘简报》，《文物》，1978年第8期。

[16] (元)杨瑀撰，余大钧点校：《山居新语》，卷一，

页207，中华书局，2006年。又，该书还记载了另一件相似的竹龟，见卷三，页219～220。

[17] 安奇：《朱小松的“刘阮入天台”竹刻香熏》，《文物》，1980年第4期。

[18][20] (清)赵昕：《竹笔尊赋》，转引自(清)金元钰：《竹人录》，卷下，黄宾虹、邓实编：《美术丛书》，二集第五辑，江苏古籍出版社影印本，第1册，页988，1997年。

[19] (清)王应奎：《柳南随笔》，转引自俞樾：《茶香室丛钞》，卷一一，收入《笔记小说大观》，第34册，页69，江苏广陵古籍刻印社影印本，1983年。

[21] 对于金元鈺所谓金陵派，王世襄以为“不过是制造一个对立面来抬高他本乡的嘉定派而已”，见《论竹刻的分派》，《锦灰堆——王世襄自选集》，壹卷，页281，生活·读书·新知三联书店，1999年。相比之下，褚德彝在《竹刻脞语》中提出以不同材质所用圆雕、平刻等不同技法来分派，似更合理些，参见《竹人续录》，卷下，褚氏自印本，1930年。

[22] (明)张岱撰，马兴荣点校：《陶庵梦忆》，卷一，页9，中华书局，2007年。

[23] 语见注21《竹刻脞语》。

[24] (清)刘銮：《五石瓠》，转引自邓之诚撰，邓珂点校：《骨董琐记全编》，页271，北京出版社，1996年。

[25] 转引自前注《骨董琐记全编》，页205。

[26] (清)钱詠撰，张伟点校：《履园丛话》，卷一二，页325，中华书局，1979年。

[27] 注18，《竹人录》卷上，“吴之璠、朱文友”条。

[28] 王世襄有此看法，见注7，页275。嵇若昕则认为此说值得商榷，传世无年款作品可能是晚至乾隆时吴氏出名之后的仿作。参见《明清竹刻艺术》，页73，台北故宫博物院，1999年。

[29] 《竹人录》，“封锡爵、封颖谷”条。

[30] 《竹人录》，“封锡禄、封锡璋”条。

[31] 参见嵇若昕：《十八世纪宫廷牙匠及其作品研究》，载台北《故宫学术季刊》，第二三卷第一期。

[32][38] 《竹人录》，“周颢”条。

[33] 李希乔曾为施闰章幕宾十年，得施氏撰《石鹿山人传》，参见何庆善等点校：《施愚山集》，文集卷一七，页348～349，黄山书社，1992年。

[34] 金西厓：《刻竹小言》语，收入其甥王世襄编：《竹刻艺术》，页11，人民美术出版社，1980年。

[35] 嵇若昕根据其作品纹饰风格推断张希黄“当为清前期竹人为宜”，见《明清竹刻艺术》，页80，参见注28。关善明则认为较早提及张氏的文献《前尘梦影录》及《旧学庵笔记》均为晚清著作，故张氏为道、咸时人，见《虚心傲节——明清竹刻史话》，页40～50，香港大学美术馆出版，2000年。此问题争议之大，可以想见。

[36] 注7，页276。

[37] (清)钱大昕：《周山人传》，转引自《竹人录》“周颢”条附录。

[39] 《竹人录》卷上相关各条。

[40] (清)张廷济：《清仪阁所藏古器物文》，转引自注28《明清竹刻艺术》，页113。

[41] 《竹人录》，“张宏裕”条。

[42] 从郑燮《赠潘桐冈》诗可知其学富五车，可惜困居扬州。见(清)郑燮撰，王缁尘校：《郑板桥集》“诗钞”，页32～33，中州古籍出版社据1935年世界书局本影印，1992年。

[43] 同前注，《潘西凤》诗题下自注，页89 。

[44] 转引自张汉等修，丘复纂：《上杭县志》，卷三一，1939年启文书局排印本。

[45] 同前注，卷一〇“竹器”条。

[46] 杨伯达：《鼻烟壶的繁荣》，收入《珍玩雕刻鼻烟壶》，页201，台北幼狮文化事业公司，1993年。

[47] 同注7，页279。

[48]　《明清竹刻艺术》，页153～154，有根据光绪朝《会典事例》所编的礼单列表，可参看。

[49]　同注7，页280。

[50][52]　张鸿年：《竹人录》跋，《美术丛书》本无，转引自注28《明清竹刻艺术》，页157。

[51]　《竹人录》附录张云栋注，转引自注28《明清竹刻艺术》，页126。

[53]　如《墨林今话》称方絜“尝游禾城，每一艺出，则手拓以赠同好，人争宝之”；而《白岳庵诗话》作者余楙只见其“竹刻拓本一册”，即称“真无上逸品”；褚德彝论蔡照，也谈到他刻“箑边一百件拓本”，又论周之礼刻金石文字“可作拓本观”，均显示出这种观念。参见注21，分别见《竹人续录》，卷上，“方絜”“蔡照”“周之礼”条。

[54]　(清)王鸣韶：《嘉定三艺人传》，转引自《竹人录》，卷上，“周笠”条附录。

[55]　吕舜祥：《嘉定的竹刻》之“选材”，收入王世襄编《竹刻》，页93，人民美术出版社，1991年。

[56]　(明)屠隆：《文房器具笺》，收入黄宾虹、邓实编：《美术丛书》，二集第九辑，页1245。

[57]　转引自《竹人录》，卷下。

[58]　同注35，《虚心傲节》，页106。

[59]　(明)沈德符：《万历野获编》，卷二九，页663，中华书局，1959年。

[60]　不同工艺类别间某些技法虽然相通，但也自有一套施用方式，连名目都有区别，关于竹刻刀法之名可参看注55《嘉定的竹刻》“刀法”。

[61]　有人将“黄”写作“簧”，是想当然耳，已为王世襄先生所辨正，详见注7，页279。

竹雕松树形小壶

明晚期

高12.3厘米 最大口径8.4厘米 最大底径8.5厘米

壶呈天然树桩状。作者采用高浮雕技法，雕一节老松树干作为壶身，一侧有枝沿树身盘附而上蟠屈成柄，断梗作流。壶盖巧雕成枝叶状，曲折如钮且又与壶身枝干相连。根据材料的自然形状，精心设计，巧镂细刻，树身苍老屈曲，满布鳞皮，精致古雅。壶柄下方阴刻楷书“仲谦”二字款。

依款识，此壶当是金陵名匠濮仲谦的作品，其雕刻较繁，与文献中所记濮氏不施斤斧、自然天成的风格稍有出入，但构思巧妙，工艺高超，还应归入较为可信之列，实属寥若星凤。

竹雕松树形笔筒

明晚期

高14.6厘米　口径15.5厘米　底径14厘米

笔筒截取近根处竹干雕作松树式，阴刻重圈纹累累如铺卵石，似云朵氤氲，又似松鳞错落；采用高浮雕并镂雕松枝穿插，松针如轮，重重叠叠。枝杈虬劲，倾向一侧，似表现山松经历风雨的姿态；另一侧树皮开裂剥落，露出瘿瘤。随着筒身旋转，每一面构图也有所不同，从而在并不复杂的形式因素中突出张弛有度的节奏，显示出高超的工艺技巧。

竹雕留青管貂毫笔

明万历

管长9.1厘米　管径1.8厘米　帽长6.3厘米

笔管竹雕留青海水云龙戏珠纹。笔管上端留青字“文林便用”。笔帽顶嵌螺鈿上填蓝楷书“万历年制”。毛笔纳貂毫，呈葫芦式，为明代笔毫特点。

留青竹刻工艺，即用竹子表层青筠雕刻花纹，然后去地，留出花纹，呈现层次多样的装饰效果。此笔刀工圆润，雕刻纹饰繁缛细致，代表了明万历时期竹雕工艺的水平。

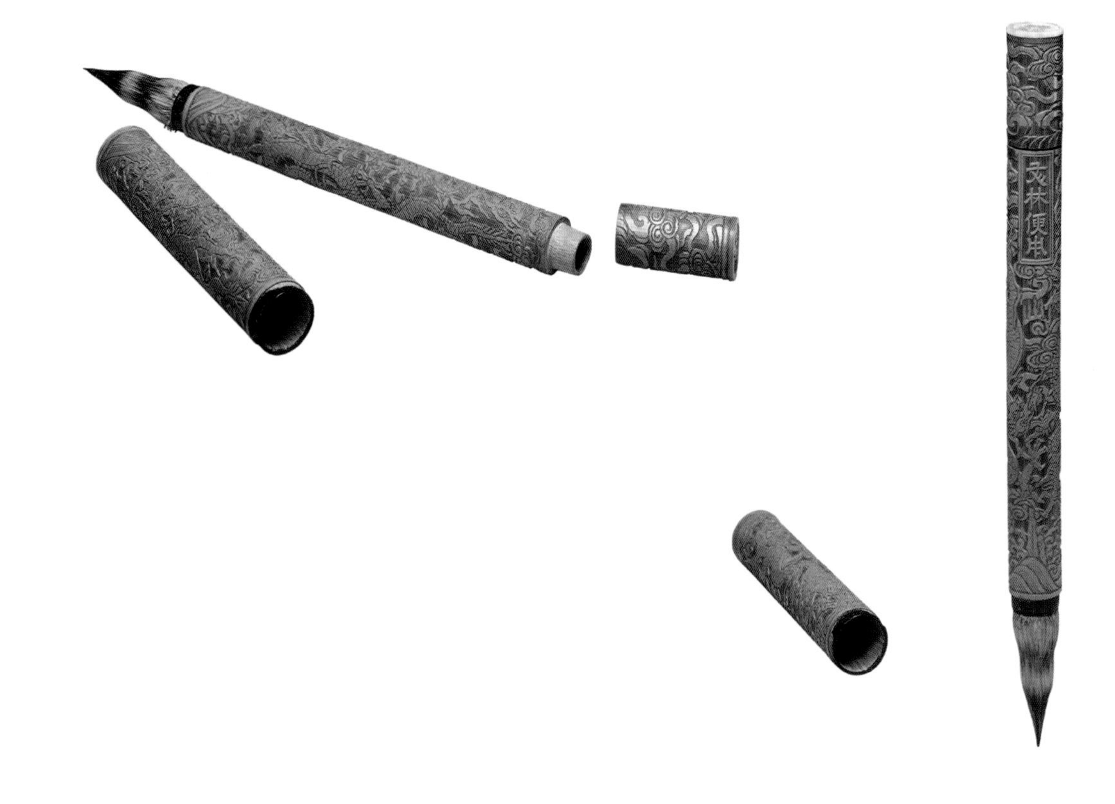

竹根雕佛手

明晚期

高11厘米

佛手色作深褐，为折枝式双佛手；均仰立，枝叶相连。佛手虽只二枚，但高低错落，转侧不同，指裂开合，变化精微。兼之对竹根肌理善加利用，有巧作之妙，枝干刻楷书“小松”二字款，下承云纹木座。为同类题材工艺品中佼佼者。

竹雕仕女图笔筒

明晚期

高14.6厘米　口径7.8厘米

笔筒为圆筒式，色泽深红，下承三矮足。外壁镂雕仕女，头戴风帽，手拈兰花，傍石而立。身周洞石壁立，通透异常，古松穿岩而出，蟠曲矫健。松下石台上浅浮雕杯、砚、盆景等案头清供。石壁上阴刻行书："万历甲寅（1614年）秋八月。"旁刻"三松作"三字款。另一侧石上阴刻隶书乾隆帝御题诗一首并"乾隆丁酉新月御题"九字，下有"乾""隆"二小印。丁酉即1777年[①]，全诗及原注如下：

不期精细期苍古，

以朴因之历久存（万历甲寅至今盖一百六十余年矣）。

生面略殊倚修竹，

幽兰在手默无言（刻美人把兰朵）。

创为邻鹤有来由（邻鹤，朱松字，三松之祖也），

善画而今画少留。

刻竹依然传片羽，

可思业亦贵箕裘。

朱三松，名稚征，与其父小松、祖松邻（本名鹤，字松邻，乾隆帝误为邻鹤），合称"嘉定三朱"，均为竹刻史上里程碑式的人物。而以三松成就最高，有出蓝之誉。仅以此器论，集镂雕、浮雕、阴刻等技法为一炉，精益求精，确实不同凡响。

① 见《清高宗御制诗集》，四集卷五五，原题《咏三松竹刻笔筒》。

竹雕白菜图笔筒

明晚期

高13.7厘米　口径10.8厘米　足径10.5厘米

笔筒圆筒式，下承三矮足。一面以陷地深刻法刻白菜一棵，叶片或仰或俯，如被风吹拂，一只螳螂隐于叶间。菜旁浅刻坡草。图下角阴刻“三松”二字款。另一面阴刻填蓝隶书御题诗句：

鬼工细刻总教删，一簇秋菘老圃闲。
生处何妨谢淇澳，味来雅合忆钟山。
虽雕而自戒奇特，其寿端由在朴间。
寓意咬根非我事，因之时亦念民艰。

末署“乾隆己亥仲秋月御题”并填红篆书“乾”“隆”二印。①

此器技法纯熟，陷地最深处之菜心还运用了镂雕工艺，显得玲珑剔透，精巧异常。

① 见《清高宗御制诗集》，四集卷七五，庚子年（1780年）下，原题《咏三松刻秋菘竹根笔筒》。

竹根雕和合二仙

明晚期
高5.2厘米

竹根圆雕二僧，乘于莲瓣舟上。一僧坐船头，手捧蒲扇，一僧踞船尾，以帚为桨。二僧满面笑容，憨态可掬。莲舟外侧阴刻行书“三松”二字。雕工圆润细腻，二仙不同凡俗之处跃然于观者眼前，确非高手所不能为。

依人物之装束、神态，可推知二僧乃唐贞观年间台州奇僧寒山、拾得二人。据《宋高僧传》所载，二僧状若癫狂，寒山常“布襦零落”，“以桦皮为冠，曳大木屐”，动辄“呼唤凌人”，“望空漫骂”；拾得曾以杖击伽蓝神像，有“呵佛骂祖”之风。传说中还有很多关于二人神迹的轶闻。在民间造型艺术中，寒山常手捧一盒，拾得持一荷，以谐“和”“合”二字音，寓同心和睦之意。清雍正十一年（1733年），朝廷赐封寒山为“和圣”，拾得为“合圣”，以示官方对民间信仰的认可。

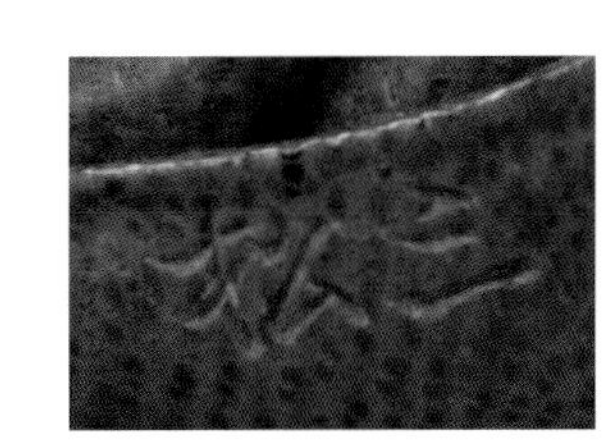

竹雕荷塘小景图香筒

明晚期
通高23厘米　口径5.1厘米

香筒为圆体。应用深、浅浮雕、镂雕等技法表现池塘小景。纹饰层次多至五六重，却繁而不乱，穿插避让，调度合理，主次分明。踞于荷叶上的小蟹为点睛之笔，为画面增添了生趣。筒身两端镶牛角，并配花梨木顶托，一以蜡粘接，一留凸榫，可插接。

此器雕刻圆熟，磨制细腻，不露刀痕，带有鲜明的时代特点。

竹根雕碧筒杯

明晚期

高8.3厘米　口径9.5厘米

杯以竹根雕作折枝荷叶形，近底处雕一朵荷花。荷叶翻卷，花瓣舒张，莲蓬饱满。花叶浅雕，筋脉隐现。花瓣间隐一螃蟹，敛螯舒腿，如欲攀爬，颇有生趣。底足由荷花及叶茎盘曲而成，巧妙自然。杯内壁阴刻隶书五言题诗：

截得青琅玕，制成碧筒杯。

霜螯正肥美，家酿醉新醅。

并“万历庚辰（1580年）秋日墨林山人”款。近底处刻阳文“望云”篆书印章款。

“望云”即严望云（一作阎望云）。据《蕉窗小牍》等文献载，严为浙中名匠，擅攻木，著名鉴藏家项元汴（号墨林）最赏重之，严为其“天籁阁”所制香几、小盒等诸器，传世多被当作古玩珍藏。此杯亦曾见诸著录，形制、题诗、款识俱相吻合，是竹雕作品中非常少见的。

“碧筒杯”之来源，据唐段成式《酉阳杂俎》云，魏郑悫避暑于历城，取荷叶为杯，以簪将叶刺穿，使与叶茎相连，从茎的末端饮酒，因而“酒味杂莲气，香冷胜于水”，称为“碧筒”“碧筒饮”。后世多有仿效。工艺中化用此意匠者亦常见，严作即为其中代表。

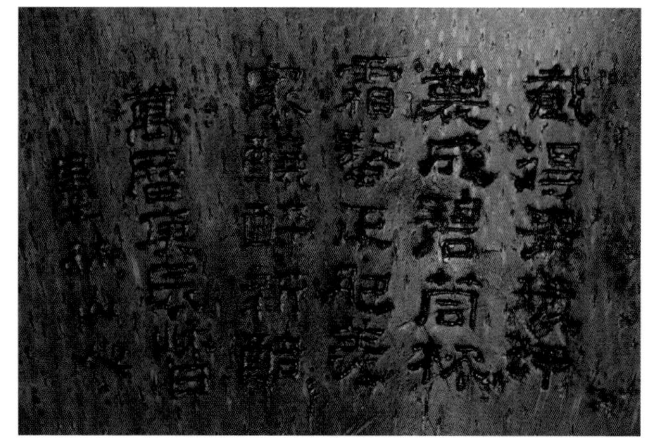

竹根雕松树罗汉

明晚期

高12.7厘米　底径16.1厘米

罗汉为竹根制，隆颡突颧，垂睫下视，耸肩缩颈，半跏趺坐，左臂撑持，袈裟自然滑落，袒露肩膊，右手拈念珠搭于膝头。一小狮立于其左腿上，仰首而视，似欲嬉戏。

此作雕工细腻传神，人物形象略有夸张而解剖准确，衣纹流畅而富装饰性，诸如利用材质肌理表现人物头顶发根，以黑漆描画眉与睫、脚趾微微上翘等细节，都极具匠心。

作品所配木座亦雕刻不俗。下部镂雕岩石、花草，后部叠石高起如靠背，孤松耸立如伞盖，与竹根戏狮罗汉构成一组有情有景的小型景观，为主体增色不少，也是在其他作品中很少见的。

竹根雕骑马人

明晚期

通高19.9厘米　长14.9厘米

圆雕一文士头戴风帽，双手掩于袖中，耸肩缩颈骑于马背之上。马儿双目圆瞪，四足叉开，双耳直竖，似遇极大阻力而裹足难行。根据表现内容推测其灵感应受韩愈诗“雪拥蓝关马不前”的启发。

此作刻工圆润细致，人物、马匹神态生动逼真，是清雅的案头陈设品。

竹根雕翼兽

明晚期至清早期
高18.5厘米

兽为竹根圆雕。后足撑踞人立状，前爪当胸，扭身回首，双睛圆瞪，耳垂类犬，鼻似如意，巨口微张，齿尖半露，胁生双翅，背披长毛，腹部横纹颇似蛇虺，形态奇异。或以为并非完整独立之作品，而为某神像陪衬，如观音座下金毛吼之类，但亦仅限推测而已。左足外侧阴刻行书“峤曾”二字款，并剔地阳文篆书“侯”字小印，或即为嘉定竹雕名家侯峤曾款识。

竹雕钟馗挑耳图笔筒

明晚期至清早期
高15厘米　直径10厘米

笔筒为圆体，三矮足。镂雕及浮雕山石倒挂，松竹掩映，一老者斜坐于坡上，戴幞头，着朝服；一手执笏， 一手拈小枝正在掏耳。但见其眉眼攒聚，目光斜睨，嘴角抽动，全神贯注，意甚陶醉，神态捕捉妙到毫巅。细审人物形貌，弓眉突颧，长髯及胸，耳毫逆生，神情放诞不羁，似为传说中之钟馗。

此作镂雕工艺极佳，人物塑造尤其出色，已非一般文房玩物可比。

竹雕对弈图笔筒

清早期

高14.6厘米　直径11厘米

笔筒一侧镂雕松下三人对弈图景，其旁阴刻隶书“三松制”三字款，另一侧阴刻填蓝隶书诗句：

巧匠试奇刻，溪堂作会棋。

方圆含动静，胜负系安危。

无斧痕曲肖，有神韵莫遗。

应嗤刀笔者，此妙未能知。

并“御制诗。子臣永璇敬书”及篆书“子臣永璇”“敬书”二印。

永璇（1746～1832年），为乾隆帝第八子，封仪亲王。擅书法，受其父影响，学赵孟頫，字体端丽。

此笔筒采用高浮雕与镂雕技法，雕工圆润娴熟，人物情态传神，极具表现力。然依风格来看，款识恐在可以商榷之列。

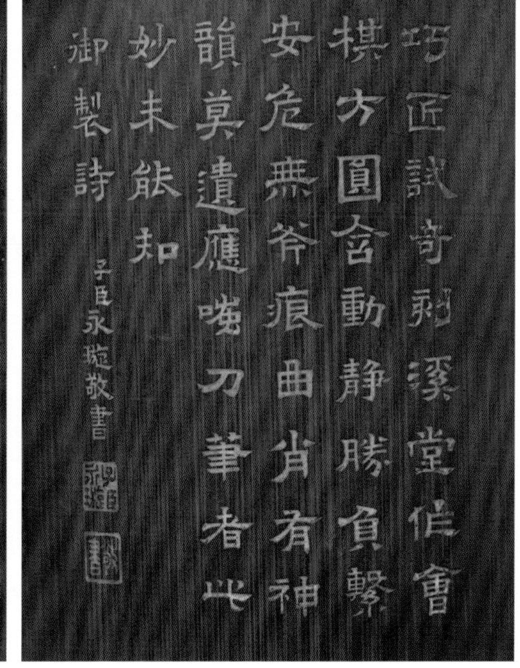

竹雕八骏图笔筒

清早期

高16厘米　口径14.8厘米　底径14.9厘米

笔筒外壁以通景形式，刻八匹骏马、七个人物，分为浴马、饲马、相马三组。第一组：一老者赤腿，双手持缰牵马出溪；二老者侧身坐于山坡之上观望，身旁二马一立一卧，憩息于坡草间。第二组：一老者持盆，蹲地饲马。第三组：三老者于松干之旁，居高临下观二马翻滚、跳跃。水清松茂，人马栩栩如生。岩壁上阴刻行书“吴之璠制”款。

吴之璠，字鲁珍，是清初著名竹刻家。此笔筒所用“薄地阳文”浅浮雕法，史家以为是其所创。

竹雕僧人图笔筒

清早期

高17.3厘米　口径9.4厘米　底径9.2厘米

笔筒椭圆形，镶紫檀口、底，下承四垂云足。筒身一面去地浮雕一荷杖僧，面如满月，笑容可掬，手持念珠，肩挑蒲团，跣足而立。余皆留白。另一面阴刻行书诗：

和尚肚皮如甕，眼儿笑得没缝，

布袋朝暮提携，手中不知轻重，

问渠袋者何物？一气阴阳妙用。

末署“吴之璠制”款。

此作所用为吴氏最擅之“薄地阳文”法，技巧成熟，风格突出，唯味诗意，所刻者应为布袋和尚，但荷物不谐，令人费解。

竹雕刘海戏蟾图笔筒

清早期

高14.5厘米　口径11.4厘米

笔筒为圆体，三矮足。以去地浮雕法刻画二株松树旁，刘海信步缓行，一手掐钱串并肩负长帚，帚上伏三足金蟾，一手持葫芦。刘海敞衣袒腹，围豹皮裙，跣足披发，回首与蟾蜍对视，咧嘴而笑，憨态可掬。

雕刻技法有粗犷处，如衣褶、松枝、帚梢等，大开大合，线条峻急有力；亦有精细处，如发丝、松鳞等，特别是以黑漆点人物双乳，极为写实。人物部分色泽与铲去背景色之间，由于年深日久对比越强，是有意为之的成功处理。有填绿阴文行书款识："吴之璠制"，及隶书御题诗句：

> 一帚扫清三界尘，戏蟾犹自不离身。
>
> 还金篇与伊谁论，仿佛其人道姓甄。[①]

并"乾隆壬寅御题"与"古稀天子""犹日孜孜"二印。按乾隆壬寅即乾隆四十七年（1782年）。

① 见《清高宗御制诗集》，五集卷二四，丙午年（1786年）下，题为《咏吴之璠竹刻海蟾笔筒》。

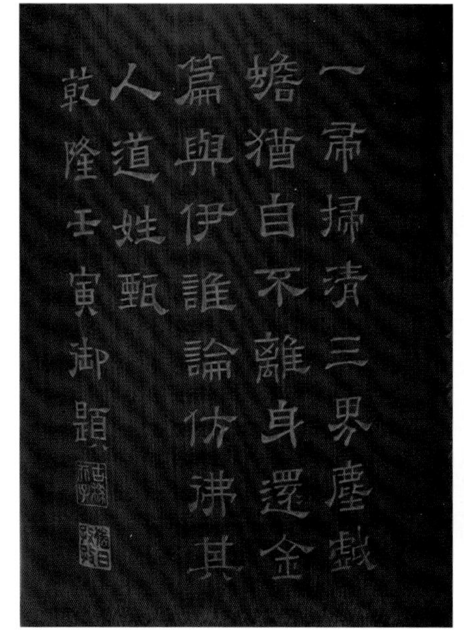

竹雕滚马图笔筒

清早期

高13.9厘米　口径10.1厘米　底径10厘米

笔筒为圆体，有三矮足。外壁去地浮雕一马翻滚仰卧，奋鬣昂首，前足左曲，后足蹈空。旁立一骑士，意态从容。一动一静，增强了画面的戏剧化效果。笔筒另一面阴刻行书“生桃林之野，出颇黎之谷”十字，并题款：“嘉定王易橅赵松雪本，作于墨香小筑之南窗，时年七十有六。”

王易，字右白，是嘉定地区著名竹刻家。依题铭之意，王氏此作是以元代画家赵孟頫的绘画为粉本创作的，不过，类似题材在竹刻中也已经有人尝试表现，清初竹刻家吴之璠就有滚马图笔筒传世，两相比较，构图颇似，运用的技巧也很接近，表明当时竹刻发展到一定程度，某些题材为竹刻家所热衷，开始形成固定程式。当然，此笔筒很好地将浮雕与阴刻结合起来，刀法流利，具备一定的创作个性，在流传至今的清代嘉定竹刻中亦不失为优秀作品。

竹雕八骏图笔筒

清早期

高16厘米　口径14.8厘米　底径14.9厘米

笔筒为圆筒式，镶紫檀木口、底，下承三矮足。外壁浮雕峭壁流泉、松树人物及骏马。以山壁为界，将画面分为浴马、饲马、相马等三组，与前吴之璠等所刻属同题之作。构图极似，唯滚马前多一立人，共得八骏八人。细节各擅胜场，浮雕较高，树枝及马腿等处运用镂雕技法，层次更为多变。运刀灵活，刻工深峻，琢磨圆浑，是清代早期竹雕中的精品。

竹雕狩猎图笔筒

清早期

高17.3厘米　口径16.2厘米

笔筒镶紫檀木口及底，下承三矮足。采用通景形式，用高浮雕和镂雕等多种技法刻狩猎图，将清初女真人的生活习惯与帝王贵族每年于秋冬季节在皇家园林围猎的情景真实地记录下来。

图中山深林密，怪岩重叠，古松苍劲，枫桐浓茂，远近疏密，错落有致。猎手策马驰骋，雄鹿惊窜，猎犬寻踪。人物、马匹、动物的神态表情，细致入微，须眉毫发毕现，栩栩如生，为嘉定竹刻高手所制。

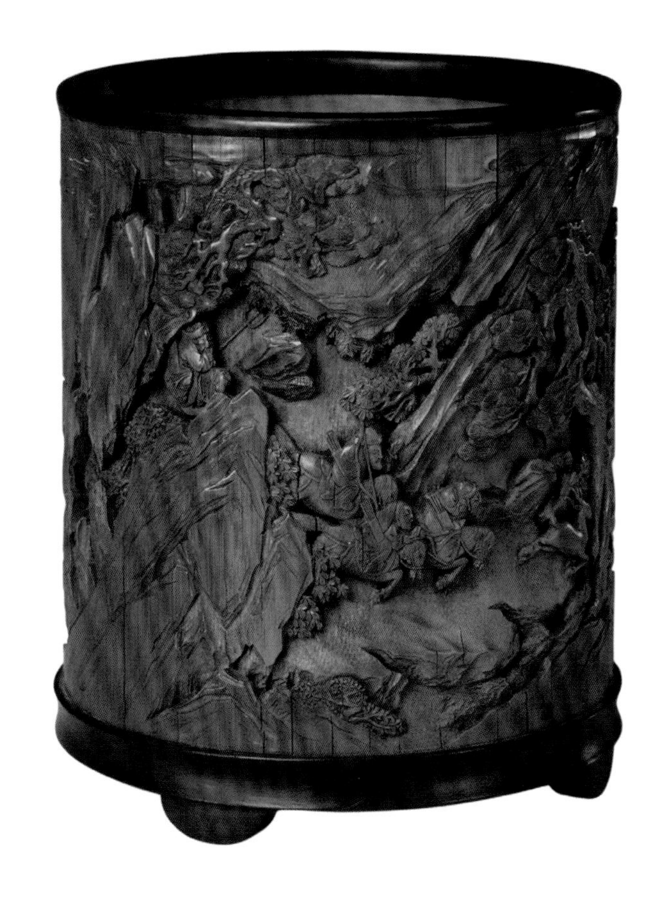

竹雕五老图笔筒

清早期

高17.2厘米　口径13.6厘米

笔筒镶口嵌底，有五矮足。外壁以高浮雕为主，辅以浅浮雕、阴刻等技巧，表现林泉深处五位高士闲适而优雅的隐逸生活。其中二人立于松林中，一拄杖，一倚树，视线所注则是另一侧溪岸边或提笔欲书、或展卷观赏、或枕书回首的三人，又雕二童分别捧书抱琴，侍立一旁。

此笔筒人物、景物刻画细腻，且通过表层及竹肌的不同色泽与纹理，恰如其分地表现出图纹的丰富层次。特别值得注意的是倚松而立者，姿势极似旧题五代韩滉所作《文苑图》中的局部构图，这给作品增添了更多可资玩味的细节。

竹雕修书图笔筒

清早期

高16.8厘米　最大口径15.7厘米　最大底径15.9厘米

笔筒为圆口，三足，镶紫檀底，亦有三云头足。筒身浮雕庭苑中桐荫匝地，松、竹、芭蕉茂盛，湖石高大；自轩窗中可见一书案，案上纸砚俱全；妇人坐于案后，搦管沉吟，似有万语千言却无从落墨。旁立一仆，屋侧檐下一侍女奉茶，缓缓而来。其纹为敷演戏剧、小说而来，一说即为《西厢记》中场景，或有版画插图之类为依据，也未可知。

此作纹饰繁缛，密不透风，浮雕较高，人物已近圆雕；池水只用阴刻，层次丰富，对比强烈，刀法深峻，是一件具有清早期嘉定竹刻风格的作品。

竹根雕卷心式刘海戏蟾图笔筒

清早期

高13.8厘米　最大口径11.9厘米

笔筒口部近凹字式，为取近根处竹干随形雕刻，外壁分别在两个突出部分雕刻刘海与金蟾相对：一面树荫下，刘海足踏石上，手提衣襟，欠身前探，右手伸出，手捧铜钱，憨态可掬；另一面蟾蜍似被逗引，作势欲跃，极为生动。

此器去地浮雕技法纯熟，人物近于圆雕，树枝采用镂雕，局部空洞略加琢磨，巧妙利用了竹节的自然形态，增加了整体装饰的趣味性。

竹雕白菜式笔筒

清早期

高17.3厘米　口径9.4厘米　底径9.2厘米

笔筒作白菜形，筒壁雕菜叶四重，内如剜出菜心，内壁有剔除之螺旋节痕。菜叶脉络清晰，刀痕宛然，边缘翻卷自如。平底，近圆形，雕作根须溢出土面状。外底有剔地阳文“封锡爵”三字圆形款印。

封锡爵为清早期竹刻名家，擅名一时，而作品存世极少，从这件白菜笔筒可略窥其雕刻造诣之一斑。

竹雕溪山行旅图笔筒

清早期

高11厘米　口径5.2厘米　底径5.5厘米

笔筒为圆体，筒身修长，有三矮足。外壁用去地浮雕法表现行旅图，一面崇山峻岭间山路盘曲，主仆二人迤逦而来。上有古木烟岚，下有怪石溪涧；另一面木桥上亦有控辔缓行的骑者三人。人物刻画只存其形，山岩勾勒刀痕直露，利用竹表与竹肌不同色泽，以及地子粗糙肌理的对比区分纹饰层次，十分巧妙。阴刻隶书“溪山行旅”并楷书“石鹿山人李希乔制”款识。

李希乔，字迁于，号石鹿山人，安徽歙县人，主要活动于清初，竹刻作品传世绝少。

竹雕迎驾图笔筒

清早期

高16.4厘米　最大口径10.8厘米　最大底径10.9厘米

笔筒呈扁圆形，下承三矮足。采用高浮雕技法，刻山峦重叠，壑深林密，溪水蜿蜒，奔流潺急，岸边一文士携童向空中拱手为揖。而青嶂翠壁间，云烟腾涌处，华盖车辇隐现；辇中贵妇或为王母，旁列众女，或掌扇，或奏乐。空白处留有阴刻“己酉仲夏，顾宗玉制”双行隶书款识。

顾宗玉，名珏，是清代早期嘉定地区竹刻名家。此作刀法灵透，构图紧凑，层次分明，毫无滞涩之感，确是一件优秀作品。

竹雕荷蟹图臂搁

清早期

长23厘米　宽7.8厘米

臂搁长形，覆瓦式，表面以陷地深刻法刻画以荷花、螃蟹为主题的池塘小景。小蟹踞坐于荷叶上，其姿态与荷叶、拳曲的花瓣似为清风所动的欹侧叶尖，都生动异常。左下刻剔地阳文篆书“松山”印章款。

此器于阴刻中施以高浮雕和镂雕，既保证了纹饰的层次感和空间感，又收到似阳实阴、阴中有阳的特殊装饰效果，凹凸变化精微。而剔刻后竹肌的色泽与深红的表色相得益彰，更显示出其高超的技巧和雅致的格调。

竹根雕寒蝉葡萄洗

清早期

高5厘米　最大口径15厘米

洗为葡萄叶形，微拳如掌，叶缘似指裂。又于外底雕一小叶，以为底足，并雕折枝葡萄一束，藤枝相连。而其最吸引人处在于叶边攀援的小蝉，蠢蠢欲动的足尖与轻薄的翼翅都刻画得细致入微。

此器灵活运用了浮雕、镂雕、阴刻等技法，工艺娴熟，造型别致，是案头清供中不可多得的佳构。

竹根雕采药老人

清早期

高14.7厘米　底径12.1厘米

作品以竹根为材，雕刻一老者坐于石上。老者挽髻长髯，隆颡方颔，容貌清癯，目视下方，神态凝注，似小憩，又似沉思。背部微伛，一手扶石上竹篮，一手持下垂绦带，腰悬葫芦，药锄斜倚于身侧，姿态自然写实。衣衫于肘、背、腰、下摆等处多有破洞、系结，有鹑衣百结之状，露出肋骨清晰可数，手臂、小腿肌肉虬结，脚穿草履。

此作抓住体貌、服饰等方面的几个细节加以重点刻画，从而突出人物的身份以及长期野外生活的状态，表现了十分高明的艺术手法。而篮中盛有桃实、灵芝和水仙等，依此时流行的吉祥图案而言，还有“芝仙祝寿”的吉祥寓意。这类被称作采药老人的作品，在清代竹刻中是比较常见的题材。王世襄先生以为表现的即汉代“不二价”之韩康。

此作运用圆雕和镂雕等技法，工艺精湛，人物比例合宜，颇能传神。又巧妙利用材质凹凸罅隙，雕作层层镂空之岩石，棱角分明，转折有力，很好地衬托了主体人物。应该说，作品虽无款识，但艺术水准甚高，必出自能工巧匠之手。

竹根雕布袋和尚

清早期

高7.2厘米　底径10.4厘米

布袋和尚盘膝曲腿，席地而坐，袈裟宽大，袒胸露腹。其神态缩颈耸肩，眯眼纵鼻，笑意满面，十分生动。身侧二小童，一伏布袋上，一向布袋和尚腹部攀爬。布袋和尚右手握一大珠，左手抚童背。阴刻行书“封锡禄制”款识在其背后左下侧。

此作刻工精妙，人物形象掌握准确。尤其是布袋和尚眉眼攒聚，似其痒难耐状，惟妙惟肖，趣味盎然。

竹根雕醉翁

清早期

高6.9厘米　最大底径7厘米

老翁以圆雕技法雕刻，其身着长袍、头戴幞头、满腮长须、微阖双目、左手搔耳、右手执杯、似醉非醉之状跃然而出。人物所倚石壁后刻有篆体阳文“绵周”小方印，十分隐蔽。

封始豳，字绵周，号廉痴，是清代嘉定竹刻世家封氏传人，著名竹刻家封锡禄之子。据载，其豪饮“如长鲸吸百川”，此像实有自况之味。此作刻工纵逸流畅，不愧为高手之作。

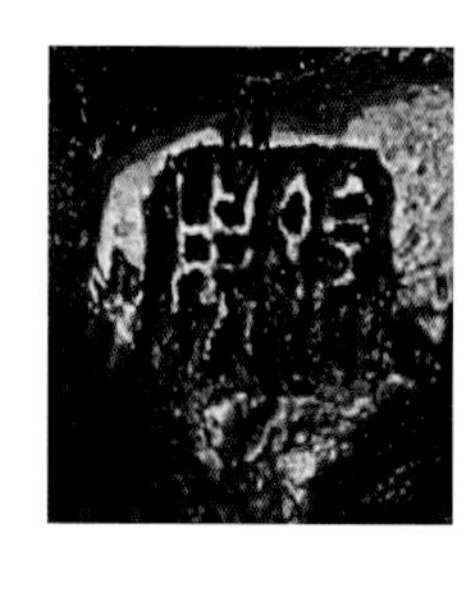

竹根雕仙人乘槎

清早期

高15厘米　长25厘米　宽13厘米

作品以一块厚竹根雕成，槎尾上翘，槎首置一连枝并蒂寿桃、佛手和石榴。仙人盘膝倚坐，长髯垂胸，手捧灵芝，神情安详。所刻主题均为吉祥纹样，其中佛手、石榴、寿桃为传统的三多纹组合，寓“多福、多子、多寿”之意。

此作雕刻既有细腻点睛之笔，也不乏简练浑朴的意趣，具自然天成之美，是巧妙利用材质的典型。

竹根雕蟾蜍

清早期

高6.1厘米

作品以竹根圆雕而成，突睛阔口，腮边气囊，颌下褶皱，夸张而传神。蟾蜍踞地而坐，肌肉有力，似蓄势待跃。眼瞳以深色木珠镶嵌，炯炯有神。背后瘤凸依稀可辨，上负八只小蟾，合“九”之吉数。小蟾姿态各异，在大蟾背上攀爬游戏，初看似无规律，其实是对称布排，足见作者的匠心。

竹雕竹林七贤图香筒

清中期

高20.9厘米　直径4.6厘米

香筒为圆体，筒身修长，上下镶木口，外壁以镂雕为主，刻画竹林七贤纹饰。怪石层叠，松树挺立，竹林深远；人物分作二组，错落布局：其一为二人对弈，一人旁观；另为一人执笔伏案，三人环绕，或立或坐。石后松下小童正鼓扇烹茶。石壁空白处阴刻隶书“天章”及“施”字篆书印章。

此器章法紧凑，雕镌精密，从竹处深浅可三四重，空间感及纵深感甚强。

施天章为嘉定封氏传人，雍正年间进入造办处，长期担任牙匠职务，传世作品绝少。此作的构图及表现技法，在传世作品中还有相似的例子，似乎是一个固定的程式，其署款也还有进一步比较研究的必要。

竹雕山水云萝图笔筒

清中期

高14.2厘米　口径10厘米

笔筒为圆体，下承三矮足。外壁纯用阴刻技法，表现平湖涟漪，云萝满坡，竹林丛生，台榭掩映；人物凭栏远眺，远处山岭连绵，云雾低垂。此作以刀为笔，通过入刀深浅、轻重以及角度变化，配合精心打磨，呈现出浓淡、干湿、皴擦等笔墨效果。岩壁上阴刻“甲子夏月制于云萝深处”并“芷岩”行书款识。

周芷岩（1686～1774年），名颢，工山水，善刻竹，尤长于阴刻技法。缘画入雕，翻出新意，对清后期竹雕的发展深具影响，是一位里程碑式的人物。

竹雕草虫白菜图笔筒

清中期

高14厘米　最大口径10.4厘米　最大底径10.6厘米

笔筒为圆体，底有三矮足。一面以陷地深刻法表现白菜两颗，剔刻范围自边缘轮廓直至菜心，深可数层。透雕叶茎，三螳螂及小虫藏于叶间，已近高浮雕；纹饰层次分明，玲珑剔透，集中体现了陷地深刻“似阳实阴，阴中有阳”的装饰效果，生动异常。另一面阴刻行书七言诗一首：

世人所画我不爱，我所画者惟有菜。

宜浓宜淡本不拘，岂学临窗用粉黛。

末署“西池沈全林”，并阴刻篆书“沈全林印”及剔地阳文篆书“容盘”二方印，又阴文“华隐”引首印一。

沈全林，字榕盘，晚号西池老人，约活跃于乾隆年间，工刻花鸟，美髯而与周颢齐名，故有“榕髯花鸟芝髯竹，朱、沈风流续旧传”的赞誉。

竹雕兰花图臂搁

清中期

长26.5厘米　宽7.4厘米

臂搁呈覆瓦式，正面阴刻兰花一丛，根须裸露。在阴刻范围内，又用去地浮雕法表现花叶的轮廓，巧妙地呈现出前后叠压的层次；花朵用陷地深刻，为视觉重点；地子的肌理与竹表的光滑有所区别，亦使纹饰的装饰效果更为突出。不同深度与力度的阴刻构成对比，轮廓与花叶筋脉如浓墨勾描，而根须则似淡墨湮散，技法看似单调，实则精工细致，显示出竹刻在吸收绘画的精神、表现笔墨的韵味方面所取得的成就。

兰花左下方阴刻行书“芷岩”二字。背面竹黄层上阴刻七言诗二首，其一：

玉女庭阶次第开，鲛纨数尺为妆来。

何劳更立朱幡护，任是风姨不敢催。

其二：

燕泥影堕湿凝香，楚畹经过斗蝶忙。

如向东家入幽梦，仅教芳意着新妆。

后署“壬子秋仲咏兰诗二绝”，并“春江”及阴文篆书“王玘之印”。

王玘，号春江，约为乾隆、嘉庆间人，《竹人录》称其工刻花卉，尤擅折枝兰，正与此作题材吻合。而此作刻法与已知周芷岩作品却颇有不同，故“芷岩”二字不可信可知矣。

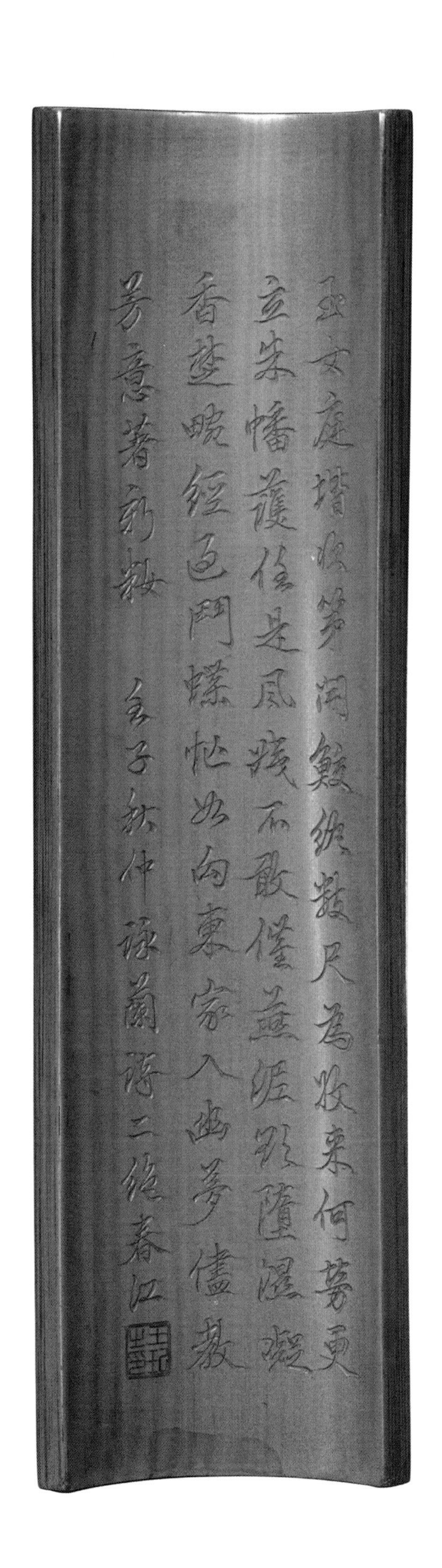

竹雕牧牛图笔筒

清中期

高14厘米　最大口径9.9厘米　最大底径12.1厘米

笔筒截取近根部竹壁较厚的部位，保留天然形态，以高浮雕、镂雕及留青等技法表现山坳中、石壁下，一牧童俯身坐于健壮的水牛背上，小牛犊卧于一旁。画面技法多变，主次清晰，繁简得宜，生趣盎然。细节的处理，如水牛瞳仁以犀角珠镶嵌，极为传神。虽无款识，却是一件不可多得的精品。

竹雕留青携琴访友图笔筒

清中期

高13.5厘米　最大口径9厘米　最大底径8.5厘米

笔筒以竹材随形雕成，筒壁内凹，左侧保留一杈小竹枝，附壁向上伸延，借其为干，巧雕成一株参天巨树，配合留青及烙烫法表现的山水图，趣味盎然。纹饰为悬崖壁立下，小舟轻荡，临水亭阁高矗；其中高士清谈，阁后山峦起伏，杂树丛生，一老者策杖，小童抱琴，相伴而行。

此作综合应用多种技法，构思极为巧妙，纹饰色晕的深浅浓淡对比及层次变化丰富，风格清新雅致，传达出绘画的意境，又突出了竹刻本身的优长，取得了很好的装饰效果。

竹雕留青柳荫洗马图天然式笔筒

清中期

高13.7厘米　最大口径9厘米

笔筒为天然卷书式，截面近乎凹字型。左右对称，曲线流转，于选材上煞费周章。器口沿镶嵌竹黄一周，颜色和谐，过渡自然。底部保留原有竹节横膈，略加修饰，朴素却非人工雕凿可得。外壁以留青法表现柳荫洗马的情景。画面于弧突部分如画卷般徐徐铺展，柳树旁、溪岸上，三匹健马或立或卧，神态悠闲，动势准确。溪水中一人高挽裤脚，手牵缰绳，马则伸颈缓步，意态踌躇。以凹入部分为界，与浴马画面相对的是一马垂首隐身于山岩之后，笔筒形制为装饰纹样增添了变化。

此器留青工艺极精，能于薄薄的青筠中区分出多个层次，表现物象的透视关系。某些局部的处理，如柳条、马尾、溪水等部分，都禁得起推敲。特别是漩涡处辅以阴刻，草木中杂以浅浮雕，树干上略经染色等多种技法的配合，更为此器增色不少。

其题材可与前选吴之璠等作对比参照，从这种传承借鉴中不难看到竹刻发展的某些规律。

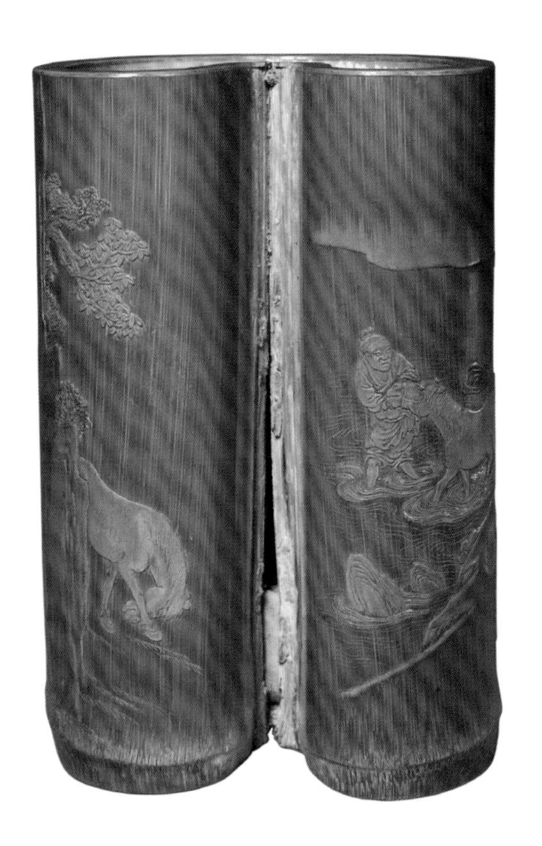

竹雕留青炼丹图笔筒

清中期

高11.1厘米　口径5.5厘米

笔筒为圆体，口沿微内斜，三矮足。以留青法表现一老者抱膝坐于湖石上，面带微笑，长髯及胸，广袖宽衣，跣足着草鞋，羽扇置于身侧，神态悠闲，衣着放旷。双目注视石上三足兽耳炉及容器，水气蒸腾而上，凝为云雾，引得花鹿昂首仰视，似甚好奇。老者身背立一湖石，贯通构图上下。

此作以青筠厚薄不同与反出之深色竹肌，形成复杂的层次关系，摹写物象的透视叠压灵活自如。如人物面部结构、衣褶处理及扳膝斜坐的姿势、鹿颈屈曲的动态，都十分准确自然。特别是根据材质本身的洞罅设计的湖石，变瑕疵而为焦点，使平面纹饰有了凸凹变化，其粗糙的肌理也与留青的细腻构成对比，类似玉器工艺中"巧做"的意匠。其纹饰集中，以立石为界，戛然而止，富于画意，在同类制品中是较为突出的一件。

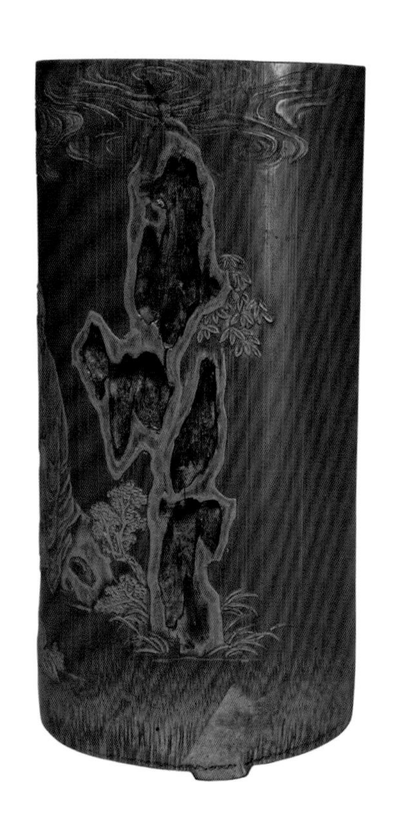

竹雕留青刘海戏蟾图笔筒

清中期

高10.8厘米　口径5.5厘米

笔筒为圆体，三矮足，筒壁以留青阳文技法刻画刘海戏蟾图。刘海团鼻细眼，袒腹跣足，手引一帚，上垂金钱，似逗弄三足金蟾，神态捕捉生动。有阴文篆书“尚勋”二字款。

此器留青装饰能够在极小的高度内最大限度地传达立体感。如人物面部、胸腹、足部的透视；繁复严谨的衣褶处理；三足蟾斜、俯视的视角；松枝、松叶、藤萝的叠压；松鳞的细微凹凸等，都表现得极为准确。同时，又将极薄的竹筠切分出层次，通过所留厚度的变化，实现了近似“墨分五色”的退晕渲染效果，从而很好地解决了纹与地之间的过渡与融合。

“尚勋”其人，不见记载，生平里贯不详，即此二字为姓名抑或字号，尚存疑问，唯从实物推知其为一善刻留青的竹人。而持此器与已知诸作相比，可判定为一件颇具代表性的典范性作品。

竹雕留青九狮同居图笔筒

清中期

高13.5厘米　最大口径9厘米

笔筒为圆体，保留天然竹节痕。外壁以留青法雕刻九狮相嬉的场景，并点缀假山湖石。九狮神态各异，其形象夸张，来自传统造型艺术，与真狮大相径庭。“九狮同居”谐“九世同居”之音，为流行的吉祥图案。湖石阴阳向背判然而别，立体感极强。又利用节痕将图纹划分出区域，并以其广狭之别形成曲线变化之美，匠心独运，技巧高超。

竹雕游鱼图臂搁

清中期

长25.9厘米　宽6.8厘米　厚0.7厘米

臂搁为长形，覆瓦式。表面以留青及阴刻技法，刻画流云日红，浪花翻滚，落英缱绻；一尾锦鲤，翘首弯身，如欲跃出水面，纹饰细入毫发，构图饶有画意。

留青工艺通过预留竹表青筠来表现图案，剔去其余部分，露出竹肌作为地子，又称皮雕。这种技法可以利用青筠的多留与少留划分层次，营造出有如运笔而成的“墨分五色”的效果，从此臂搁上即可见一斑。

竹雕留青古佩纹臂搁

清中期

长24厘米　宽6.7厘米　厚0.8厘米

臂搁为长形，覆瓦式。器表以留青及浅浮雕技法刻划纹饰，边缘及三个转角饰变体夔凤纹。中间布排三组仿古佩玉纹，每组两件或三件，有绦带缠绕。

臂搁通过青筠的全留、少留及不留，区分出纹饰的位置与层次的关系，且能表现出玉质的质地与肌理。下部一组留青最薄，似隐似现，形成了突出的装饰效果，是整体纹饰的最佳代表。

斑竹雕留青花蝶纹管紫毫笔

清中期

管长20.1厘米　管径1.1厘米　帽长9.8厘米

笔管以斑竹管留青雕刻折枝花卉，有菊花、梅花、兰花、飞蝶等，花枝挺秀，疏节有致。笔纳紫毫，毫毛莹润，尖而齐健，呈兰花蕊式，为清代御用笔制作特点。

此笔以留青工艺雕刻纹饰，深色的竹肌与浅色的竹筠衬托出淡雅的纹饰，效果独特。

棕竹雕花卉纹管紫漆斗提笔

清中期

管长17.2厘米　管径0.9厘米

棕竹笔管，在黄褐相间的竹肌纹理地上浮雕折枝牡丹、灵芝、丛竹等花卉纹。笔斗装饰紫漆描金灵芝纹。笔纳紫毫，丰满圆健。

此笔管装饰独特，利用棕竹自然纹理，层层环雕纹饰，古朴自然。笔斗彩漆描金，装饰精美，为清代宫廷御用笔佳品。

竹根雕太白醉酒水丞

清中期

通高7.5厘米　底最宽6厘米　水丞口径2.3厘米

水丞圆雕一长须文士，戴软脚幞头，着广袖深衣，踞坐于酒缸前，双肘枕沿，垂睫俯视其内，微露笑意。

依传统装饰题材看，此作似敷演李白故事而成。人物貌古神清，雕刻流畅写实，构思奇巧，将功能要求融入表现主题，自然从容，好整以暇，实是一件不可多得的案头清供。

竹根雕松纹水丞

清中期

通高7.2厘米　最大口径1.9厘米

截取竹根雕为松干式。略呈椭圆柱体，有不规则随形起伏，平底，微内凹。口部较小，设计精巧，口边阴刻及去地浮雕水纹，使其似树桩积水的漩涡般，引人遐思。又镂雕松树枝叶屈曲伸展，遮覆于口沿。针叶及鳞片雕刻纤毫毕现，富于质感。另一面则保留竹根天然形态，稍加打磨，恰成对比。

竹根雕夔龙纹活环提梁扁壶

清中期

通盖高13.9厘米　最大口径4.3厘米　最大足径4.1厘米

扁壶以竹根圆雕而成，其型仿自青铜器。扁体，长圆口，粘接云纹双耳及活环提梁。颈部两道弦纹之间饰夔纹一周，腹部镂空缠枝莲纹地上，盘有一条正面夔龙。盖钮刻蝉纹。

此件作品看似简单，实则制作难度很高，而其造型精致，纹饰规整，是清中期仿古竹雕艺术品中的稀有制品。

竹根雕兽面纹活环提梁执壶

清中期

通高22.9厘米 口径4.9厘米 足径4.5厘米

执壶为竹根制，仿青铜器造型与纹饰。束颈阔腹，镶接凤首流及柄。除盖可开启拿下外，通体没有粘接痕迹。颈阳刻弦纹两道，壶身弦纹间隐起兽面纹。提梁由活环套连，梁柄雕成夔龙状。

此器形制古雅，竹筋自然，精磨细刻，极为难得。

竹根雕提梁盖尊

清中期

通梁高36厘米 尊通盖高22.3厘米 最大口径16厘米 底径8.2厘米

尊为圆体，仿古尊式。广口，长颈，丰肩，收腹，高圈足外撇。口部有内外之分，外口开敞，折沿，连弧状花边，为顺应整体造型需要而设，装饰作用较强；内口收敛，边沿粘接双立耳，上连镂空活环扭索式链及璜形弧曲提梁。颈部留出凸起环带一周，其上阴刻回纹及几何纹装饰带四道，有阳文似的视觉效果，十分巧妙。颈、肩部镶粘双耳，下垂活环。底足亦为粘接而成。配镂空云纹盖，上有花形钮。外底阴刻篆书“萧”字印章，颈部一侧纹饰带上阴刻篆书“汉武口鉴”。

器形上大下小，圆浑可喜，技巧运用灵活，杂糅了多个时代的典型形式元素，仿古而孕新变，鲜明地展现出清中期宫廷工艺的审美倾向。

竹根雕云雷纹鼎

清中期

高12.7厘米　口径12.4厘米

此器仿春秋战国三足青铜鼎造型，作圆鼎式。形体较小，口微敛，双立耳，直腹，近平底，三足。双立耳，作云头式，各饰变体莲花一朵。器外口沿饰弦纹两匝，器身饰云雷纹，底面光素。三足作三趾兽足式，并饰以各式如意头纹。鼎盖作子母口，盖顶心镂空，雕两螭相戏，环顶心镂雕小兽三只，既富装饰效果，又便于启盖。

清中期仿古风盛行一时，此器即仿鼎之大概，材质、纹饰、装饰布局则不类，舍深沉凝重而趋活波可爱，体现了清代仿古的艺术特色。

竹根雕勾莲纹提梁花篮

清中期

高36.9厘米　最大口径20.4厘米

花篮阔口，细颈，削肩，敛腹，高圈足。外口如一大花瓣，两端收尖微微下垂，内口膨起内收，其上设活环结构提梁。通体镂雕勾莲花叶纹，唯肩部雕覆莲纹，足部则镂雕龟甲形孔洞。

此作主体由竹根雕刻，口沿及提梁则使用近根处竹茎，因而形成了色泽、肌理的细微差别。口部与颈、身等部为粘接而成，其接缝粘连紧密，了无痕迹。加之优美的口沿和活环的设计，使人有耳目一新之感。

竹根雕海棠式镂空香盒

清中期

高8.2厘米　最大口径10.2厘米

香盒略呈椭圆形，四出海棠式。分作盖、身两部分，装饰主要集中在隆起的器盖上，共有两层，每层上刻阳文覆莲瓣纹一周，下镂雕缠枝花草。器身似盘状，较浅，折沿，敛腹，平底，口边阴刻回纹，余皆光素，以凸凹棱线为饰，配四兽蹄形足，足根刻阳文如意云纹。

此器形似乎是仿照唐代莲花式薰香炉而来，上置装饰莲花的炉盖，下为多足炉，但为了爇燃出香，材质多取金属、陶瓷、石料等，像这种以竹根雕刻的器物，并不具备类似功能，而是为了存置树脂香料及合和众香制成的香饼、香丸之类的香盒，其镂空可以透发香气，小巧玲珑的器形，更可以为书房案头增添情趣。

竹根雕荸荠式小盒

清中期

高4.9厘米　最大口径3厘米

小盒以竹根雕作荸荠球茎状，扁圆，小口，边缘呈不规则形，盖作蒂式，与盒身子母口相合，盖上圆雕顶芽弯曲，旁簇拥短喙状侧芽三。盖、身扣紧后，浑然一体，全无痕迹。盒身光滑圆润，体侧浮雕环节一周，外底内凹。

此盒肖形生动，意匠高妙，处处细节都富趣味，煞是惹人喜爱。

竹根雕麒麟吐书

清中期

高10.7厘米　最大底径9.5厘米

此器以竹根圆雕麒麟，立于山石座上，顾首回望，呼气成云，云中托出书函。据《搜神记》中记载，孔子曾遇麒麟吐书并精读之。故麒麟吐书是祥瑞的征兆，寓意吉祥。

此作品精工细作，运刀自如，特别是祥云的表现，玲珑卷曲，动感十足。

竹根雕羊

清中期

高7.2厘米　宽11厘米

此山羊为立体圆雕。全身毛发卷起，前足分开，向前蹬踏，后足尚未抬起，似乎正欲起行山坡上。底部阳刻篆书“芝岩”二字。

芝（芷）岩，即周颢之号。此作款识自属可议之列，然近人褚德彝在《竹刻脞语》中谓，曾见芷岩所制竹根东方朔像“极精”，可知其传世作品也并非尽为阴刻。

竹根雕麻姑献寿仙槎

清中期

高13厘米　长30厘米

槎用竹根随形雕成一舟状，首尾上翘，一侧枝分成两杈，一杈伸向槎底，一杈伸向槎中，弯曲盘结如棚顶。槎首置两个酒坛和一盆仙桃，舟中一女仙头挽双髻，面露笑容，身着叶裙，坐船舷右侧，双手扳桨；另一女仙怀抱酒坛，坐船尾树干之上。

此作根据材料巧妙剪裁，刻工简练，磨工圆润，人物表情生动。依纹饰组合来看，应为麻姑献寿题材。传说麻姑为长寿仙人，每当蟠桃盛会之时，均以灵芝酿酒作为寿礼向西王母进献，清代多以此为祝寿题材。

竹根雕群仙祝寿图山子

清中期

高30厘米　最大底径18.5厘米

此作雕山峰巍峨耸立，直入云端，山间古柏苍松，曲水潺潺，仙草瑞芝，珍禽异兽，一派仙家境界。祥云之上，西王母御凤驾临。山间路上，亭台楼阁中，尽是祝寿仙人，有八仙、寿星、和合二仙、刘海、麻姑等，人物多达百位，为热烈喜庆的群仙祝寿场面。

作者依势下刀，人物虽多却疏密有致，处理得当，显示了较强的掌控能力。

竹根雕骑象尊者

清中期

高25厘米　宽12.5厘米

此骑象尊者像设计巧妙，制作精细，颇能反映出时代的艺术特征与审美取向。

盛唐以后，禅宗逐渐在皇家、僧侣、士大夫、普通信众中传播。受禅宗人人皆可修行成佛主张的影响，尊者（也称罗汉、应真等）像大量出现。这些尊者或者以五百，或者以十六、十八组合出现，从五代至明朝，蔚为大观。清朝沿袭传统，继续发扬光大。乾隆帝曾仿照杭州净慈寺罗汉堂形制，在北京西山碧云寺与清漪园大报恩延寿寺等处建罗汉堂，内塑五百罗汉。紫禁城与皇家苑囿内供奉的各种质地的十六、十八或者单尊尊者也有留存。文人士大夫也将此置之案头，以为供奉、欣赏之对象。

竹根雕寿星

清中期

高15.2厘米

此作以圆雕及镂雕技法，表现寿星乘于花鹿上，一手捧桃，一手抚童背，启颜大笑。小童立其前，手托卷轴。花鹿颀长清健，口含灵芝，身体微转侧弯曲，乃为适应材料而有意设计，充分显现出作者经营之功。下配红木云纹底座。花鹿左臀上刻阴文“宏裕作”并阴文篆书“张”字印章款。

张宏裕，为乾、嘉间嘉定竹刻名家。初刻花果，以为未足逞技，后专刻人物，《竹人录》称誉其：“乃以三寸竹为人镂照，…自朱氏至今，别开生面。”

方竹刻御题镶青玉螭鸠首手杖

清中期

通长111.5厘米

杖方竹制，共七节，首尾镶玉饰。其分节均匀，顺直规矩，表面光润，选材颇佳。青玉杖首为异兽形，有长尾，背部伸出一相背之兽首，有鸟喙，应为鸠首之变体，带有仿古意匠。杖尾亦青玉制，雕作仰覆莲瓣宝珠式。

玉鸠首颌下阴刻隶书"大清乾隆年制"，尾端及下部边缘阴刻隶书双行诗句：

> 无竹不有节，所希乃见方。
>
> 益彰此君概，岂逐世人常。
>
> 可并羲经直，如闻汉诏良。
>
> 惟羸蜀笻者，赠客却传王。[①]

并"乙未夏御题"及"太朴"印。尾上边亦刻诗句：

> 汉玉鸠头此肖为，扶携他日待相随。
>
> 虽今步履全无藉，豫立中庸有训辞。[②]

并"乾隆御题"及"乾""隆"连珠印。

竹杖上亦刻诗，第一节正背面题铭为"有节更看文以贲"，"从心不逾矩斯贞"，侧面题诗与杖首同；第二节"劲节稜稜瘦且坚，形模界尺出天然。山翁甚爱资扶老，村衲无知误削圆。偏称深衣同此矩，漫夸长笛大如椽，有時闲为吟诗出，徒倚中庭月一砖"，并"书仇远句"。按仇远为元代诗人，此诗为其咏方竹杖之作，乾隆帝很推崇他的诗，故有此铭；第三节"竹取其方玉取坚，玉相竹杖两斌然。形原中矩无踰节，心纵如空有异圆。淇澳乍辞茂拟箦，洛阳何必忆为椽。倦勤他日资扶老，应谢陶家运甓砖"。[③]

乾隆帝晚年曾仿效康熙帝，举办所谓"千叟宴"，据清昭梿《啸亭续录》卷一载："乾隆乙巳，纯皇帝以五十年开千叟宴于乾清宫，预宴者凡三千九百余人，各赐鸠杖。"今故宫所藏拐杖，有相当比例是为此活动而制。至于杖首之所以作鸠形，是因传说鸠为不噎之鸟，取之有祝愿之意。据《后汉书·礼仪志》："仲秋之月，县道皆按户比民，年始七十者，授之以玉杖，……八十、九十礼有加赐。杖长九尺，端以鸠鸟为饰。鸠者，不噎之鸟也，欲老人不噎。"可知鸠杖亦为古已有之的名目。

① 见《清高宗御制诗集》，四集卷三九，标示年份为丙申年（1776年），原题《方竹杖》。

② 见《清高宗御制诗集》，四集卷三三，名《咏白玉鸠头》，自注"旧有汉玉鸠头，盖杖饰也，向赠题句，兹仿其制为之"。

③ 见《清高宗御制诗集》，四集卷三四，名《题方竹杖用仇远韵》。

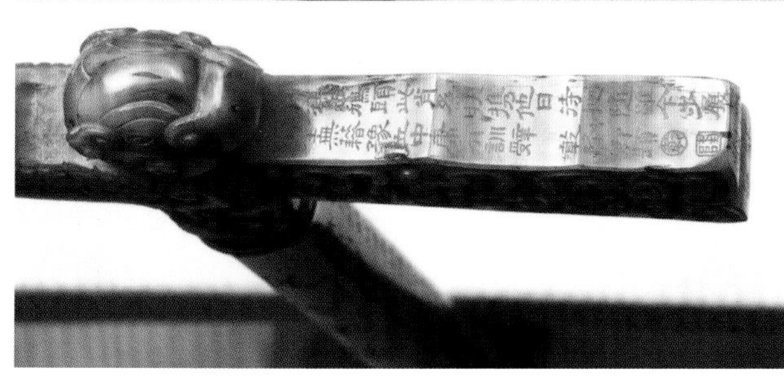

文竹芭蕉洞石纹长盒

清中期

长35.6厘米　宽8.6厘米　高9.2厘米

盒通体包镶竹黄，四壁、盖及底六面饰通景芭蕉叶，密不露地，尺许之间，绿意甚浓。蕉叶正反向背，高低起伏，重叠隐现，无不各展其态。而叶上多点缀有虫蛀孔痕，慧心独运，甚饶画意。在盖的一端，用去青皮后的竹根雕成洞石，既瘦且透。

此盒设计新颖，制作精良，为放置画轴的包装盒，也是书斋中的精美陈设品。

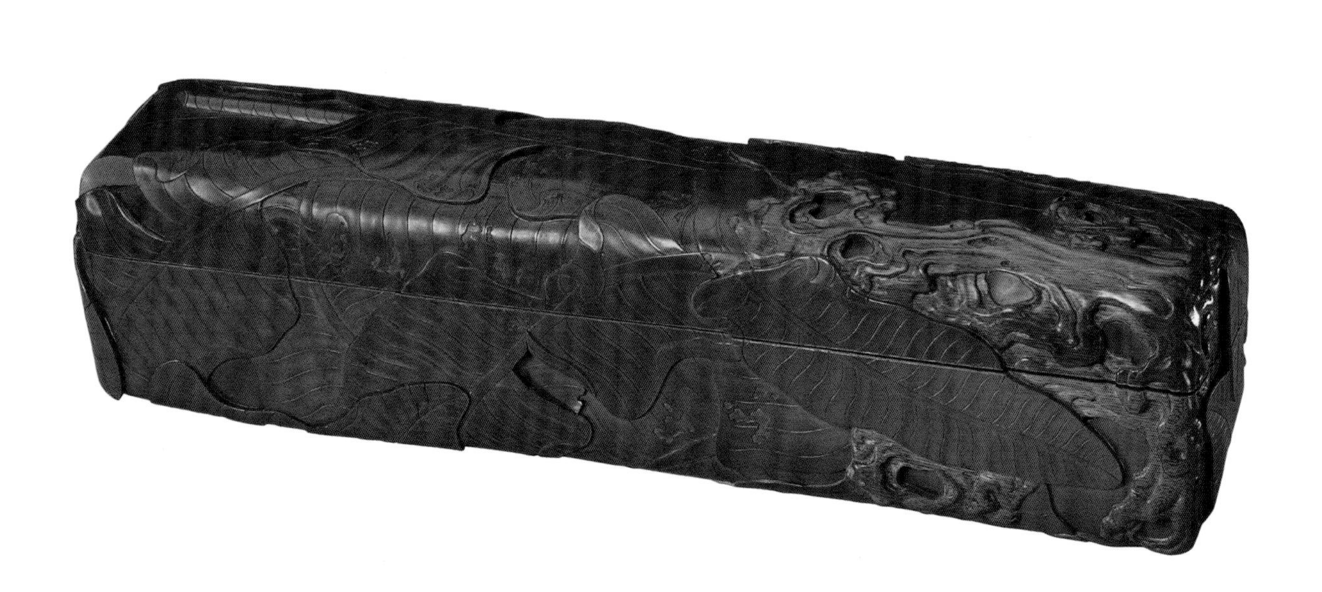

文竹方胜式屉盒

清中期

高11.8厘米　最宽23.5厘米

盒为方胜式，两层，上有盖。通体贴粘深浅二层竹黄片，浅刻六角锦纹和缠枝勾莲纹，纹饰布满器表，盒下层与盖上有阳文褐色纹饰层，与中间一周鹅黄色相映衬，显得十分清爽雅致。

此作为江宁织造按照内廷设计图样制造并贡进的文竹精品。其包镶极其精密熨贴，图案匀称，色调柔和，令人观之有爱不释手之感。

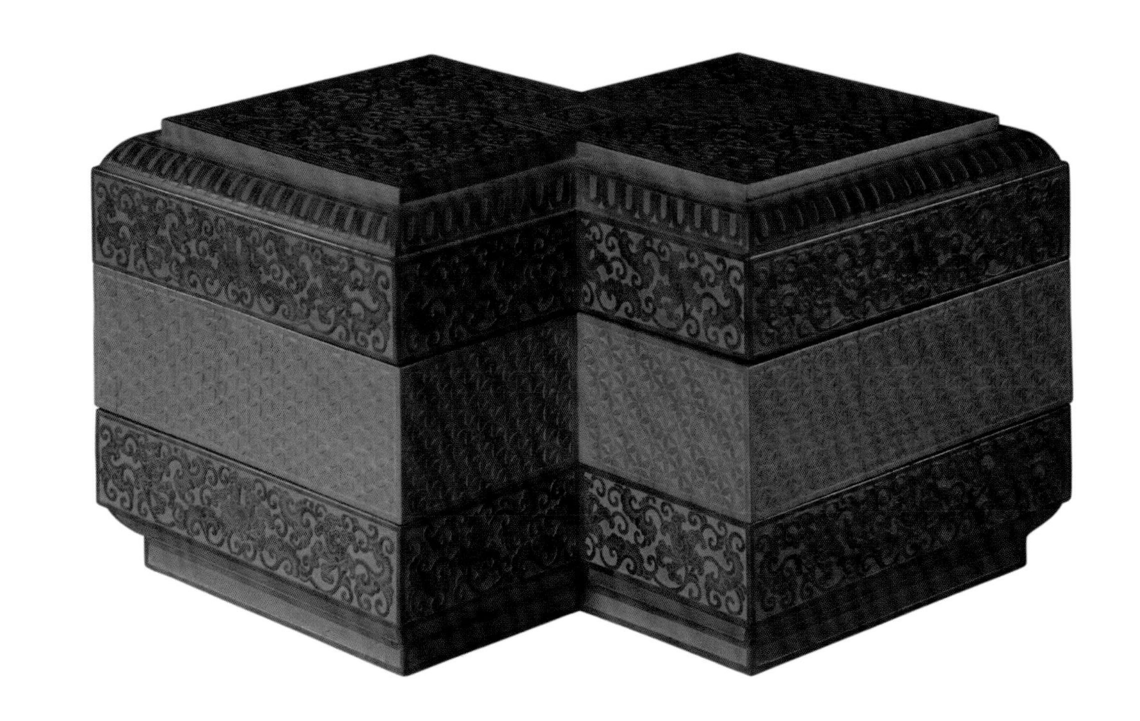

文竹寿春四子盒

清中期

高11.2厘米　直径19.2厘米

此盒天覆地式，造型方圆兼备，如玉琮式，寓意天圆地方。盒面图案以聚宝盆及“春”字为主题，四壁饰各体“寿”字及有祝寿含义的图纹。盒中藏四小盒，盖面分别贴饰“天”“地”“同”“春”四字。

这类形制旧称寿春宝盒，其装饰于明嘉靖雕漆制品上已出现，乾隆时期也甚多见，各种材质均有，此盒就是其中的佼佼者。

文竹双莲蓬式盒

清中期

高10.2厘米　大盒口径10厘米　底最宽19厘米

盒呈大小莲蓬双连式。大莲蓬居中仰立，小莲蓬斜依在旁，茎叶盘连在下，旁点缀一朵含苞待放的荷花。

莲蓬盒以木为胎，包镶竹黄，盒内髹金漆。而荷花、荷叶、莲子用黄杨木制作，颜色、肌理与竹黄接近而不受材料限制，十分巧妙。茎用竹根镂雕并粘接，生动自然。其衔接或雕刻处，均圆润细腻，不露刀痕，是清代中期文竹器物中不可多得的代表。

文竹镂空海棠式罩盒

清中期

高14.5厘米　最大口径22厘米

盒呈长圆海棠式，分两层，其上层与盖子母口扣合，平底，圈足较浅。木胎，包镶竹黄达三重。通体饰变形夔纹，阳起较明显。此盒不同凡响之处在其罩架。罩架为随形海棠式，以紫檀镂空而成。罩面图案及架缘均镶以竹黄，而竹黄边沿所起阳线及花牙则保留了紫檀本色。紫檀凝重，竹黄柔和，二者相辅相成，增其雅洁之气。

此盒包镶技术精湛，尤其是罩架应用大面积镂空，难度高，耗工巨，且格调不俗，在清代宫廷工艺品中也是比较罕见的。

文竹多盛盘

清中期

长37.5厘米　宽31.5厘米　高4.2厘米

文竹多盛盘，内盛竹雕笔筒、印泥盒、印章、水丞、墨床、石砚盒、臂搁七件文具，分别雕刻山水、夔纹、回纹等装饰，制作精致。

此件多盛盘是以多种用途器具为组合的形式，在清代内廷尤为盛行，乾隆时期制作数量最多，一般陈设于内廷书斋或殿堂。

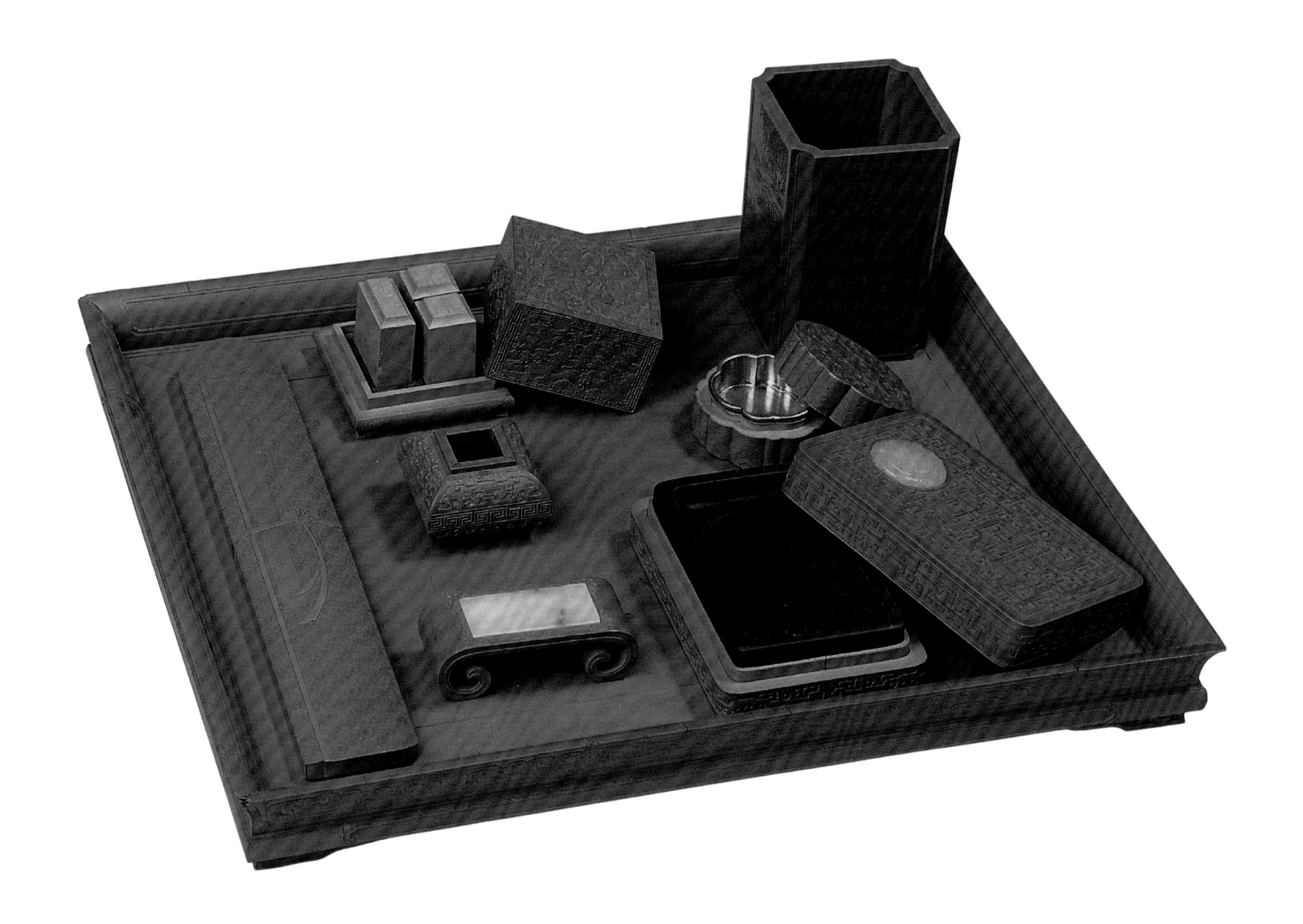

文竹提梁小柜

清中期

长26.9厘米　宽13.3厘米　高30.4厘米

小柜形制近似方角柜式样，唯顶部边沿饰一周覆莲瓣纹，成坡状，近盝顶，又似清代流行的“巴达马”装饰。内设小屉，将空间分为上、下二部。柜下承四如意头足。

小柜通体包镶竹黄，上层深色镂贴显花，除边沿为回纹装饰带外，主要纹饰为缠莲纹样。柜顶安置如意云形铜鎏金提梁，门上面叶、吊牌、合页均为铜鎏金并錾花而成，装饰富丽堂皇，雅洁大方，显示出乾隆时期文竹制品的特点。

文竹几式文具匣

清中期

通高28.5厘米　长30.1厘米　宽13.2厘米

台座长方几式，四足，一面设小屉五，分为高低二级，错落有致。空隙有镂雕花牙为饰，每屉均装铜钮，配蝠形白玉片，便于抽拉。

匣通体包镶竹黄，正背二面嵌贴龟背莲花锦地纹。高层几面上立木座四节方瓶一，可拆分成三层小盒，均以子母口相合，盖即为瓶口。瓶口内斜插如意，肩部嵌白玉兽首衔环耳。瓶身亦包镶文竹，并贴深色蕉叶纹、卐字不到头纹。其旁为一木座椭圆盒，贴饰缠枝莲纹，盖顶镶嵌青玉蟠螭饰件。低层几面上置一书函式二层盒，阴刻卐字纹地上嵌玉书签、青玉雕蟠螭，及染牙丝穗玉佩，书口处还粘贴竹丝，像书页相叠状，极为生动。

此作工艺精益求精，造型多变而具装饰意味，很好地展现了文竹工艺独到的美感。

文竹蝉纹方炉

清中期

通高24.1厘米　口长12.5厘米　宽9.5厘米　足距长8.9厘米　宽7厘米

方炉以木为胎，造型仿青铜器。通体贴竹黄为饰，双耳，四足，配雕花竹根钮紫檀木盖。纹饰为二层竹黄表现，有微凸的浮雕感，鼎的颈、肩、腹部有龙纹、云纹和蝉纹三匝，下层以阴线浅刻回纹锦地。四足上为蕉叶纹。

这件作品工序较为复杂，纹饰严谨如铸，规矩细密，古雅沉着，是清乾隆时期仿古文竹器物中的精品。

文竹兽面纹方觚

清中期

高21厘米　口边长10.7厘米　底边长7.6厘米

此觚仿古四方式。外壁及口、底均包镶竹黄，颈、足部饰仰覆蕉叶纹，觚身则于开光内饰变体兽面。觚内镶铅里。纹饰均为竹黄地上贴饰一层廓出区间，其内再以烫花法表现精细的线条，效果独特。这是一种简化的工艺手段，在故宫博物院所收藏的文竹制品中还是比较少见的。

竹丝编嵌文竹龙戏珠纹笔筒

清中期

高13.3厘米　最大口径9厘米

笔筒呈卷书式，口、底以木胎包镶竹黄的文竹工艺制成。筒壁为竹丝编成的细密均匀的菱形网格构成，并以金属丝作纬，起稳定作用，其上又贴饰龙戏珠纹，整体嵌装于口、底之内。

此器构思新颖，奇趣盎然，工艺之精绝，令人瞠目。

文竹竹节纹方笔筒

清中期

高15厘米　口边长12厘米

笔筒近似立方体，壁稍厚，浅方足，内外均贴饰浅色竹黄，成竹节纹状。纹饰简单，却耐人寻味。竹节以几何化的“∽”纹表示，每一节竹竿的节数不等，“∽”纹的方向呈规律性的变化，形成了错落有致的节奏与动态。加之修胎讲究，竹节处均微微阳起，竹竿处则稍稍低凹，起伏均匀，令竹黄不显轻薄，增添了立体感。而竹黄片粘贴紧密，拼接细致，过渡圆融，色泽温润，有类牙、玉，尽显独特韵味。

在清中期宫廷工艺追求繁缛富丽的风潮中，能出现像这样技巧极高而不事卖弄，以简驭繁而风格清新的作品，实属难能可贵。

文竹嵌牙夔凤纹菊瓣式冠架

清中期

高30厘米　底径13.6厘米

冠架上部为镂空菊瓣盒式，内可储固体薰香香料。其制作较为复杂，分做上中下三部，即盖、盒身覆、仰菊瓣结构，均以菊瓣单元拼接而成。竹胎，外部包镶竹黄层，再施以阴刻。盖顶嵌染牙及珊瑚装饰。盒整体之审美效果与乾隆帝所喜爱的痕都斯坦玉器风格十分接近。冠架中部为三“S”型夔纹如意式部件拼合而成的三向支架，亦包镶竹黄；其上又以染色阳文竹黄勾边，中嵌染牙仿古夔纹、几何纹。弯折处配黑色木制花牙。下承木制底圈，有三矮足。

此器风格精巧纤雅，代表了宫廷审美趣味中靡丽柔美而有女性化倾向的一面。

文竹百寿字鼻烟壶

清中期

通高6.6厘米　口径1.4厘米

壶为扁瓶形，方口，凸唇，平底。通体包镶竹黄，壶体正背二面边框内各饰阳文六排九列篆体“寿”字，恰合六九之吉数，且字字横平竖直，一丝不苟，近边处文字仅露头脚，宛如锦地，有延续不尽之意，构思精绝。配宝珠顶盖，有深色竹黄边饰。

此壶质地温润细腻，色泽油黄，有如象牙，又似过之，尽显文竹之美。

文竹夔龙纹六方瓶式鼻烟壶

清中期

通高5.7厘米　口径1厘米

壶为六方瓶形，直口，丰肩，敛腹，平底。通体包镶竹黄，肩部饰低垂披肩式打洼菊瓣纹，与近足处一周菊瓣纹正相呼应。壶身每面均嵌贴阳文仿古夔龙纹，成两两相对之势。配六方宝珠钮盖，连象牙小匙。

此壶体虽小，然比例合宜，装饰适度，故觉端庄大气而不显局促。

文竹扳指套

清中期

高3.8厘米　直径3.7厘米

扳指套圆筒形，分作盖、身两部分，盖顶弧凸。通体包镶文竹，下层浅色为地，上层深色显花。边沿处饰锯齿状波折纹装饰带。盖、身扣紧后缝隙正好落于装饰带上，十分隐蔽，是很巧妙的细节。主题纹饰为一种几何纹，似从仿古螭纹、卧蚕纹等变化而来，装饰效果突出。盖、底中央留扁孔，蓝色细带从中贯穿，下上配珊瑚及染牙荷叶形节。拉动珊瑚节，则盖可开启，扳指放入其内；合上盖后，推下珊瑚节，则起到压住盖顶扣紧套盒的目的。带子用来拴系，同时将盖、身连为一体，又不影响开合，颇为方便。清宫中遗存的火镰包、香囊等很多都具有类似的设计。

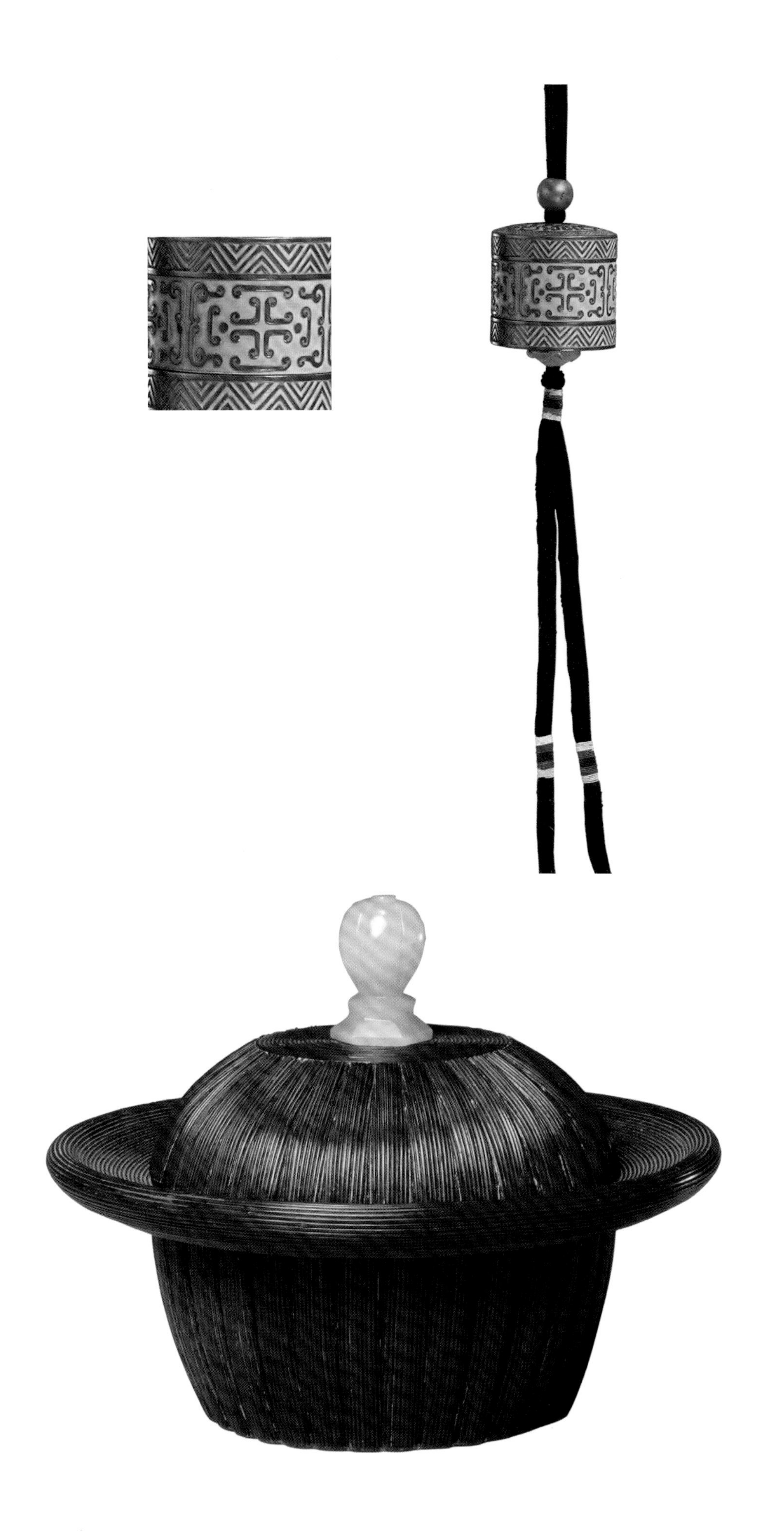

文竹嵌棕竹丝唾盂

清中期

通高8.9厘米　口径11.9厘米　底径6.2厘米

盂为圆体，敛腹，平底，外壁呈连弧菊瓣式，六边形口，宽沿，微开敞上举。盖亦为菊瓣式，与身子母口扣合，盖顶平齐，上嵌青白玉花蕾式钮。

盂外壁通体嵌粘棕竹丝，外底及器、盖内壁则包镶竹黄。棕竹丝铺排坚密熨贴，在每个体面转折处均过渡自然，特别是直线与曲线相临之处，严丝合缝，显示出高度的工艺技巧。而棕竹色沉稳，文竹色跳脱，加之玉钮的调剂，在颜色、质地、肌理等方面，都取得了和谐的效果，表明清中期文竹及棕竹镶嵌工艺的突出成就。

文竹嵌玉刻御制福星赞如意

清中期

高7厘米　通长47.5厘米

如意一份三件，分刻《福星赞》《禄星赞》《寿星赞》。木胎上贴二层竹黄，上层为阳起主题纹饰，下层阴刻地纹。首部正面以锦纹为地，上饰暗八仙纹，分别将剑与荷花、箫与拍板合为一组，故共得六组；左右各三，正中双夔龙纹间阴刻填红楷书“御制福星赞”，其下嵌白玉兽面纹饰。柄分作三节，上节中开光内阴刻填红楷书《赞》文：

> 我受命溥将，降福穰穰，大有元亨，用敷锡厥庶民，恺悌君子，受天之祐，永言保之，俾缉熙于纯嘏。

按该文为《福禄寿三星赞》[①]之一部分（其余分刻另二柄如意），中节镶玉饰；下节于地纹上饰轮、伞、盘长、双鱼等杂宝纹。柄尾亦镶玉，并嵌铜钮连玉环及明黄丝穗。如意柄身背面镶贴阳文楷书“亿万年节节平安如意”，“节节”有双关之意。下阴刻填黑楷书“臣熊学鹏恭进”。熊学鹏（？～1779年），雍正八年进士，乾隆间历任广西、浙江、广东巡抚等要职。

此如意色泽淡雅，光洁细腻，衔接无痕，纹饰清晰流畅，实为清中期文竹器物中的精品。

① 见《清高宗御制文集》，初集卷二八。

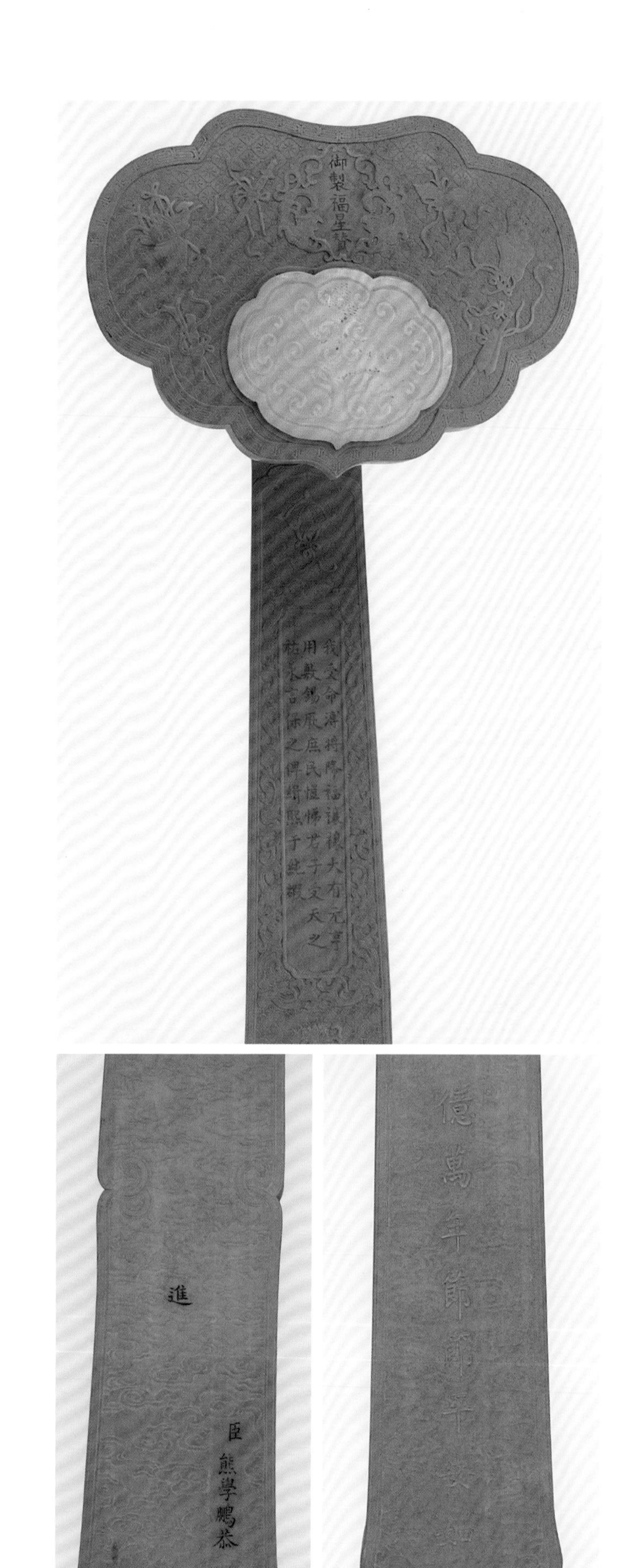

文竹嵌竹丝镶玉如意

清中期

长34厘米　首宽6.5厘米

如意在木制胎骨上镶贴竹丝为饰，竹丝纤细，打磨圆滑并经染色。柄身上者并排布列，弯曲成波浪式，深浅色泽相间，装饰性极强。而柄首竹丝则盘曲成环，环绕中部白玉荷花鸳鸯饰件。

此作风格细巧雅致，具有典型的清中期宫廷文竹工艺的风格特点。器表平整光洁，历经二百余年，未见分毫脱丝开粘现象，足见工艺之精良。

棕竹嵌玉葵瓣式盒

清中期

高7.6厘米　最大口径22.2厘米

盒以木为胎，八瓣委角葵花式。盖面用二十四块棕竹片及棕竹丝盘贴成旋动浪花，正中嵌白玉雕花饰。盒内配檀香木雕莲花水浪纹屉板，其间五个凹池，池中各阴刻五言御制诗一首，分别以“鱼戏莲叶‘间’”或‘东’‘西’‘南’‘北’起首。①

此盒盘丝精细，光洁圆润，俨然天生，衔接紧密，且盖、底对称，是集文竹工艺之大成的作品。原为苏州织造陈辉祖于乾隆四十二年（1778年）十月间进献，盒中有汉代玉鱼五件，乾隆帝看后十分满意，命造办处如意馆画工绘出图样制作“白檀香雕海水文屉”，“在屉上所剜出的凹槽内盛放玉鱼，玉鱼下留素板刻诗”，于四十四年二月初完工。诗句与玉佩相得益彰，更增添了此器的趣味。

① 见《清高宗御制诗集》，二集卷五五，乙亥年（1755年），名为《拟江南曲名离合五首》。

棕竹七佛钵

清中期

高14.5厘米　口径23.6厘米

钵为圆体，稍扁，体格硕大，器壁厚重，口微内敛，口沿平齐，底部浑圆，如釜式。钵外浮雕一周共七尊佛像，均为结跏趺坐，双手叠置膝上，眼帘低垂，宝相庄严。背光为浅浮雕，像为高浮雕辅以阴刻，形成多层次立体纹饰。器表打磨光润，强调棕竹独特的色泽肌理，乌金相映，十分悦目。

据《长阿含经》载，七佛为毘婆尸佛、尸弃佛、毘舍婆佛、拘楼孙佛、拘那含佛、迦叶佛及释迦牟尼佛，乃过去世界七位佛祖合称。

钵内壁阴刻隶书填绿彩御题诗句：

> 古寺闻藏古钵珍，舍离曾得奉金人。
> 何来沙汭渔家器，又历风幡海劫春。
> 纪事五言犹忆昨，选材七佛重传神。
> 笑予何复拘名象，青石由来半假真。

并“乾隆戊寅（1758年）春日御题”及“乾隆宸翰”填朱印章。

此诗录在《清高宗御制诗集》二集卷七十五，本题作《题枷楠木佛钵》，其后有自注曰：“开元寺佛钵见皮日休诗序甚详，去岁南巡索观题句，仍命藏寺中，爱其制古，因命良工以枷楠香木肖形为之。然日休所云帝青石作，以今观之，则陶器而非石，盖世代屡易焉，知不出于赝，故末句及之”云云。查唐皮日休《开元寺佛钵诗》并序[1]，述开元寺钵来历甚奇，以为佛法东来的征象，乾隆帝因之有感而发。依其诗题及注，知七佛钵之型最初以木为之，这与今日藏品中竹木等材质皆有的现状也并不相悖，证明此种形制确为乾隆帝所喜。

这件棕竹七佛钵工质皆美，深具文化韵味，无疑是乾隆时期竹刻工艺中的精品。

① 见《全唐诗》，卷六一三。

文竹座御笔书画砚屏

清中期

长18.3厘米　底座宽6.9厘米　高16.2厘米

文竹雕刻砚屏底座，其上嵌裱御笔宣纸书画屏，一面御笔墨竹图，末署“山庄御写”，并“古稀天子”“犹日孜孜”“八徵耄念之宝”等印。另一面为乾隆帝御笔临王羲之帖，行笔流畅，颇得王羲之笔意。

此砚屏边框为文竹包镶而成，并有浮雕螭纹，十分精细。屏心为御笔书画，甚为少见，应为御用文房陈设用具。

文竹座绢地花卉图插屏

清中期

长41.5厘米　宽23厘米　高71厘米

插屏屏心一面为蓝绢地，以薄树皮贴出寿石、腊梅、天竹，谐音“天祝眉寿”。另一面为绿绢地，上绣山石、碧桃、菊花和绶带鸟，寓意“春秋长寿”。底座、绦环板和披水牙凸起贴竹黄螭纹。

此屏心采用绢地贴树皮工艺，边、座以文竹包镶工艺制成。

竹雕桃树图紫檀座插屏

清中期

长98.5厘米　宽40厘米　高155.5厘米

插屏屏心外有玻璃，内为浅蓝漆地，上嵌竹雕山石、桃树，树上果实满枝，寓意长寿。屏背面为黑漆地书百寿字。屏心边框雕双层回纹。屏边座用紫檀木雕成，站牙、绦环板、披水牙浮雕缠枝莲，屏帽及帽牙镂雕缠枝莲纹。

此屏做工细腻，桃树的雕刻运用了夸张的手法，具有水墨画的效果，为清乾隆时祝寿所用。

竹雕花鸟图紫檀座插屏

清中期

长53厘米　宽24厘米　高58厘米

插屏屏心为蓝漆地，一面用竹木雕一枝盛开的梅花和落于梅枝的两只喜鹊，寓意“喜上眉梢”；另一面亦为蓝漆地，用竹木雕荷花翠鸟，荷叶翻转卷折，荷花盛开，寓意“本固枝荣”。屏边座用紫檀木雕成，屏框细雕回纹，站牙透雕夔龙纹，绦环板浮雕缠枝莲纹，披水牙浮雕螭纹，座墩外侧浮雕回纹。

竹雕山水人物图紫檀座插屏

清乾隆

长54.8厘米　宽62厘米　高78.5厘米

插屏屏心一面为竹雕拼镶阳文山居图，山势高低起伏，画意浓郁，雕刻精美，层次井然，富于立体感；另一面用留青法刻画观瀑图，技巧纯熟，表现力饱满。屏边座紫檀制，边框光素，站牙浮雕蟠螭纹，绦环板亦雕螭纹，足为卷书式。

由于此器具有较为明显的时代特点，对于我们更好地认识留青这种工艺的发展历史有一定参考价值。

文竹菱花式盆玉石兰花盆景

清中期

通高36.5厘米　盆高8.2厘米　口最大径25.5厘米
底最大径14厘米

盆椭圆，四出菱花式，敛底宽上。通体包镶文竹，其上又镶贴一层成阳文纹饰。口沿一周所饰为勾连拐子纹，腹部则为缠连宝相花与方折拐子相间的装饰，刚柔相济，极为精美。而阳文纹饰内施以细密阴刻，效果突出，倍显工巧。下承四竹雕垂云足。景为染牙叶玉兰花一簇，杂玉叶料花数枝，配孔雀石及紫晶湖石各一，在盆盎衬托之下，颇为雅致。

竹雕长方盆染牙水仙盆景

清中期

通高27.6厘米　盆高6厘米　盆最长26.6厘米最宽17.3厘米

盆上阔下小，略近长方，四云头形矮足，其制作方式近似文竹，以木为胎，外拼镶粘贴竹根而成，巧妙利用了材质的肌理，制造出自然而又独特的装饰效果。盆壁四面阴刻几何形夔龙纹饰并染色，又以漆线勾勒纹饰边缘，立体感甚强。此盆制作精致，工艺有所创新，十分罕见。

盆内为水仙湖石小景，黄杨木雕水仙球根，绿色染牙制叶片，花朵、花心、花蕾均为象牙雕刻，花托以黄杨木制，湖石则用紫檀木雕刻而成。象牙、黄杨木质地细腻柔和，而紫檀木雕的湖石则凹凸有致，花叶鲜丽明艳，湖石色泽沉着厚重。二者之材质、色泽和造型相互衬托，刚柔相济。造景清新简洁，风格高雅，在以华丽繁缛为能事的宫廷盆景陈设中可谓别树一帜。

文竹刻人物题诗方笔筒

清晚期

通高14厘米　口径7.2厘米

笔筒四方式，通体包镶竹黄，嵌红木底座，下承四足。筒身相对二面，以阴刻技法各刻画一人物。一为文士，背向立，带高巾，斜持拐杖，伛偻腰身，容颜虽只见侧面，但须髯及胸，抿唇凸颌，颇显龙钟老态，衣袂轻飏，似有微风吹动，衣纹繁复，线条如屈铁，有陈老莲笔意。另一面渔人，正向立，粗服跣足，肋骨林林可数，手搭斗笠，钓竿倚于肩上，挺身扬首，面含微笑。两相对比，意味深长。筒身其余二面，阴刻题铭。一为楷书：

> 昔苍颉创业，翰墨作用，书契兴焉，夫制作上圣立宪者莫先于笔，详原其所由，究察其成功，铄乎焕乎，不可尚矣。庚子四月苍溪王竹民刊。

及“王勋”篆书小印。相对一面行书：

> 雕镌精巧，似辽东之仙物；图写奇丽，笑蜀郡之儒生。和卿题。

王勋为晚清民国时期浙江黄岩地区制作文竹的名家，也是名肆“郑益昌翻簧（即文竹）店”合伙人之一。

此器风格清隽，书画皆有可观，文竹包镶及阴刻技法尤为精妙，是不可多得的文房佳构。

斑竹骨朱瞻基画人物图折扇

明

绢本设色

扇大骨长58厘米　扇展开最宽151厘米

扇面双面所绘内容相近，均为高士悠游于山水间，小童随侍其旁。笔墨简洁活泼，设色明快秀雅。款署“宣德二年武英殿御笔”，钤“武英殿宝”。

扇面为明宣宗朱瞻基（1398～1435年）所绘，宣宗在政事之余，于诗文图绘等方面亦有不俗造诣。画幅题材并非罕见，但出自帝王之手颇耐寻味。

此扇形体较大，扇骨斑竹制，共十五档。聚头处以扇钉为轴心呈球状，俗称“和尚头”。外骨与内骨规格接近，上部尖细，扇面侧边露于扇骨外，近似日本式。骨上虽无雕刻，但磨制极精，表面润洁光滑，更显花纹美丽，十分难得。

宣德二年
春日武英殿
御筆

竹骨陈书画秋山图弘历诗折扇

清

扇大骨长36厘米　扇展开最宽56厘米

此扇一面为陈书墨笔山水，清新俊秀，款署“曾见文衡山山居图，秀绝第一，偶仿其意。陈书。时年七十又六”，钤“陈”“书”印。并有清高宗弘历御笔题跋，钤盖“古希天子”“八旬天恩”印章。另一面亦为清高宗题诗，署“丙午清和中澣学古堂晚坐。御笔”。钤“太上皇帝”“写心”“古稀天子之宝”“犹日孜孜”印。

陈书（1660～1736年），清代女画家。因官至刑部左侍郎的长子钱陈群力荐，而成为历史上作品入藏宫廷最多的女画家。

此扇扇骨竹制，共十三档，大骨上部较宽，阴刻锦地并镂雕菊花纹，工谨细致；下部较窄。聚头部分为“和尚头”式，两侧扇钉处镶两片螺钿，形制颇佳。

竹雕留青骨蒋廷锡画梅雀图玄烨诗折扇

清

扇大骨长31.2厘米　扇展开最宽50厘米

扇面用金笺，设色华丽，描绘梅雀，生动传神。有“臣蒋廷锡”款。

蒋廷锡（1669～1732年），江苏常熟人。康熙四十二年（1703年）进士，官至文华殿大学士等职，是清康熙、雍正年间重要的宫廷画家之一。

此扇扇骨竹制，十三档，雕作竹节状，并以留青法装饰折枝竹叶，形与纹相得益彰，又颇清雅，极富匠心。

竹骨清人画避暑山庄图王际华诗折扇

清

扇大骨长36.5厘米　扇展开最宽58.5厘米

此扇一面为佚名所绘青绿设色避暑山庄三十六景图之一，并题款“香远益清”，另一面为王际华书法作品。

王际华（1717～1776年），浙江钱塘人，清乾隆十年（1745年）进士，历任工、刑、兵、户、吏诸部，官至礼部尚书、户部尚书等职。

此扇扇骨竹制，十二档，大骨以螺钿、玉石等嵌为梅竹纹饰，色泽明丽脱俗，扇钉处所嵌花朵，细巧精工，尤觉雅致。

竹骨烫花素面折扇

清晚期

骨长24.4厘米

折扇扇面纸质，一面洒金为饰，另一面素面。扇骨竹制，内骨薄片状，打开可见烙烫纹饰。一面为江树小景，远山近树，渔人垂纶；一面则为轩窗湖石前，文士书童缓步而行，上有行书“□下松柏道人作于申江写此”题识。

扇骨烫花线条简练朴拙，却颇具韵味。边骨原色髹黑漆，阴刻填金诗句，一骨：

明月照青岩，姮娥似解心，

清弹流水曲，遥答广寒心。

另一骨：

孤凤语天际，青鸾飞远林，

惟愁七弦绝，不觉五更深。

署“子安”。其下一椭圆小印。

“子安”一说于姓，名世俊，字子安，江苏吴县人，曾于光绪十六年（1890年）到北京，并在当地为人刻竹。但实际上围绕“子安”款竹扇骨争议很多，其人其事莫衷一是，或许并非出自一人之手。从此扇进入宫中的情况来看，“子安”应已是当时一个著名“品牌”了。

刘岳

我国的森林资源比较丰富，因此人们对于木材的认识和使用也非常充分。完善而成熟的木结构建筑体系，同西方以砖石为主要材料的建筑体系，双峰并峙，对世界建筑史的发展影响巨大。除去建筑构件与装饰之外，在我国木材被广泛地应用于制造生活必须的各种用具，包括容器、工具、家具、随葬器物等，并被制成宗教偶像以及美化生活的工艺品。应该说，木雕工艺涉及面甚广，但在“竹、木、牙、角”这一晚近出现的合称中，“木”雕则有着约定俗成的限定，即主要指明中晚期以来兴起的各式文房用具，和一些以珍贵木料雕成的小型陈设品、装饰品等。当然，其外延也并非判然而别，在工艺技术方面更与广义木雕中的其他部分密不可分。

一、木雕工艺历史简述

木质易朽，难以久存，因此新石器时代各遗址中虽不乏陶器、石器，甚至骨、角器出土，木雕器物却极少见，即使有所发现，也大多是外髹漆层的。如浙江余姚河姆渡文化第三期曾清理出一件木碗，腹部雕为瓜棱形，圈足，内外有朱色漆。这一文化层的绝对年代距今6000～5500年，此器物为已知最早的木胎漆器。[1]而地处晋西南“夏墟”的山西襄汾陶寺墓地也发现了彩绘木器，可辨认的器形有豆、鼓、案等，可惜胎骨多已腐朽。[2]文献中对早期漆木器也曾提及，《韩非子·十过篇》中谓虞舜之世“斩山木而财之，削锯修之迹，流漆墨其上，输之于宫，以为食器”就是一例，不过，那是作为奢侈行为被批判的，可见当时此类物品还颇为珍贵。

商代墓葬，如湖北黄陂盘龙城遗址[3]、安阳侯家庄王族大墓[4]等，都曾发现一种“板灰”（或称“花土”），为彩漆雕花棺、椁木板或刻纹木室壁板及仪仗残器的遗痕，其木质化为灰土，表面涂层却色泽尚好。更有代表性的是河北藁城台西村遗址出土的漆器，有盘、盒等残器，其木胎上雕花的精美程度依稀可辨，计有兽面、云雷、夔、蕉叶等多种花纹，与青铜器装饰一脉相承。而且，兽面眼部还有绿松石镶嵌，可谓开后世工艺之先河。[5]

目前发现的西周时期漆木器也大多残坏，比较有代表性的是北京琉璃河燕国墓地发掘出的木胎豆、觚、罍、壶、盘、簋等，除有雕刻的纹饰外，还有蚌泡、蚌片镶嵌，可以看作是螺钿工艺初步成熟的结果。[6]

成书于战国时期的手工艺专书《考工记》将百工分作六类，第一类就是“攻木之工”，又分出七种：轮人、舆人、弓人、庐人、匠人、车人与梓人，包括车舆、武器、建筑等多方面制造技术，从中不难想见其时木工的高度发达。可惜，这方面实物例证依然不多。我们只能从楚地墓葬中遗留的大量漆木器上略窥一斑。比较著名的如湖北随县曾侯乙墓出土的盖豆，双耳与盖钮镂雕盘龙，极为繁复。[7]又如江陵雨台山发现的鸭形豆，造型生动；蟠蛇纹卮，蛇身交叉环绕，工艺高超。[8]而望山一号墓出土的镂雕座屏，雕刻凤、蛇等动物五十一个，精彩绝伦。[9]从这些作品上看来，战国时期是木雕工艺发展的一个繁荣阶段，各种技法已经完备，艺术成就也达到相当的水准。

秦汉时期木雕工艺继续发展，漆木器出土数量更为可观。特别值得一提的是，江苏盱眙西汉墓出土木刻椁室顶板七块，雕刻天文星象、人物故事、杂技百戏等，十分精美，也是少见的木雕实物资料。[10]

六朝、隋、唐以后，佛教逐渐兴盛，造像成为各工艺类别中有代表性的题材，敦煌等处的石雕、彩塑如此，木雕亦复如此，文献中不乏对技艺高超的木雕工匠的记载。唐代张彦远《历代名画记》中载：东晋名士戴逵（？～396年）于书画、鼓琴外，还能雕刻，他为山阴（今浙江绍兴）灵宝寺雕成一丈六尺的木无量寿佛像和菩萨像，耗时三年。而唐代雕刻名匠李秀为汴梁（今河南开封）大相国寺雕刻佛殿障日九间，被称为该寺十绝之一。[11]而我们在日本奈良东大寺正仓院之北仓中见到的传世螺钿紫檀五弦琵琶、螺钿紫檀阮咸等，以螺钿镶嵌花鸟、人物等纹饰，瑰丽工巧；又有木画紫檀棋局、木画紫檀双六局、木画紫檀挟轼等品，用紫檀为地，杂嵌染色象牙、黄杨木、鹿角等，表现人物、鸟兽、花草，其精美较螺钿更胜一筹。北仓器物多为圣武天皇遗爱御玩，天平胜宝八年（756年）贡献于东大寺，有《献物帐》详载名目，其中太半来自于唐王朝，“木画”就是唐之工艺代表。[12]

宋元时期木雕名家亦代不乏人。北宋僧人蕴能之妹严氏，曾以一尺长檀香木雕刻瑞莲山，并在刻有“细真珠八花毬露重网”纹的龛门中，“透刀”雕成五百罗汉，法相庄严，后被奏送真宗皇帝，得御赐“伎巧夫人”之名。[13]而平阳（今山西临汾）贾叟虽目盲、却善刻佛像，得称“待诏”。[14]无独有偶，1963年，在襄汾小邓村发现木雕人物像，内藏题记木牌上书“大德十年三月廿一日工毕记。雕木工待诏本村邓君璋，小匠郭口”字样。[15]可见“待诏”确是对手艺高超者的尊称。这批木像风格写实，与晋祠塑像有相似处，显是继承宋代传统而来。更值得注意的是，明人汪砢玉曾收藏元代名士杨维桢的一对紫檀界方，上刻柯九思铭，末署“绍美制”，雕刻花鸟极精，还镶嵌汉玉昭文带，莹润古雅，[16]它与明清文人所艳称的文房器具已十分接近。

明代中期以降，随着整个工艺美术的繁荣发展，木雕也取得了空前的成就，在江南一带工艺传统较为深厚的地区尤为明显。这个阶段非常重视材料本身的质地和美感，紫檀木、花梨木、鸡翅木、红木等珍稀而质优的硬木，受到特别的青睐；雕刻技术达到空前的高度，不仅圆雕、镂雕、浮雕等技术灵活地结合使用，而且贴金、彩绘等装饰手段，也获得长足进步。特别是从漆器工艺中引入的“百宝嵌”，将金银、宝石、螺钿、象牙、珊瑚、蜜蜡等材料雕成山水、人物、楼台、花卉、翎毛，嵌于木器之上，大到屏风、桌椅、窗槅、书架，小则笔床、茶具、砚匣、书箱，五彩陆离，精美富丽[17]，在乾隆时期的宫廷造作中达到顶峰。很多地区还形成了有地方特色的木雕流派。对木根、瘿瘤等材料的创造性利用，则开拓了人们的审美视野。

当时的名匠大多一专多能，能治木雕者也不例外。如高濂推崇的“鲍天成、朱小松、王百户、朱浒崖、袁友竹、朱龙川、方古林辈，皆能雕琢犀、象、香料、紫檀图匣、香盒、扇坠、簪钮之类，种种奇巧，迥迈前人”。[18]金陵竹刻名家濮仲谦“亦磨紫檀、乌木、象牙”。[19]嘉兴巧匠严望云擅长木雕，曾为大收藏家项元汴的“天籁阁”制作香几、小盒等，但传世作品却为竹雕碧筒杯。[20]北京良工贺四寓居乌镇（今属浙江），为王姓者制紫檀、花梨、乌木、象齿、犀角卮、盂、罂等。[21]木雕与竹刻、牙雕、犀角雕等工艺类别间有相通之处，联系紧密，互相影响，这也是它们得以并称的原因之一。这种现象到清代依然存在，如嘉定竹人吴之璠也曾雕刻黄杨木东山报捷图笔筒，并得到乾隆皇帝的推崇。[22]

明清时期还有一些文人士大夫亲身参与木雕工艺制作，为提升其地位与艺术品位做出了实绩。沈梅冈因触怒权相严嵩，被关押18年之久，狱中读书余暇，自磨片铁，雕刻香楠为文具，共有大匣三、小匣七、壁锁二。[23]松江孙克弘，精书画，能用金银丝在紫檀笔筒、界方、香盘、砚匣及乌铜铁器上，嵌出香草边，中有八分小篆铭赞，极为工致，人称“宋嵌”；又创造紫檀仿古“三雅杯”形式，也以“银丝填嵌汉篆字”。[24]

清代宫中自内务府造办处于康熙朝建立之后，作坊数目虽几经损益，但木作始终存在。乾隆时期还专设广木作，多成做为器物配制木座的活计，所用以紫檀等珍贵木料为主，足见宫廷造作的气派。而地方上则不同地域的不同木雕风格日趋完善，异彩纷呈。

二、木雕流派

明清时期，经过传统的积淀，木雕工艺达到了一个繁盛期。很多地区通过就地取材的办法，以本地区环境、生活习惯为依归，发展出各不相同的木雕工艺，形成了浙江东阳木雕、广东潮州木雕、福建福州木雕、安徽徽州木雕等风格殊异，自成系统的木雕流派；名家辈出，佳作纷呈，许多品种驰誉海内外。

1. 东阳木雕

东阳地区盛产樟木等适于雕刻的木材，其木雕历史可以追溯至唐代。现存最早的东阳木雕实物，是建于北宋建隆二年（961年）的南寺塔倒塌后发现的建筑残件罗汉像，以及另一尊北宋时期的善财童子像。到了明代，代表东阳木雕杰出成就的建筑群——“肃雍堂”建成并保存至今。清代，特别是乾隆、嘉庆时期，东阳木雕非常盛行，并一直延续到近现代，最多时营业艺人达千余。浙江各地有名的建筑几乎都出自他们之手，有的分布到上海、杭州、青岛、广东等地，技艺高超者很多，故曾评选“木雕皇帝”“木雕状元”等，一时传为美谈。

东阳木雕工艺集中表现于各种建筑装饰上，同时也制作樟木箱、橱、屏风等陈设及生活用具。其技法都是通过长期实践针对不同形制和题材逐渐形成的，有圆雕、多层高（深）浮雕、浅浮雕、镂雕、彩木拼镶等种类。最突出的风格特点是注重木材天然的色泽与纹理，强调刀工，精于磨制；较少应用贴金、髹漆等附加装饰手段，与潮州等地木雕构成鲜明对比。

东阳木雕除本县外，还有永康与缙云两个分支，它们风格相若，共同构成东阳木雕的大系统。[25]

2. 潮州木雕

潮州木雕狭义指广东潮州地区木雕，广义上讲还应包括明清时潮州府所辖潮安、潮阳、普宁、饶平、汕头、惠来、海丰、陆丰、梅县，以及闽南等地的木雕工艺。其历史可上溯至唐宋，据说今在潮州开元寺内的一些建筑构件，就是那时流传下来的孑遗。明清是潮州木雕的成熟期，“金漆木雕”（或称“金木雕”）成为其标志性产品。所谓金漆木雕，实际上是在木雕作品表面贴以金箔，但要用特殊配方的漆料作底子粘和，其装饰效果突出，而且有防潮、防腐蚀的作用。常用木材有樟木、杉木等，主要技法为圆雕、浮雕、镂雕、阴刻等，以制作建筑饰件及挂屏、围屏、山子等陈设器物等为主，圆雕神佛、禽鸟、鱼虾等也占一定比例。雕刻注意刚柔阴阳凹凸变化，巧妙利用反光造成视错觉，立体感很强。镂雕最具特点，经常刻画相互穿插交错的景物多达五至七层，甚至十余层，虚实相生，富于变化。[26]

3. 福州木雕

福州木雕早期为庙宇装饰与神像雕刻，后来发展出建筑饰件、神龛、家具等品类。明末清初时连江县艺人孔谋，利用老树根部的天然形态，特别是疤痕的凹凸纹理，进行剪裁，随形施艺，制成人物禽兽等，风格古拙，对后世影响甚大。

福州木雕使用最为普遍的是一种龙眼木。这种木材产于闽南，其果即桂圆，其木质地稍脆，纹理细腻，色赭红。树干与根部姿态万状，高明的艺人发挥想象，可以表现各种生动异常的神仙、武士、渔翁、仕女及龙、虎、仙鹤等人物、动物题材。由于擅用天然疤痕来取得出人意料的装饰效果，因此有人将这种木雕称作“天然疤根雕”。福州木雕追求斧痕凿韵，同时注重器物的色泽与光润，有时染成古朴的棕褐色，并罩生漆，还有的要用蜂蜡或川蜡再次擦拭。某些动物雕刻，最后要安装玻璃制眼珠和骨雕牙齿，可谓精益求精。

清代福州木雕演化为三个主要派别：一为象园派，以象园乡柯氏为主，多黄杨木和树根雕刻，擅长表现各种草虫花卉和活动物品，如龙舟、水车等；一为大坂派，开创者为大坂乡人陈良礼，多染色龙眼木雕，擅长神仙佛像和人物、动物题材；一为雁塔派，多雕刻漆器上的装饰嵌件和各种图案花纹。[27]

4. 徽州木雕

徽州于明清时期所辖包括今天安徽歙县、休宁、绩溪、祁门、黔县，及江西婺源等地，新安江流经此处，古来即人文荟萃。徽州木雕并不特别看重材料的珍贵，而多选取松、杉、樟、楠、白果等当地出产的木材，但讲究灵活使用阴刻、透雕、浮雕、圆雕技法，雕刻建筑、家具装饰，注重表现大面积的纹饰画面，内容以男耕女织、渔樵耕读等现实题材，与竹林七贤、太白醉酒、苏武牧羊等有文化气息的历史题材，以及三国、西厢故事等文学题材并重，构图繁复，感染力极强。今存有“徽州木雕第一楼”美誉的“志诚堂”，是道光时期的建筑，集中体现了徽州木雕的风格。[28]

除去前述几种地方木雕风格，还有广东广州木雕、浙江宁波木雕、云南剑川木雕、鄂南木雕等，都自成一格，称誉一方。

三、木雕材料

木雕的主要材料有紫檀木、黄杨木、沉香木、瘿木等。紫檀俗称“青龙木”，为常绿亚乔木，属豆科，约有十五种，主要产于东南亚的热带地区，如南洋群岛、柬埔寨、越南及泰国等地，我国云南、广西、海南等地也有生长。今天一般公认的紫檀，仅指檀香紫檀，也就是“小叶檀”；不过，古代的“紫檀”之名似乎没有这样严格，有的学者通过鉴别传世的明清时期所谓“紫檀”器物，发现其中包含不止一个树种，有可能在当时一部分特征极为相似的品类也可以被当作“紫檀”来使用。紫檀生长极慢，非数百年不能成材，所以是非常名贵的木料。而且其质地在各种硬木中最为坚实缜密，质量最重，色泽多呈紫黑，纹理纤细变幻，有的黝黑如漆，沉静古穆，远超其他木材。在晋崔豹《古今注》中已记载紫檀，此后我国对紫檀的认识和使用没有间断过，至明代达到鼎盛，清代宫廷也较多使用紫檀来制作家具、陈设品、文房用具等。紫檀雕刻一般比较重视刀功和磨工，以突出材质本身的纹理为尚，有些作品于局部镶嵌玉石、象牙等同样珍贵的材料，在颜色、肌理等方面构成鲜明的对比。

黄杨木是一种常绿小灌木，多生长在山地和多石的地方，生长极为缓慢。《本草纲目》称：“黄杨性难长，俗说岁长一寸，遇闰则退”[29]，所以有“千年黄杨”之说。其木质软硬适中，坚韧而不失细腻，肌理如人的皮肤，色泽淡黄近似象牙，经历年月，为人手摩挲，色转深沉，表面会更为光润。黄杨木雕因材质之故，多圆雕小件人物、花鸟陈设，及笔筒、臂搁、水丞等文房器具。因其质地适宜精雕细镂，故而成品普遍工艺水平较高，格调清雅细腻。其产地主要分布在浙江乐清、温州、黄岩、上海和福建福州等地。

沉香木因“沉香”而名，实际上二者是不同的概念。所谓沉香本身并非木材，而是瑞香科沉香属植物，经特殊过程“结”出的混合了树脂和木质成分的固态凝聚物；沉香木则是指能够形成沉香的树种，其范围包括马来沉香树、莞香树等，质地比较疏松。我国古代对沉香的认识极早，成书于东晋时期的《南方草木状》中已经准确描述了沉香与香树。而自古以来它就是最高档的香料，上层阶级对之趋之若鹜，这使得原本在广东、广西、云南、福建、海南等省有分布的香树资源供不应求，故从唐宋时代开始从东南亚地区的越南、马来西亚、泰国、老挝、印度尼西亚、印度等产地输入的沉香，就成为当时最重要的进口商品之一。由于沉香的特殊地位，使得沉香木也成了名贵的木料品种，是制作工艺品的上乘材料。就明清时期的传世作品来看，沉香木制品以各类文房器具，如笔筒、臂搁、如意、山子等为主，也有杯、盘之属，还有各种佩饰，特别是手串、数珠等品种。其技法以圆雕、浮雕等为主，有些器物表面纹饰使用拼接镶粘的手段。木色深沉，风格粗犷而古朴，与犀角制品有相似的装饰效果。明代末期苏州工匠江春波是个中翘楚。

瘿木不是一个单独的树种，而是指树木的瘤结。各种树木都会生瘿，但最常用的瘿木种类是楠木瘿、桦木瘿、黄花梨瘿、龙眼木瘿等。由于剖开后可见绞曲旋转的细密纹理，非人力可得，在我国古代极受文人雅士推崇。大约在三国时文献中已开始重视这种材质[30]，而明人谢肇淛《五杂俎》说得最明白："木之有瘿，乃木之病也。而后人乃取其瘿瘤砢礧者，截以为器。盖有瘿而后有旋文，磨而光之，亦自可观。"[31]瘿木多被制成酒杯、瓶、尊、枕具等各种生活和陈设器物，甚至拼组成家具。

此外，花梨木、鸡翅木、红木等都是制作家具的上好材料，偶尔也被用来雕刻盒、匣及文房器具。[32]

四、果核与椰壳雕工艺

果核雕是以橄榄核、桃核、梅核、樱桃核、核桃壳等为材料，雕刻佩饰、挂坠、念珠等小件玩赏品的工艺，属于立体微雕范畴。在明清之际，由于社会思潮的变迁，许多文人学士开始关注工艺美术领域，他们特别推崇高超的技巧，所以核雕受到重视，风行一时，对于核雕与核雕工匠的记载不断出现。

夏白眼，能在乌榄核上雕刻十六个儿童或子母九螭、荷花鹭鸶等，只有半粒米大小，却都神态必肖，得到明宣宗的赞赏，有二百年中只此一人之誉。[33]王毅，字叔远，万历、天启年间虞山（今常熟）人，因魏学洢《核舟记》而广为人知。以赤壁图为题材的核舟影响很大，明末江苏无锡人邱山[34]、清初苏州人金老[35]等也都以此擅名一时。

乾隆时吴（今苏州）人杜士元所制核舟，窗帘、桅杆、帆、篷、橹、舵等都能触动，人物须发俱完，连茶杯、托盘都毫厘不爽，人称神技，每件作品值银五十两，乾隆皇帝曾三次召其入宫，赏赐甚厚。[36]根据目前所知，制作核舟的匠人主要出自吴中一带，高士奇曾记："吴人以橄榄核为船，诸物俱备，且极工巧"[37]，其他地方则比较少见。直到清晚期，广东因出口需要，核舟也曾风行一时，并达到雕刻双层画舫，上有十六个可以开阖的门窗、五十八个不同人物的程度。

椰壳雕是木雕中特殊的品类，受材质产地限制，主要为海南等地的地方工艺，已有三百余年历史。椰壳制品表面呈黑褐色，光晕内敛，有些还有暗黄褐色纹理，装饰效果颇为独特。早期以制作日常生活用品，如碗、盘、杯、盒等为主。清代作为地方贡品贡入宫中后，逐渐精致化，出现了酒具、茶具、文房用具、陈设器物等新器形，装饰宫廷中喜闻乐见的花卉、龙凤及其他带有吉祥寓意的纹样，有的还镌刻诗句，镶配银、锡等金属内胆，工艺与审美格调都有飞跃。

以上两种材质本非一般木材，但以其发展历程、工艺特点、产品性质等原因，也约定俗成地归入木雕类别中，故而本文在此一并述之。

注释：

[1] 河姆渡遗址考古队：《浙江河姆渡遗址第二期发掘的主要收获》，《文物》，1980年第5期。

[2] 中国社会科学院考古研究所山西工作队等：《1978～1980年山西襄汾陶寺墓地发掘简报》，《考古》，1983年第1期。

[3] 湖北省博物馆等：《盘龙城1974年度田野考古纪要》，《文物》，1976年第2期。

[4] 石璋如、高去寻编：《侯家庄》第2本《1001号大墓》，上，页26、56～69，台湾"中央研究院"历史语言研究所，1962年。

[5] 河北省文物研究所：《藁城台西商代遗址》，文物出版社，1985年。

[6] 中国社会科学院考古研究所琉璃河考古队等：《1981～1983年琉璃河西周燕国墓地》，《考古》，1984年第5期。

[7] 湖北省博物馆等：《随县曾侯乙墓》，文物出版社，1980年。

[8] 湖北省荆州地区博物馆：《江陵雨台山楚墓》，文物出版社，1984年。

[9] 湖北省文化局文物工作队：《湖北江陵三座楚墓出土大批重要文物》，《文物》，1966年第5期。

[10] 南京博物院：《江苏盱眙东阳汉墓》，《考古》，1979年第5期。

[11] (宋)郭若虚：《图画见闻志》，卷五"相蓝十绝"，《影印文渊阁四库全书》，第812册，页556，台湾商务印书馆，1986年。

[12] 参傅芸子：《正仓院考古记》中关于北仓文物的介绍，辽宁教育出版社，2000年；图见日本正仓院事务所编：《正仓院宝物》，宫内厅藏版，日本朝日新闻社，1960～1962年。

[13] (宋)刘道醇：《五代名画补遗》"雕木门第七"，《影印文渊阁四库全书》，第812册，页443～444，台湾商务印书馆，1986年。

[14] (金)元好问撰，常振国点校：《续夷坚志》，卷二，页37，中华书局，1986年。

[15] 陕西省文物工作委员会：《山西省十年来的文物考古新收获》，《文物》，1972年第4期。

[16] (明)汪砢玉：《珊瑚网》，卷一〇，"柯丹丘石屏记"，《影印文渊阁四库全书》，第818册，页165，台湾商务印书馆，1986年。

[17] (清)钱泳撰，张伟点校：《履园丛话》，卷一二，页322，中华书局，1979年。

[18] (明)高濂撰：《遵生八笺》，卷一四，《燕闲清赏笺》，页423，书目文献出版社影印万历十九年雅尚斋刻本，1988年。

[19] (清)刘銮：《五石瓠》，转引自邓之诚撰，邓珂点校：《骨董琐记全编》，页271，北京出版社，1996年。

[20] 严望云事迹参见《蕉窗小牍》相关记载，转引自前揭《骨董琐记全编》，页205。

[21] 李放编：《中国艺术家徵略》引《西浙人物志》，1911年义州李氏铅印本。

[22] 乾隆名此器为“赌墅笔筒”，曾作诗咏之，见《清高宗御制诗集》，四集卷四〇，题为《咏吴之璠刻赌墅笔筒》。

[23] (明)张岱撰，马兴荣点校：《陶庵梦忆》，卷二，页30～31，中华书局，2007年。

[24] 参(清)吴履震：《五茸志逸》，转引自钱定一编著：《美术艺人大辞典》，页21，上海古籍出版社，2005年。

[25] 参华德韩编：《中国东阳木雕》，浙江摄影出版社，2001年。

[26] 参萧洽龙主编：《潮州木雕》，文物出版社，2004年。

[27] 参郭发柽著：《福州木雕艺术》，海潮摄影艺术出版社，2004年。

[28] 参马世云、宋子龙编：《徽州木雕艺术》，安徽美术出版社，1988年。

[29] (明)李时珍：《本草纲目》，卷三，明万历三十年夏良心等重刻本。

[30] 参孙机：《绞胎器与瘿器》，收入《文物丛谈》，文物出版社，1991年。

[31] (明)谢肇淛撰，郭熙途点校：《五杂俎》，卷一〇，页200～201，辽宁教育出版社，2000年。

[32] 本节多参考了王世襄：《明式家具研究》，第五章“明式家具的用材”相关内容，生活·读书·新知三联书店，2008年。

[33] (明)张应文：《清秘藏》，卷上，“论雕刻”条；见黄宾虹、邓实编：《美术丛书》，初集第八辑，江苏古籍出版社影印本，第1册，页489，1997年。

[34] 见(明)陈贞慧：《秋园杂佩》，《美术丛书》，初集第五辑，第1册，页312。邱山，又作丘山，一说安徽贵池人。

[35] 其名已失传，参见（清）钮琇撰，南炳文、傅贵久点校：《觚賸·续编》卷四，页246～247，上海古籍出版社，1986年。

[36] 见前揭《履园丛话》，卷一二，页324～325。

[37] (清)高士奇《榄核船》诗题下小序，见《苑西集》，卷四，页11，收入《高江村全集》，清刊本。

紫檀木雕会昌九老图笔筒

明晚期

通高19厘米　口径14厘米　底径16厘米

笔筒为紫檀木制。口沿处一周以银丝及螺钿镶嵌勾连葡萄纹及狮纹。外壁浮雕松树、老人、童子等，为“会昌九老图”。底座如岩石状，与筒身景物呼应。此器以高浮雕和圆雕为主，在刀法、磨工、螺钿装饰、造型设计、图纹刻画等方面，都带有较为鲜明的时代风格。

所谓“会昌九老”，指的是唐会昌年间（841～846年）白居易等九位文人在洛阳龙门香山寺宴集的典故，为明清工艺中的常见题材，带有祝寿的吉祥寓意。

黄杨木雕董其昌题诗笔筒

明晚期

高24.8厘米　口径34.2厘米

笔筒为黄杨木制。圆体，略扁，形体硕大，筒壁厚实，庄重沉稳。口沿微内倾，内壁髹黑漆，外壁阴刻填蓝唐代诗人杜甫的《饮中八仙歌》一首，与原诗略有出入：

知章骑马似乘船，眼花落井水底眠。

汝阳三斗始朝天，饮如长鲸吸百川，

恨不移封向酒泉。

左相日兴费万钱，衔杯乐圣称避贤。

宗之潇洒美少年，举觞白眼望青天，

皎如玉树临风前。

苏晋长斋绣佛前，醉中往往似逃禅。

李白一斗诗百篇，天子呼来不上船，

长安市上酒家眠，自称臣是酒中仙。

张旭三杯草圣传，脱帽露顶王公前，

挥毫落纸如云烟。

焦遂五斗方卓然，高谈雄辩惊四筵。

末有“其昌”款字及“董其昌”“宗伯学士”二印，知其粉本或即为董其昌所书。

此器外壁书法雕刻运刀如笔，一气呵成，酣畅淋漓，如欲破壁而出，为笔筒增色不少。

沉香木雕山水图笔筒

明晚期

高14厘米　最大口径12.5厘米　最大底径9.5厘米

笔筒为天然不规则形。边沿留有一周阴刻线，似本为镶银里扣口之痕迹。外壁以高浮雕、镂雕等技法刻画山岩、松柏、茅舍、人物，纹饰可分出多个层次，且巧妙利用了留白手法，营造出韵味悠长的意境，在同类作品中也是比较精细的，富于典型意义。空白处刻行书“癸丑仲冬月江春波制”款识。

江春波，明代中晚期雕刻家。据《酌泉录》载，江氏与蜀中长素道人相契，二人于无锡五浪山结庐而居，以古木、藤、瘿、湘竹等制为砚山、笔架、盘盂、臂搁、麈尾、如意等，富贵家莫不持重货以求之。而名人才士，若唐寅、祝允明、文徵明父子接踵于门。其卒年已近九十。

沉香木雕松竹梅纹笔筒

明晚期

高11.9厘米　最大口径11.3厘米

笔筒以沉香木雕成，俯视杯底如悬斗。外壁雕山岩凹凸嶙峋，环周用浮雕及镂雕技法刻画老梅一枝、幽竹几丛、虬松若干；松干、梅枝劲力贲张，独竹茎纤弱，于是以数块大石相配。

此作不似一般沉香木雕刻那样精致，如杯沿处只以刻刀拖勒杯口示意，而岩石的雕凿痕迹尚清晰可见。其妙处在于设计大胆，摒弃陈规，于粗犷中不乏细腻的表现，把松、竹、梅、石等物象所包含的精神作了恰如其分的表达，使纹饰与主体、杯身与杯底成为一个整体，杯虽小而境界不俗。这件沉香木杯是沉香木雕刻中一件富有独特价值的作品。

紫檀木雕花卉图笔筒

明晚期

高15.8厘米　口径12.6厘米

笔筒为紫檀木制，圆体，花瓣式口。外壁浮雕茶花、梅花、玉兰、海棠，四组花卉既相独立，又于底部纠结相连。一侧口下嵌有银丝篆书七言诗句：“雪满山中高士卧，月明林下美人来。”并“文父”篆书小方印。按诗句出自明人高启《梅花诗》，因得“梅之精神”[①]而广为传诵。

此器色泽古雅，雕工圆润，为紫檀木雕刻中的佳作。

① 《西湖志余》语。

檀香木雕龙凤纹管花毫笔

明晚期

管长16.1厘米　管径1.5厘米　帽长9厘米

笔管浅浮雕龙凤纹，间饰缠枝花卉纹饰。笔管上端填蓝楷书“大明万历年制”。笔管顶嵌螺钿上填蓝楷书“万历年制”。笔毫为花毫，呈葫芦式，为明代笔毫特点。

此笔檀香木管材质珍贵，纹饰雕刻繁缛精细，并以螺钿为嵌饰，制作讲究，反映了明代制笔工艺的水平。为明代宫廷御用笔佳品。

大明萬曆年製

紫檀木雕云龙纹拜匣

明晚期

长26.4厘米　宽16.5厘米　高9.6厘米

匣为长方形，内附屉板。盖及盒口沿刻回纹带，四面及盖顶阴刻菊纹锦地，上浅浮雕云龙纹。屉边饰云纹，屉底刻湖石、灵芝、水仙、梅花、翠竹等纹饰。

此器依形制应为盛放名刺的拜匣，其色泽深沉，造型端庄，线脚圆润，装饰华美，雕刻流畅，为同类制品中的代表。

紫檀木百宝嵌云螭纹拜匣

明晚期

长29.5厘米　宽18.5厘米　高10.7厘米

匣为长方形，盖面微弧，转角柔和，带状足。器形端庄工稳。四壁浅浮雕云螭纹，纹饰满密，不留隙地，起伏变化精微。盖顶地子雕刻流云，以螺钿、珊瑚、青金石、蜜蜡、玉石等镶嵌螭龙六条并火焰纹，于云朵间半隐半现。纹与地融为一体，毫无突兀之感；而赤、橙、黄、蓝、白、黑六色在紫檀之映衬下，更显鲜明。口边光素如饰凸弦纹二道。盒内附屉板，屉内阴刻填金御制诗：

> 相[平声]带崟山质，琢而更藉镌。
> 何时出土上，谁氏佩身边。
> 比德刚柔协，论材环佩连。
> 几陈资睇玩，匣衍引吟诠。
> 昔有余堪忆，今无用弃捐。
> 莫教成有用，惕以万斯年。[1]

后自注：

> 汉衣冠乃用玉带。向著本朝《礼器图式》序谓：衣冠为一代昭度，谆谆于我朝之旧制，不可改易，且举北魏辽金及有元之改汉衣冠者为后人鉴戒。我子孙能不惑于流言，则此玉带只堪弃为玩赏之具，而必不为有用之物。于以绵国家亿万斯年之绪，可不惕乎！

末署“乾隆己酉御题”及“古稀天子之宝”“犹日孜孜”朱、白篆书印章各一。按，己酉为清乾隆五十四年（1789年）。

依形制，此盒近于拜匣一类，但曾于清宫中被用来盛装白玉带板，故有上述题诗。其雕工繁缛精细，工艺极佳，在同类制品中实属罕见。

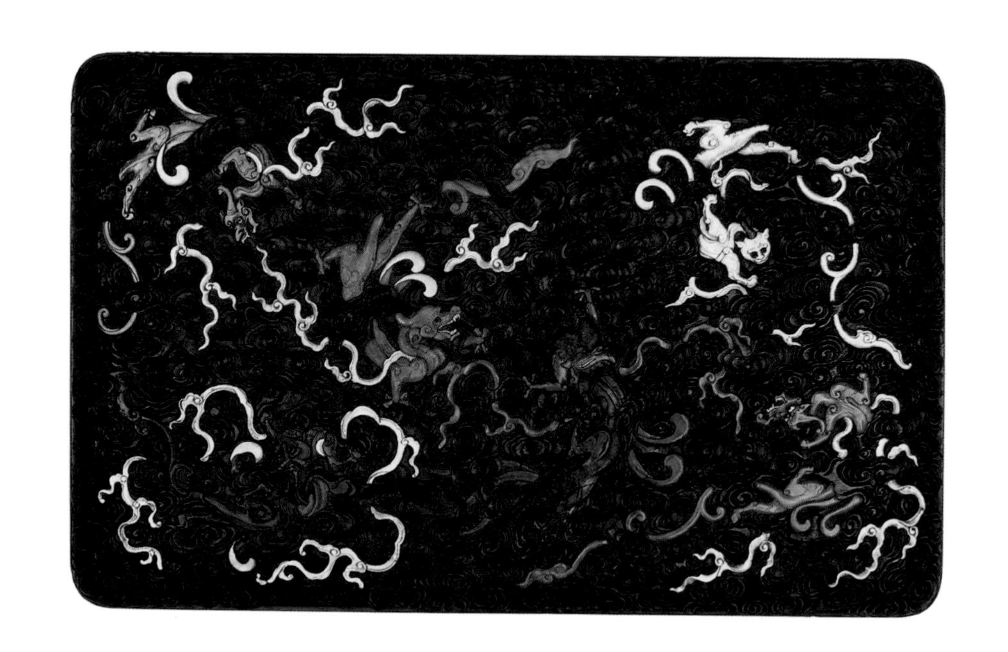

① 见《清高宗御制诗集》，五集卷四三，名《题汉玉带版六韵》。

紫檀木百宝嵌绶带桃树纹盒

明晚期

长31厘米　宽18.7厘米　高21厘米

盒为长方形，形体较大，两层，有盖。盖、身及二层之间接口口沿嵌银丝回纹带。盖面以玉石镶嵌为果，青金石、染牙为叶，孔雀石为湖石，螺钿、玛瑙、蜜蜡、珊瑚等为点景之竹、灵芝、水仙等，二只绶带鸟一上一下栖于枝头和石顶。四壁所嵌纹饰主题相类。

此器花纹满密，凸起较高，而不显臃肿，相反还能传达出几分笔情墨趣，颇为难能，也充分表现出其高超的百宝嵌工艺水平。

紫檀木雕云纹委角方盒

明晚期

高5.5厘米　直径14.7厘米

盒扁体，方形，委角，四出花瓣式，有矮足。通体剔地浮雕云纹，盒身外一周，盖面两周，中有一“十”字纹。其造型与装饰都来自漆器中剔犀的特殊装饰效果。而在模仿中又针对材质特性加以创造，如对刀口凹槽的处理，并非亦步亦趋，也达到了很好的结果。

此盒刀法磨工俱佳，纹饰也颇别致，是紫檀雕刻中别具一格的作品。

紫檀木百宝嵌荷塘白鹭图提盒

明晚期

通高17.2厘米　长16厘米　宽11.5厘米

盒长方形，两层，配扁平出廓底托及提梁。底托挖有凹槽，梁柱设站牙，盒盖位置置铜销，可串联梁柱与盒体，起到固定作用。口边相接处以嵌银丝回纹带为饰。盖顶以螺钿、孔雀石、珊瑚、玛瑙等材料镶嵌荷塘小景。荷花正开，荷叶婷婷如盖，一白鹭立水中，另一盘旋欲下。其旁以金银丝镶嵌篆书诗句："清风自南来，置我冰香域。"并"眉公"二字。

眉公，当是明代文学家、书画家陈继儒（1558～1639年）之号。

此器纹饰明快生动，色彩对比鲜明，是一件工巧别致的作品。

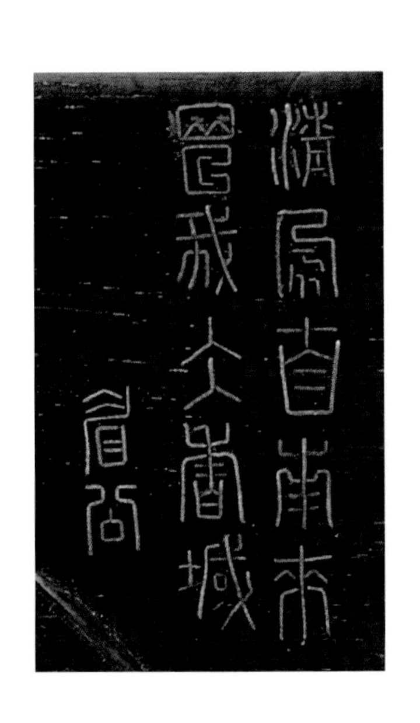

黄花梨木百宝嵌石榴绶带纹盒

明晚期

长27.4厘米　宽16.3厘米　高15厘米

盒为长方形，两层，内附屉板。盖、身及二层之间口沿饰以嵌银丝回纹带二道，盖面微隆起，上以螺钿、染牙、大漆等材料镶嵌月季、石榴及绶带鸟。

此盒造型规整，衔接紧密，木纹清晰优美，镶嵌清新悦目，构图雅洁自然，为木雕百宝嵌中的精品。

桦木百宝嵌玉堂富贵纹盒

明晚期

长21.3厘米　宽12.2厘米　高9.5厘米

盒为长方形，内附屉板，口沿饰嵌银丝回纹带。盖面以螺钿、青金石、孔雀石、松石、芙蓉石、金星料、蜜蜡等为材料，镶嵌玉兰、牡丹、野菊等组成的花丛；二绶带鸟栖于湖石上，旁有蝴蝶翩飞，四壁则嵌折枝枇杷。

此器木质纹理奇特，纹饰色彩明快绚丽，为百宝嵌作品中工艺较为突出者。

紫檀木镂雕荷叶枕

明晚期

高9.8厘米　最长24.5厘米　最宽15.6厘米

枕中空，椭圆形。雕成一片荷叶卷曲合拢状，边缘翻卷。镂空虫蚀空洞，荷茎斜穿，插入内部，结构变化精巧，工艺难度甚高。表面剔地阳文叶脉，辐射伸延，富于装饰性。沟槽、边缘均经细磨，过渡润滑，光晕内敛，沉穆典雅，颇能突显材质之美。

此器形制罕见，或可为枕，亦可为陈设，别具一格。

黄杨木雕观音像

明晚期

高23.5厘米　底径最大6.1厘米

观音长身玉立，赤足，身披天衣，高挽发髻，胸垂璎珞。右手捧经卷，左手拢衣角，身形微转侧，于不经意间流露出种种风神。观音微合双目，面容安详，如入物我两忘之境，澄明一片。其衣袂轻扬，似立于波涛云海之上，使观者生无限遐想。

这尊观音像在刻画上颇饶画意，人物肌圆骨润，体态呈现出一“S”形，于庄严中不失女性的妩媚。衣纹的处理繁复而华丽，将衣衫的质地、垂感等都很好地表现出来了，成为雕像中最精彩的部分。

黄杨木雕李铁拐像

明晚期
通高29.3厘米　底长8.5厘米　宽7厘米

此像圆雕立姿，现罗汉相。头略左倾，髡首隆颡，似翻目上视，又似微含笑意，仿佛浑然不见眼前俗世纷扰。鹑衣百结，腰系草叶裙，显出嶙峋瘦骨。左肩挎细绳，上系葫芦及灵芝一束；双手拄单拐于腋下，赤足，右腿抬起，以脚尖点地，作跛行状。

李铁拐是传说中的八仙之一，在民间是喜闻乐见的神话人物，并形成固定的表现程式，此像即非常典型。而其眉目入神、衣纹流动极富装饰性，充分展现出黄杨木雕易于奏刀、长于刻画细节的工艺特点。

黄杨木雕卧牛

清早期

通高8厘米　长12.3厘米

卧牛为圆雕，四肢着地，顾盼回首，脊背高耸如瘤，肋骨嶙嶙。一小兽嬉戏于卧牛身旁，亦弯身回首，作相嬉状。二兽动势互相呼应，小兽戏卧牛之尾，牛尾则自然搭于小兽身上，愈显联系之密，构图之巧。作者对卧牛颌下之褶皱及压于腹底的后肢只作象征性表现，而对尾鬃则刻画精细。雕刻繁简得宜，匠意高超。更可关注的是，二兽貌相高古，似加入了一些想象成分，非一般田间俗物可比。卧牛凸睛阔口，鼻翼贲张，角弯如月；小兽则身健骨清，造型奇特。

卧牛背后有二嵌孔，依二兽神态及组合关系，原件背上似应还有一小兽，现或已缺失。

此作虽是小品，却摇曳多姿，布局精当，刀法娴熟，是传世黄杨木圆雕作品中的代表。

紫檀木嵌珐琅云头纹墨床

清早期

长11.5厘米　宽6.5厘米　高4厘米

墨床仿几案式样，结构亦合规矩。板足内卷成回形卷书式，然四角置四足，卷书间加罗锅枨，又颇具变化。面板上嵌入两块掐丝珐琅云头饰片，与深沉之木色恰成映衬。器物形体虽小，却大方典雅，为文房用具中的精品。

黄杨木雕东山报捷图笔筒

清早期

高17.8厘米　最大口径13.5厘米

笔筒近椭圆式，嵌紫檀木口缘及底座。筒身采用高浮雕技法，以崖壁为界，将画面分为两部分。一部分雕刻山岩壁立，古松垂荫，三位老者围石桌而坐，正在对弈；侍女立于其旁，相顾低语，小童托盘，从石后转出。另一部分雕刻茂林溪谷间，二虬髯客策马疾驰于道上。石壁上阴刻隶书“槎溪吴之璠”款识，并篆书“鲁珍”二字印。旁刻小字隶书乾隆御题诗句：

> 赌墅已因胜谢元（玄），既临大事只夷然。
> 淮淝捷报传飞骑，屐齿何妨折不全。
> 鲁珍绝技继朱松，逸品流传颇寡逢。
> 对弈人间若无事，传神是谓善形容。[①]

署“乾隆丙申秋月御题”八字并“古”“香”二篆书小印。

笔筒虽取材淝水战事，但舍去战争场面，而精心选择报信与对弈的片断，构成动静对比，以此衬托出谢安胸有成竹的镇定自若，颇具匠心。纹饰固然满密，布局却妥贴巧妙，层次井然，丝毫不显局促，而细腻的刀法，充分展现出黄杨木雕的艺术魅力。

吴之璠，字鲁珍，嘉定（今属上海）人，约活跃于康熙（1662～1722年）中晚期，以刻竹闻名。而当时名家，大多一专多能，这件笔筒正是吴氏木雕代表作。

据说，吴氏因早年迁居天津，故其名在家乡不为人知，直到清乾隆四十年（1775年）高宗见内府有笔筒上镌其款识者，于是遍询侍臣，多方翻检方才查知，从此吴氏声名大噪。而引发皇帝兴趣的作品，则很可能就是此器。

① 见《清高宗御制诗集》，四集卷四〇，题为《咏吴之璠刻赌墅笔筒》。

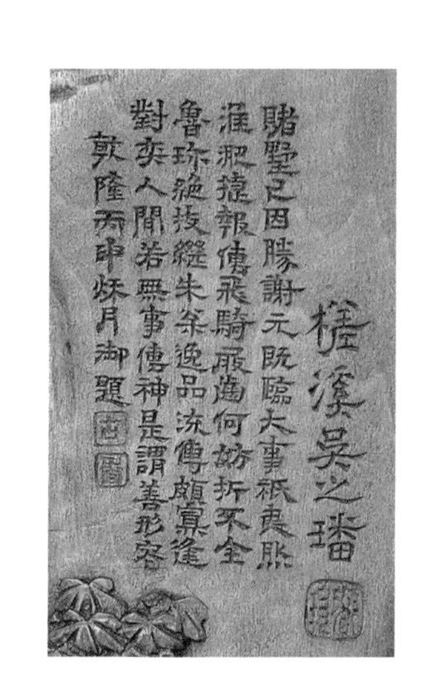

紫檀木雕螭凤纹笔筒

清早期

高17.8厘米　口径13.1厘米　足径13.8厘米

笔筒为圆体。口外沿嵌错铜丝为枝蔓，镶嵌玛瑙、绿松石、青金石为葡萄及叶片，衬托花叶间的六只异兽。外壁主体的浅浮雕云纹地子上，高浮雕及镂雕螭龙与夔凤交插盘绕，腾挪翻舞。螭、凤的眼眸还用螺钿与犀角镶嵌，栩栩如生。器底配三足红木座。

此器色泽沉暗，形体敦厚大气，浮雕与镂雕技法繁复而一丝不乱，磨工特佳，纹饰于仿古同时不失浪漫气息，显示出时代风貌，是紫檀雕刻文房器具中的精品。

沉香木雕山行图笔筒

清早期

通高15厘米　最大口径13厘米

笔筒依材料随形雕成。外壁以多层次的浮雕技法刻画山水人物，重峦叠嶂，松柏森森，匡庐隐约，好似鸟鸣山幽的世外桃源。长者扶筇，童子背负葫芦相随，在一人引领下缓步而来。人物虽无眼目，而神情毕现，景物集中于中下部，无纹处皆光素，映衬出纹饰自阴刻、浅浮雕乃至高浮雕、镂雕的丰富层次。底座以紫檀木镂雕成山岩、云朵，与筒身纹饰相得益彰，其装饰意匠在同类制品中也富于典型意味。

紫檀木百宝嵌莲藕纹盒

清早期

长29.2厘米　宽23.4厘米　高8.8厘米

匣为长方形，盖、身子母口相合，盖顶微弧，底有带状足，盒内附屉板。口沿嵌银丝回纹，盖面以螺钿、碧玺、珊瑚、青金石、染色象牙等材料，镶嵌莲藕、莲蓬、莲花、菊花、竹枝、枸杞等纹饰，含有“一品清廉”“杞菊万年”等吉祥寓意。

此盒器形规整，用料考究，纹饰构图严谨，透视准确，配色鲜明，风格清新，雕嵌技巧纯熟，是传世宫廷百宝嵌制品中比较优秀的一件。

紫檀木百宝嵌三狮进宝图盒

清早期

长29厘米　宽23.2厘米　高8厘米

盒为长方形，口沿嵌银丝回纹，四壁光素，带状足。盖面以螺钿、孔雀石、染牙、玛瑙、大漆等镶嵌“三狮进宝图”，一胡装人物骑于大狮之上，手托宝珠，旁二小狮跟随。这类番人进宝题材为传统的吉祥纹样，而大狮、小狮又可谐太师、少师之音，还含有加官进爵的寓意。

此器纹饰构图严谨，雕嵌皆精，色彩明快，艺术表现力上乘，是百宝嵌工艺中不可多得的珍品。

紫檀木百宝嵌狩猎图盒

清早期

长26.8厘米　宽16.8厘米　高10.2厘米

盒为长方形，附屉。盖面以螺钿、玳瑁、玛瑙、松石、孔雀石、大漆等为材料，镶嵌“狩猎图”。数骑中一人着红袍，骑白马，身边簇拥的随侍与猎手，控马、掌幡、搦弓、挺矛，神态各异。一侧花鹿中箭倒地，狡兔逆向欲逃，一猎手已张弓搭箭，云间惊飞一群芦雁。画面紧凑生动，截取瞬间，扣人心弦，体现出高超的工艺技巧。而此题材带有明显的少数民族风味，也反映出某种时代好尚。

黄杨木雕灵芝小盒

清中期

高2.9厘米　最大口径7.4厘米

小盒雕作一大二小三只灵芝菌盖相叠状，最大一只即为盒体。器壁甚薄，盖、身子母口相合。外底阴刻楷书四字“雍正年制”款识。

此作随形雕刻，别致精巧，活灵活现，造型及工艺都富有时代特点，是雍正时期存世不多的黄杨木制品中极为突出的一件。

黄杨木雕三螭海棠式盒

清中期

高9.8厘米　最大口径12厘米

盒略呈椭圆形，四出海棠式，平底，四如意云头足。有盖，盖顶镂雕蟠螭钮，鸟首兽身，极为怪异。盒两侧镂雕兽首螭纹各一，蜿蜒攀爬，一上一下，对称中又有差异，颇具匠心。

此盒与明晚期铜炉造型近似，不过在细节处理与装饰上却不尽相同，显示出清代中期仿古工艺的某些特征，有鲜明的时代性。

黄杨木雕知音图笔筒

清中期

高10.7厘米　口径5.7厘米　底径5.8厘米

笔筒圆口，筒身修长，有四矮足。口沿及足沿分别饰一周卐字纹，外壁浮雕俞伯牙与钟子期的知音故事。伯牙于船头专注鼓琴，背后一童烹茶，一童闲坐；子期坐于崖岸上，凝神静听，柴担立于身后，其装饰效果及剔地浮雕法的运用似脱胎于同类竹雕器物。

此笔筒纹饰层次丰富，细部清晰，立体感甚强。另一面阳刻行书五言诗句："宣情并理性，寄托在瑶琴。为问知音侣，钟俞冠古今。"并"寿"及"周明雕刻"篆书印章二方。

黄杨木雕春眠图笔筒

清中期

高10.8厘米　口径7.6厘米　底径7.7厘米

笔筒为圆体，口底微侈，三矮足，口边及底沿凸出一周，器形秀美。外壁一侧表现结庐幽篁间的山居意境，但见丛竹无尽，高树参天，茅舍帘幕低垂，文士拢袖高卧，闲适之态活龙活现。

此笔筒技法以阴刻为主，但通过剔刻深度区别层次，如人物凸起甚高，遂使室内进深感加强，而树木、丛竹亦深浅不同，空间关系便呼之欲出。山石曲折有力，其阴刻线条很有斧劈皴的韵味。雾霭的界边磨光突显出氤氲与流动，表现出景物逐渐隐入雾中的混沌，并最终在筒壁的另一侧过渡至留白，饶有画意，收以少胜多之功。外底阴刻填朱篆书"山静日长"印章。

紫檀木刻御制诗笔筒

清中期

高12.6厘米　口边长10.2厘米

笔筒为四方委角式，有四矮足。口边及足边凸起阳文边沿，筒壁四面雕刻阳文四方委角开光，开光外饰变体夔纹，内刻御制诗，分别为：

把笔当秋夕，消闲向晚轩。

无须求侧理，差可辨钗痕。

意静妙堪会，神清境不喧。

墨林多月旦，独爱米公言。

并“御制《学字》”，查该诗作于乾隆十年（乙丑，1745年），收入《清高宗御制诗集》，初集卷二十七；

临池静课余，洗砚命僮胥。

应有鱼吞墨，那无鹅换书。

岂怀投卞璞，惟觉类庄樗。

徙倚南荣下，窗开万象虚。

并“御制《题画》”，诗作于乾隆十一年（丙寅，1746年），收入《清高宗御制诗集》，初集卷三十一；

荡荡喧皆寂，憧憧静亦纷。

寸田参道要，大块是真文。

学字不知倦，耽书岂为勤。

春台方骀宕，与物共含欣。

并“御制《闲适》”，诗作于乾隆十一年（丙寅，1746年），收入《清高宗御制诗集》，初集卷三十；

飒景近三余，开怀聊一抒。

菊花依石瘦，松月上窗虚。

凫鼎烹龙茗，莲檠校竹书。

隔云钟度处，始悟此山居。

并“御制《即事》”，诗作于乾隆十三年（戊辰，1748年），收入《清高宗御制诗集》，二集卷七。最后一诗末署“臣于敏中敬书”及“臣”“中”二小印。

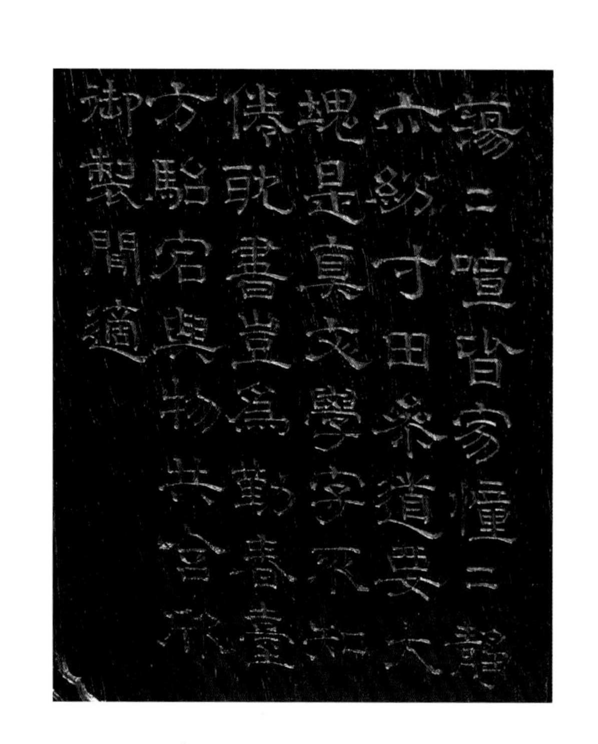

紫檀木百宝嵌花卉草虫图方笔筒

清中期

高16.3厘米　口径12.9厘米

笔筒方形，委角，口沿顶部嵌金丝夔纹一周，下承四矮足。四壁以松石、玛瑙、珊瑚、蜜蜡、椰壳、螺钿等为材料，镶嵌花卉草虫图，分别为枸杞、蜻蜓；蓼草、浆果、青蛙；蒲公英、蝈蝈、彩蝶；葡萄、菊花、蝈蝈。外底金丝镶嵌篆书“天府雅制”印章。

此器所嵌花卉、果实、昆虫等刻画细致逼真，雅洁而富情趣，不乏画意，无疑是百宝嵌作品中的佳构。

紫檀木百宝嵌花卉纹笔筒

清中期

高13.6厘米　口径10.8厘米

笔筒圆筒形，下承四矮足。外壁以螺钿、紫晶、玛瑙、蜜蜡等材料，镶嵌绣球、紫萝、山茶、菊花、枸杞等，配染牙叶片，显得花团锦簇，色泽明丽。另一面又镶嵌三小葫芦，构成繁简对比，颇为别致。

此器镶嵌工艺极佳，纹饰布局得宜，是清代百宝嵌工艺中的精品。

紫檀木百宝嵌花卉纹笔筒

清中期

高13.8厘米　口径14.6厘米

笔筒圆体，玉璧式底。筒壁一面以玛瑙、螺钿、染牙、青金石、孔雀石、椰子木等为材料镶嵌梅树一株，花朵或盛开或含苞欲放，一只绶带鸟立于枝头；其旁有洞石、茶花、天竹等陪衬，色泽鲜明，光彩悦目。另一面阴刻填银丝篆书七言诗句：

> 家世清风郤月旁，
>
> 别来衣变郁金光。
>
> 神仙定遇容成子，
>
> 教服三黄遍体香。

后有“梅”“坡”二连珠印。查诗为南宋张镃（1153～？年）撰《腊梅》二首之一。梅坡其人俟考。

此笔筒木质纹理优美，百宝嵌技法精工，画面章法谨严，风格典雅端庄。

紫檀木嵌螺钿羲之爱鹅图笔筒

清中期

高13.9厘米　口径12.2厘米

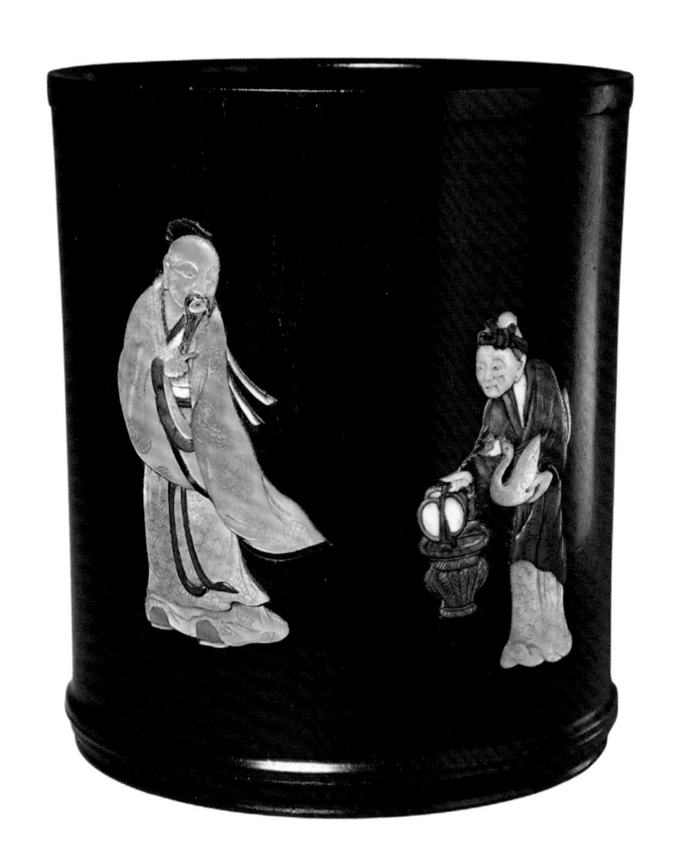

笔筒为圆体，口唇微凸出，顶部一周凹入呈浅槽状，底足亦外凸显现弦纹装饰。外壁以螺钿、染牙、玳瑁、蜜蜡、黄杨木等镶嵌二人物，一老妪躬身碎步，龙钟之态尽显，右手提竹篮，中插小团扇，左臂挟白鹅一只；其前立一文士，容貌清俊，姿态潇洒，广袖博裳，以一手点指。

据《晋书·王羲之传》载，羲之“性爱鹅，会稽有孤居姥养一鹅，善鸣，求市未能得，遂携亲友命驾就观，姥闻羲之将至，烹以待之，羲之叹惜弥日”；又，“尝在蕺山见一老姥，持六角竹扇卖之。羲之书其扇，各为五字。姥初有愠色。因谓姥曰：‘但言是王右军书，以求百钱邪。’姥如其言，人竞买之”。此处纹饰应将二事加以提炼而成，其图案典雅，人物细节传神，加之镶嵌雕刻精整，色泽丰富，于紫檀衬托下更显悦目。此作无疑是同类器物中的精品。

木雕金漆葵花式笔筒

清中期

高11.9厘米　口径11.5厘米　底径10.8厘米

笔筒为椰子木制，十瓣圆花式。筒身髹黑漆，饰描金花卉纹，每一凸瓣均留出长方形开光区间，开光内在原木地上浅浮雕变体几何纹适合纹样，每面相同。内壁满髹黑漆，并以金漆描画各式折枝花草纹。底部亦为黑漆地描金花卉纹。

此器所应用漆工艺似吸收了日本金漆莳绘的影响，较为特别。黑漆描金艳丽悦目，而木色沉暗蕴藉，相互衬托之下，装饰效果更为突出。

紫檀木嵌玉镇纸

清中期

长24.7厘米　宽3.2厘米　高3厘米

镇纸长形，扁体，上嵌白玉三块，均略呈半爿圆柱形，整体如一凸字式。侧边一周镶嵌银丝仿古纹饰，以兽面纹及夔纹为主。底面嵌银丝回纹一周，其内阴刻填金隶书“润以刚直而方佐文房”，下填红“乾”“隆”二连珠印。

此器装饰虽不复杂，但材质考究，制作精细，格调典雅，颇能显示宫廷工艺中精华内蕴的一种审美品格。

檀香木刻百寿字管紫毫提笔

清中期

管长16.3厘米　管径0.9厘米　斗长1.9厘米　斗径2厘米

笔管采用檀香木制作，纤直细腻，满饰阴刻填蓝各体“寿”字，两端各有回纹一周。顶端嵌象牙。笔斗浅浮雕阳文蝶恋花纹。紫毫。

此笔选材名贵，装饰典雅，笔斗小巧精工，锋颖饱满，适宜书写榜书大字，兼具观赏和使用价值。

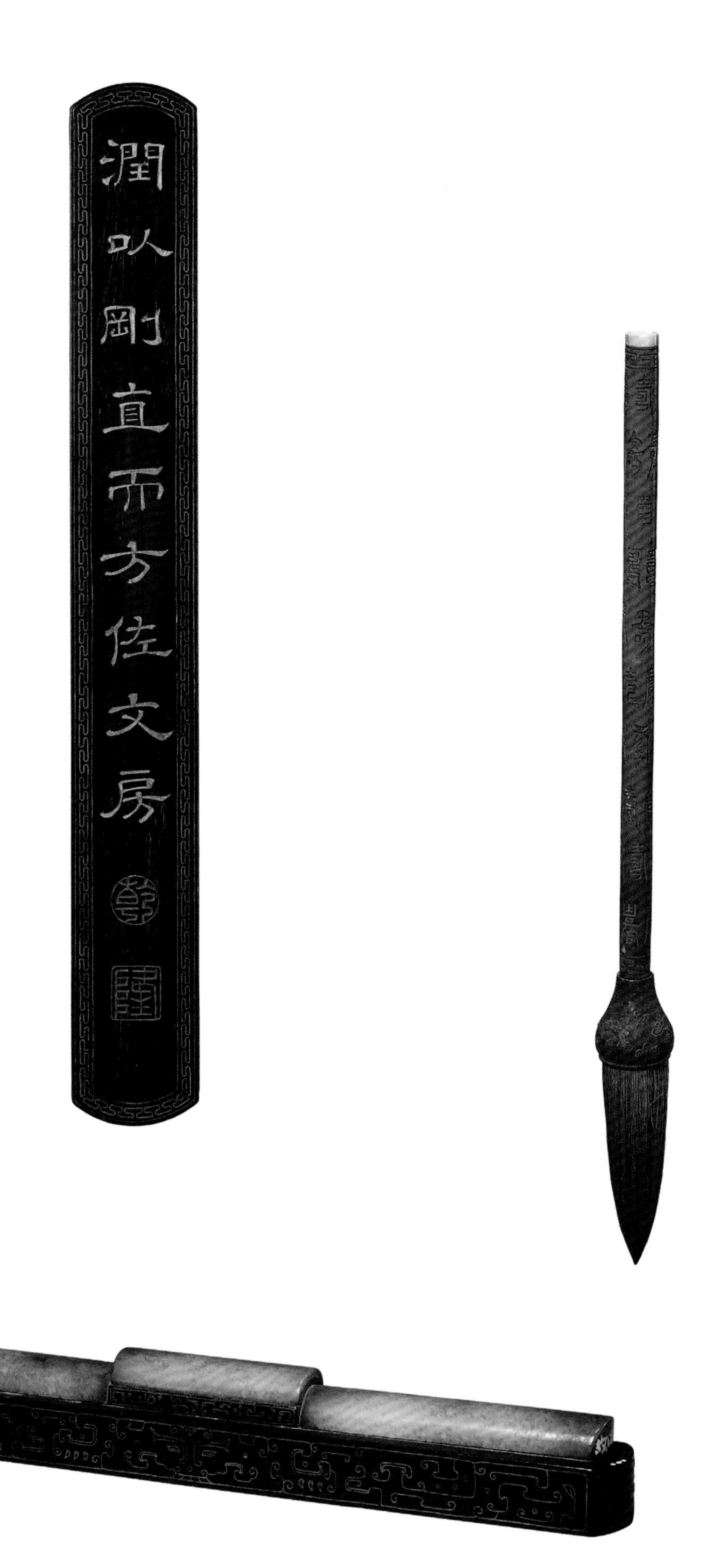

紫檀木嵌玉镂雕云蝠纹笔屏

清中期

高32.8厘米　宽20.5厘米

笔屏纯用镂空雕刻。边缘一周为变体螭纹，开光内为流云五蝠，并以朱、金二色漆装饰，中嵌椭圆白玉一枚，镂雕双螭衔芝。下承二方柱，其间镂空宝相花叶牙子。其前置一半圆边桌式台架，上设五孔，可用来插笔。配长方底座。此器形制特别，雕刻精美，传世罕有。

这种笔屏综合了笔架、桌屏的功能，装饰性也很强，在明晚期文人书房中可能已成为一种常规陈设。如明人高濂《遵生八笺》卷十五即有“笔屏”条，中谓“宋人制有方玉圆玉花板，……种种精绝，此皆古人带板、灯板存无可用，以之镶屏插笔觉甚相宜，大者长可四寸高三寸者”云云，而明人屠隆《考槃余事》、文震亨《长物志》等亦有类似记载，其形制应与此作相去不远。

紫檀木嵌白玉螭纹璧砚屏

清中期

通高21.7厘米　宽15.8厘米

砚屏阴刻变形夔龙纹为饰，阴线内填金。一面镶嵌白玉璧，浮雕三螭。背面圆形开光内阴刻隶书清高宗御制题铭：

和阗之璞，温润晶莹。

琢以为璧，肉好是程。

三螭蜿蜒，嘘如芝英。

蒸云致雨，时若应诚。

用庇嘉谷，万宝告成。

署“御题”，及“几暇怡情”“得佳趣”二篆书印章。

此屏因璧赋诗，以璧作屏，文质皆美，是砚屏中难得的精品。

黄杨木雕活链葫芦

清中期

通高25.7厘米　口径3.5厘米

此器为圆雕葫芦式，外壁附五个小葫芦，镂雕藤蔓盘曲环绕；又浮雕蝙蝠数只。大小葫芦腹内均掏空，柄蒂部拆分，则成盖与盒，镂空活链连接盒底部与盖内。大葫芦内长链又分出数条支链，链端均连镂雕小葫芦，精巧至极。

此作设计意匠与已知的部分牙雕作品十分接近，应存在相互影响的关系。其工艺繁复，玲珑剔透，又有不俗的艺术品位，在传世宫廷木雕制品中也是绝无仅有的佳构。

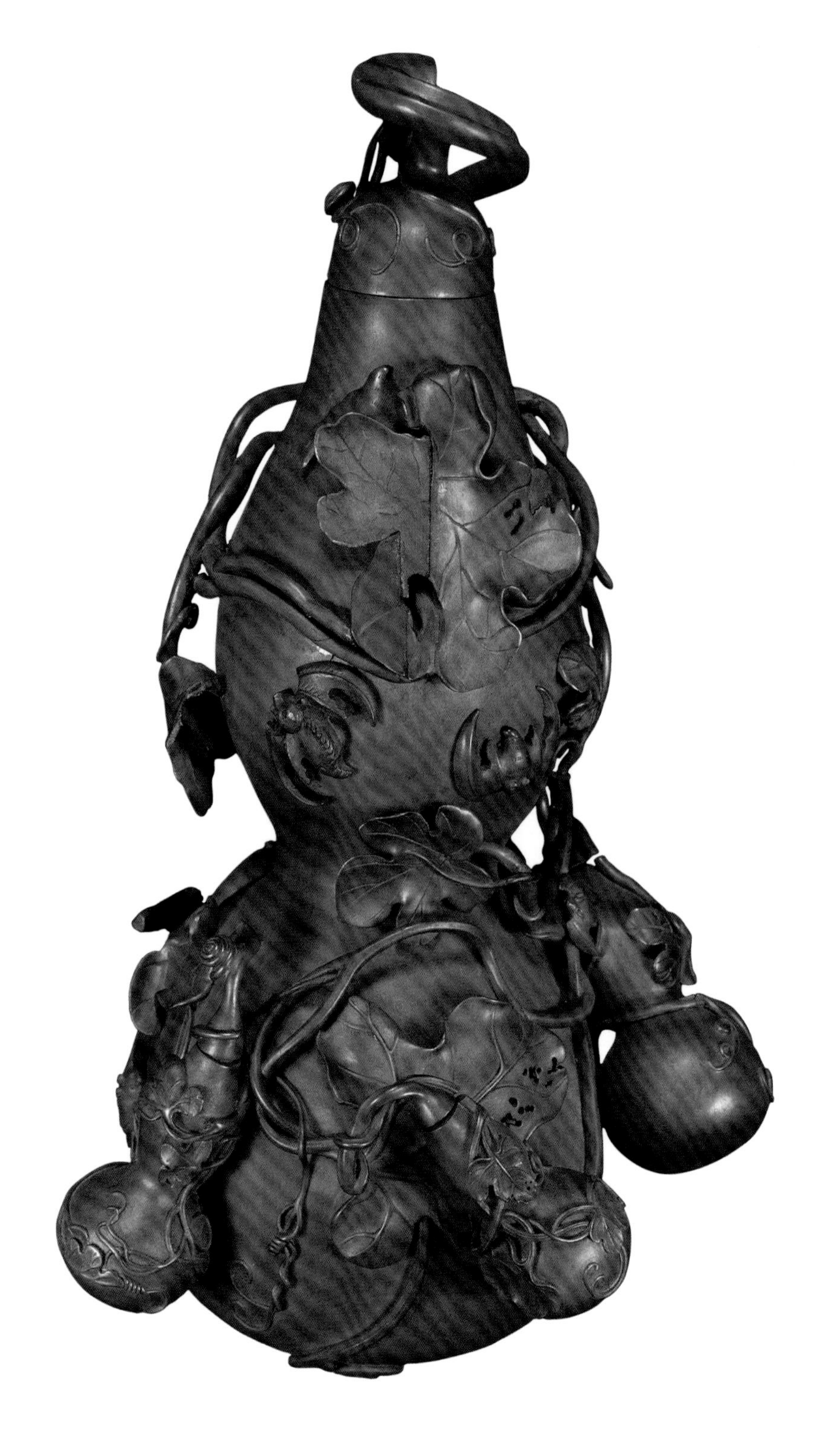

黄杨木雕仕女像

清中期

榻长11.1厘米　宽5.7厘米　高6.1厘米

仕女为圆雕，倚书而卧，高绾发髻，身着长裙，肩带披帛，微合双目，似正小憩；眉梢眼角略含笑意，更显恬静端庄。配有黑漆描金勾莲纹榻及锦褥，平添了一种精致秀雅之气。一说刻画的为唐代女诗人鱼玄机。

作品比例协调，刀法娴熟，线条流畅，艺术表现力极强，人物带有浓厚的清中期造型特征。

黄杨木雕儒士像

清中期

高4.5厘米　宽6厘米

此件儒士像为黄杨木圆雕作品，底部刻“老桐”“潘”款字，是否伪托，俟再考。

潘西凤字桐冈，号老桐、天姥山樵。新昌人，久居扬州。以刻竹称誉当时，同“扬州八怪”中的郑板桥等人交游，郑板桥曾写诗称赞其竹刻说：

> 年年为恨诗书累，
> 处处逢人劝读书。
> 试看潘郎精刻竹，
> 胸中万卷待何如？

从诗中可知潘氏作品更多浸入了文人士大夫的情趣。

紫檀木镂雕云蝠纹四足盒

清中期

高16厘米　直径24.5厘米

盒体略呈方形，四角均作如意云头式，盖天覆地式。顶面满雕剔地阳文云纹，衬托蝙蝠八只，正中镶嵌方形墨玉一枚，上嵌螺钿团花及红绿彩石装饰。外壁镂空委角开光内亦雕云蝠纹，其余光素。盒内绷贴一层金丝织品，填补了镂空处的空白。盒底下沿外撇，雕一周仰莲瓣纹。下配镂雕三弯如意腿及花牙、承泥等部件。端庄大气，装饰华美，是传世木雕盒具中的代表作。

紫檀木嵌银丝椭圆盘

清乾隆

高2.6厘米　最大口径21.2厘米　最大底径18.8厘米

盘椭圆形，撇口，圆腹，圈足足边翻卷，曲线玲珑。口壁较厚而圆润，内壁阴刻填银丝为饰，盘心以兽面纹及夔纹为主体，盘边则饰如意云纹一周。镶嵌银丝劲挺而富弹性，平行线均匀自然，几乎不见起翘剥脱之处，可见工艺之精。外壁光素，外底以铜丝镶嵌重圈双钩篆书“乾隆御用”款识。

目前所知故宫所藏相类器还有三件，依纹饰看为二对，但双钩款器实独此一件。

紫檀木嵌犀角双龙纹圆盒

清中期

盒长21.5厘米　宽18.5厘米　高10厘米

犀角饰件长10厘米　宽7.2厘米

盒椭圆形，下承四垂云矮足。盖面浮雕云纹及四组团寿、团蝠纹，正中镶嵌犀角镂雕双龙饰件。龙纹虬劲，雕刻精美，利用犀角本身的色泽纹理，并结合染色加工，形成中间深、四周浅的效果，带有巧雕的意匠，也与盒体相得益彰。

盒内有屉，为置放册页之用，册页为金士松书，册外题签“秩礼监古”。

紫檀木嵌竹雕博古山水双连盒

清中期

盒高6厘米　口边长11.4厘米　宽10厘米

盒为方体，作二长方小盒相连式，设计精巧。盖、身子母口相合，上下口唇各凸出一周，底足扁平带状，足缘微侈。盖顶嵌二竹片，以留青阳文工艺为饰，一片为山水楼阁人物，一片为古瓶中插松竹梅三友图，旁陈折枝菊花、石榴、柿子，均含吉祥寓意，构图则似流行的岁朝清供图案。

木制盒具中嵌饰竹片者并不多，而工艺如斯之精者更属罕见。

紫檀木百宝嵌白象进宝图盒

清中期

长30.5厘米　宽33厘米　高14厘米

盒长方形，盖面微凸，带状足。盖、身子母口相合，口边嵌银丝回纹装饰。盖顶以螺钿、孔雀石、玛瑙、蜜蜡、珊瑚等为材料，镶嵌“白象进宝图”。白象背驮盛满宝物的聚宝盆，二胡人一上一下，驭象而行。盒内置一檀香木镂雕卐字纹屉板。

此器雕嵌皆精，纹饰表现尤为细腻，寓意吉祥，是百宝嵌盒具中的精品。

檀香木百宝嵌海屋添筹图盒

清中期

高4.8厘米　直径22.7厘米

盒圆形，盖天覆地式，内口较高。盖面以螺钿、蜜蜡、珊瑚等材料镶嵌海水翻滚，祥云中隐现楼阁，仙鹤口中衔筹，盘旋其旁。盖壁嵌铜镀金如意形开光八，内分别嵌螺钿隶书“海屋添筹”“万寿无疆”八字。内储《十全庚福》册页。

所谓海屋添筹，是传说海中有一楼，楼内有一瓶，内储筹数为世间人寿数，如能令仙鹤衔一筹添入瓶中，即可增寿百年。后因以为祝寿的吉祥语词，在工艺美术中亦是通行题材。而此盒镶嵌纹饰极精，非同一般。

红木百宝嵌九狮图彩墨盒

清中期

高7.5厘米　直径21.5厘米

盒呈九瓣葵花式，扁带足随形，盖、身子母口相合。盖面以青金石、孔雀石、松石、金星料、玉石等材料镶嵌九只狮子，一大八小，谐“九世同居”之音，有吉祥含义。盒内盛装贴绢格盘，收贮模印彩色墨块一套。

紫檀木百宝嵌螭纹团寿字盒

清中期

长20.4厘米　宽19.3厘米　高8.3厘米

盒近方形，委角，盖、身子母口相合，凸口沿，带状底足。盖面微弧，正中嵌一块如意形游鱼纹玉佩。四周以螺钿、染牙、寿山石、玳瑁等镶嵌四条螭龙，其间以铜镀金镂空团寿字分隔，色彩鲜明悦目，与玉饰间主次分明，设计颇为巧妙。

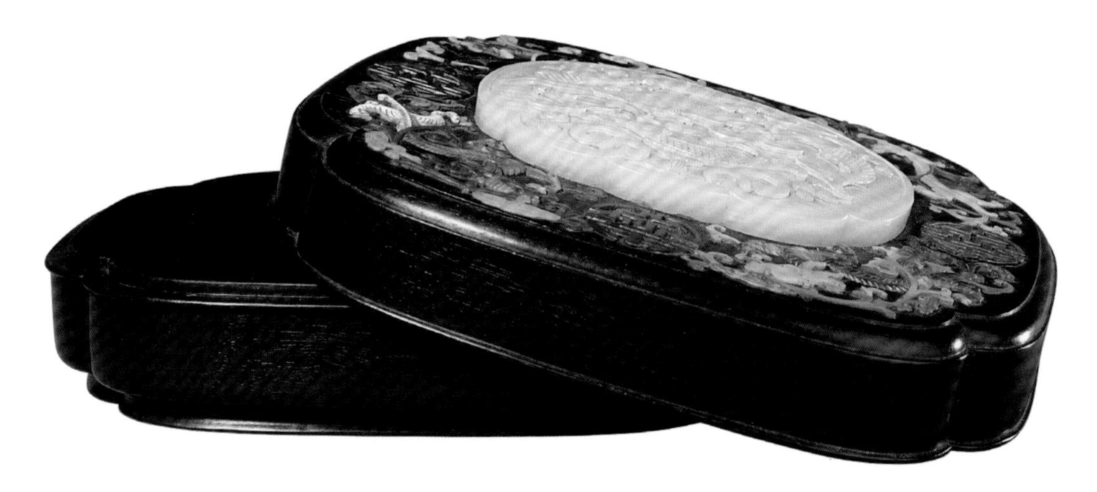

紫檀木百宝嵌双螭捧寿纹盒

清中期

长16.1厘米　宽13.5厘米　高9厘米

盒呈长方形，边角圆转，带状矮足。盖、身子母口相合，口沿凸出，盖面微弧出。上以螺钿、珊瑚、玉石、染牙等材料镶嵌二夔龙，一上一下，首尾相衔，围拥中央变体“寿”字。夔龙口含灵芝，身披云气，盘环夭娇，舒卷自如。云纹处理如绦带挽出如意花结，其线条打破了二龙戏珠式的环型结构。纹饰的红、绿、青、黄、白等颜色与不同肌理，在紫檀衬托下愈发鲜明，这也正是百宝嵌制品独特的装饰效果。

此盒虽只是盛物的一般用具，却造型规整，雕嵌精美，其装饰又无一处不含吉祥寓意，实是颇费匠心。

紫檀木百宝嵌八仙庆寿图海棠式盒

清中期

高9.7厘米　最大径35.5厘米

盒略近椭圆，四瓣式，下承随形矮足。通体以螺钿、玛瑙、染牙、孔雀石等材料满嵌纹饰。盖面嵌寿星坐于上首，八仙各持法器，围绕聚宝盆而立。外壁饰人物出游图景，绿树繁花，小桥流水，移步换景，风物宜人。盒内配有五个错金勾莲花纹银攒盘。

此盒为盛放食品的攒盒，但制作颇为尽心，用料靡费，人物、景物造型富稚拙之趣，带有一定的民间色彩。

紫檀百宝嵌三多纹书函式盒

清中期

长34厘米　宽19.8厘米　高25厘米

盒罩盖长方形，天覆地式。用竹丝嵌贴于两端，如书函封装后露出书页状，十分巧妙。盒顶及侧面以玉石、染牙、玛瑙、螺钿等为材料镶嵌桃、佛手、石榴“三多”纹，寓意“多寿、多福、多子”。又以白玉镂雕方夔拐子装饰于四角。罩内置小多宝格式文具架，镂空花牙，精美异常。附小屉三。下配镂花束腰木座，上置镂雕栏杆，四角小柱上镶铜钮，与文具架上的铜钮相呼应。

此罩盒设计精巧，工艺极精，是清代中期宫廷百宝嵌文房器具中的杰出代表。

紫檀木嵌玉楼阁式文具匣

清中期

长30.5厘米　宽22厘米　高34.5厘米

匣为方形，如龛式，又似微缩建筑。中间储物部分设对开门，其外镶嵌镂空玉饰，成槅扇状。背部镶嵌同样玉饰。侧面镶嵌透明玻璃，彩绘瓜蝶纹。其上一层似盘式，出檐部分镂雕覆莲瓣纹，边缘镂雕如栏杆，镶铜饰为望柱。内置书式盒与卷轴式盒，分别镶嵌竹丝及象牙模拟书口和卷轴侧面的纸痕，是此时常见的表现手法。底座束腰，云形足，同样镂雕栏杆，并嵌饰染牙莲瓣，以为呼应。匣上留有黄条，上墨书："清嘉庆二十一年十二月十九日奏事首领曹进喜交。"

此作综合多种材质与工艺，代表了清中期木雕文房用具所达到的制作水平，显示出较为典型的宫廷化审美倾向。

紫檀木书画屏小多宝格

清中期

长21厘米　宽13厘米　高19.2厘米

多宝格外观呈长方形，每面浮雕纹饰如屏风相联式样，纵面四扇，横面两扇。屏风上部镶裱小幅书画作品，均为清钱维城所作。书法纵面正背为唐柳宗元《石渠记》，横面正背为唐段文昌《平都观记》，分别与山水画相间布排。横面一侧二扇屏风接合部装有合页，自相对一面向两侧推开，即分为两爿，其内中空成镂空花牙多宝格状，可以收贮文玩，合拢则浑然一体，泯无痕迹。下有浮雕仰覆莲瓣须弥座。

此器设计出人意表，一器而有多种装饰效果，又不乏实用功能，可以说是极为精巧的文房器具。

平都山最高頂即漢時王陰二真人脩道之所也峭壁千仞下臨湍波老栢萬株上拂峯嶺瑶花綵羽皆非圖志中所載者春旦萬狀信非人境貞元十五年西遊岷蜀停舟江岸振衣度澗詣洞

自渴西南行不能百步得石渠民橋其上有泉幽幽然其鳴乍大乍細渠之廣或咫尺或倍尺其長可十許步其流抵大石伏出其下踰石而往有石泓昌蒲被
之青鮮環周又折西行旁陷巖石下北墮小潭幅員減百尺清深多儵魚又北曲行紆餘睨若無窮然卒入於渴其側皆詭石怪木奇卉美箭可列坐而庥焉

所石函雲竇若然相次苔龕古書依稀可辨時與道侶數人坐於下須臾天籟不起萬竅風息山光耀於耳目煙霞拂於襟袖相顧神竦若在紫府縣圃矣
唐段文昌平都觀記
臣錢汝誠敬書

風搖其顛韻動崖谷視之既靜其聽始遠予從州牧得之攬去翳朽決疏土石既崇而焚既釃而盈惜其未始有傳焉者故累記其所屬遺之其人書之其陽
俾後好事者求之得以易元和七年正月八日蠲渠至大石十月十九日踰石得石泓小潭渠之美於是始窮也
唐柳宗元石渠記
臣錢汝誠敬書

紫檀木小多宝格

清中期

高66厘米　长56厘米　宽19厘米

此格紫檀木制，正面及两侧开敞，分为三层，开光边框有细雕回纹牙条，上格坐在紫檀木底座上，底座下有壶门卷云腿，雕回纹足。

紫檀木雕兰亭图八屉插屏

清中期

长62.5厘米　宽40.5厘米　高83厘米

插屏以紫檀木雕成，屏心正面以山水楼阁为背景，刻东晋书法家王羲之、王献之、谢安等人在浙江会稽兰亭举行聚会的场面。画面上崇山峻岭，茂林修竹，溪水湍流，曲水流觞，人在其中赋诗题词。屏心上部有嵌银字乾隆己亥年（1779年）御制五言诗一首。屏正面板心可拆下，内有八个抽屉，上标明是存放《兰亭序》摹本之用，两侧阴刻行书对联一副。座墩束腰上雕菊花瓣，下雕回纹，四站牙雕祥瑞纹样，披水牙雕夔龙纹，此屏为清乾隆时期所制精品。

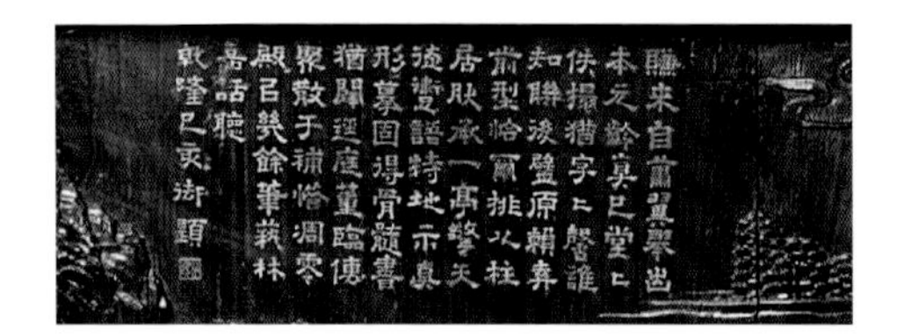

紫檀木嵌玉雕百子图插屏

清中期

长100厘米　宽31厘米　高100厘米

插屏紫檀木雕成，屏心玻璃罩内为双面透雕殿宇楼阁及山石树木、小船、荷花、庭院等图景。其间有白玉雕童子百人，有的登高，有的乘船，有的骑鹅，有的捧莲，生动活泼，寓意吉祥，有“百子兴旺”之意。外框有嵌银“镂玉百子屏”款，屏座外侧有清乾隆时大学士王际华等人的题字。

紫檀木座嵌灵芝插屏

清中期

长95厘米　宽50厘米　高101厘米

插屏座以紫檀木雕成，屏心正面嵌一天然灵芝，古人以灵芝为长生草，故多以其寓意长寿。屏背面为描金隶书乾隆甲午年（1774年）御制咏芝诗：

故土辞山泽，新屏厕几帷。
丹青难与绘，雕琢未曾施。
相则檀紫称，藉惟茅白宜。
质犹盈尺富，岁以数千期。
舜代卿云荫，尧年宝露滋。
蝉联三秀灿，蟠错万花蕤。
底用祥编表，还嗤寿牒披。
涂中思曳尾，或亦似灵龟。

屏后有“乾隆甲午御题”及填金篆书印章款两方。绦环板雕变形灵芝纹，披水牙雕回纹。此屏为清宫造办处工匠所造。

故土辭山澤新屏廁几
惟丹青難與繪雕琢未
曾施相則檀紫稱藉惟
茅白宜質猶盈尺富歲
吕數千期舜代御雲落
堯丰寶露滋蟬聯三秀
燦蟠錯萬蒼蕤底用祥
編表還嗟壽牒披塗中
思曳尾或亦似靈龜
乾隆甲午御題

紫檀木嵌珠三镶白玉如意

清中期

长45.5厘米

如意紫檀柄，三镶式，首、身、尾分别镶嵌玉瓦，十分精美。首部螭纹玉璧中央镶染色象牙托，其内为一颗直径超过1厘米的大东珠，与螭纹组合，有二龙戏珠之寓意。

东珠产于东北混同江及乌拉、宁古塔诸河，据宋蔡絛《铁围山丛谈》记载，在北宋时，直径围寸者当时价值二三百万钱。清朝皇室因其产于隆兴之地，故特别看重。其中莹润洁白、大可半寸者，规定只准宫中采用，浑圆的多配作帽顶或朝珠，异型的则作为镶嵌材料。

白檀木嵌玉雕云蝠灵芝纹如意

清中期

长43.6厘米

如意扁体，波折形。在首部、柄身中部及尾部轮廓线有变化，实为三镶如意变化而来。柄身正面去地浅浮雕云蝠、桃实、卍字、鲶鱼等吉祥纹饰，有“福寿万年”等寓意。背面浅浮雕仿古几何纹饰。首部嵌白玉镂雕灵芝纹瓦，装饰效果突出。中部磨平，内阴刻楷书诗句：

竹化分真幻，铜函阅古今。

清谈常在手，乐志每如心。

击处珊瑚碎，挂来萝薜深。

握君曾得号，禅德亦留吟。

贞素标琼质，指挥延藻襟。

休征愿时若，讵为宝球琳。[①]

末署“臣蒋溥敬书”。

① 见《清高宗御制诗》，二集卷四五，甲戌年（1754年）下，题《玉如意》。

天然木五供

清中期

炉通耳高16.8厘米　口径12.5厘米

烛台高27.6厘米

瓶高24.3厘米

五供由一炉、二烛台、二瓶组成，为固定的器物组合。在保证整体器形的情况下，尽量保留天然坑凹、孔罅等，歧出的分枝近似镂雕效果，肌理丰满，装饰效果强烈。这是进行了经心删汰和打磨后的结果，因而器表轮廓完整，且具有一层悦目的光泽，形成了一种看似粗犷、实则精细的独特风格。

天然木雕与根雕近似，难在选材剪裁，妙在人工意匠与造化天成的契合无间，是一种非常符合传统审美情趣的工艺品类。这一套天然木五供，不仅每一件都有丰富的细节，而且总体看又风格统一，颇为难得。

天然木蟹式印泥盒

清中期

通高3.9厘米　最宽10厘米

盒以天然木根略加裁剪雕刻，制成螃蟹式。其型背部粗糙，腹底光润，口眼清晰可辨，四足参差，螯举横档，并保留半环形木枝，使蟹足置于其上，盒体即可稳稳安放，设计十分巧妙。其背甲掀起，即为盒盖，出人意表。盒内壁髹金漆，可用来盛装印泥。

此盒于不事雕琢中颇费一番匠心，是一件极为奇巧的文房玩物。

椰壳雕云龙纹碗

清中期

高8.3厘米　口径17.6厘米　足径8.6厘米

碗直口，敛腹，圈足。内壁髹朱漆。外壁口沿下剔刻阳文弦纹带。主体纹饰为三如意形开光内的海水云龙纹，可区分出水纹地、浮雕云龙及对云龙的阴线细刻处理等多个层次，颇为精美。开光外刻冰裂纹地，浮雕绶带绣球。

此碗器形规整，纹饰细腻，以花纹来掩饰拼接痕天衣无缝，是清宫遗存的椰壳雕刻中的精品。

椰壳雕云龙纹唾盂

清中期
高7.9厘米　口径9.4　底径6厘米

盂盘口，圆腹，配珠钮盖。主体为椰壳分剖，口沿部则拼镶而成。盖上以钮为圆心，环周阴刻海水纹为地，上浮雕流云及双龙戏珠纹。折沿上刻菊纹，下刻冰裂纹。腹部光素。

椰壳雕为岭南地区传统工艺。唐人刘恂撰《岭表录异》中有"椰子树，……结实大如瓯盂，……次有硬壳，……圆而且坚，其斓斑锦文，以白金装之，以为水罐子，珍奇可爱"的记载，说明当时椰壳已被用来制作器具。清人李调元《南越笔记》中谓"粤人器用多以椰"，而"椰壳……横破成碗，纵破成杯"，其时已经成为地方名产，贡进御前。

这件器物，其形、纹与雕刻都具有宫廷特点，是同类制品中的代表。

札古札雅木碗

清中期

高6厘米　口径16.3厘米

碗墩形，撇口，平底，圈足，里外光素。木质光润，现出特殊的自然纹理。外底阴刻隶书诗句：

椀室飞龙铁铸形，草根为木韫仙灵。

伊蒲法食常陈座，方物丹书亦贡庭。

珍比华琳才出璞，绛如孔雀乍开屏。

咸宾纵足昭文轨，尧舜还惭歠土铏。

及“乾隆庚辰御题”并篆书“古”“香”连珠小印。

此碗为饮奶茶之用，又有“奶子碗”之称。材质珍稀，是西藏等少数民族地区上层人士的用具。碗外有特制铁镂金嵌松石套，口缘部位连有罩盖，两侧嵌提梁耳，可以系带背携。套壁和盖面上镂刻精细的勾莲、缠枝花卉和螭龙纹饰。其外还有入宫后度身配作的木函，足见珍视宝藏之意。函顶外阴刻填金诗句与碗底同，后署“乾隆庚辰御题”，并“乾”“隆”二印。

“札古札雅”一语有多种写法，应为译音，碗底诗见《清高宗御制诗集》三集卷一，原题作《咏扎卜扎雅木椀》，有小序：

西藏出此木，云草根结成者。以为椀，能解诸毒。镂铁为室。彼中贡品最珍物也。

而《清稗类钞》“工艺类”中记有“札批野”一语，云是“楠木根有翠色花纹”，可制成所谓“翠花碗”，似是又一译音。从实物观察，当为瘿木的一种。

据载，从康熙时起，藏地每逢初春都贡进此类木碗以贺新年。其本身虽工艺朴素，但因内地罕见，且寄寓较强的政治象征意义，故得到乾隆帝重视，多次作诗题咏。

椀室飛龍鐵鑄形艸
根為木韞仙靈伊蒲
法食常陳座方物丹
書亦貢庭珎比華琳
纔出璞綷如乳雀卮
開屏咸賡縱足昭文
軌彝舜還尠鬣土鈿
乾隆庚辰御題

紫檀木包镶玳瑁福寿纹盒

清中期

高4.5厘米　直径11.4厘米

盒体近圆，作九出云头式。盖、身子母口相合，底有随形带状扁足。盒以紫檀为胎骨，外壁镶贴玳瑁一层，因二者颜色相近，故不易分辨；既保证了美观，又增强了耐用性，十分巧妙。每一个体面转折均为接缝拼贴处，但历经岁月依然光洁、平整、严密，可见其包镶技术之精。盖面用珊瑚及螺钿镶嵌“九蝠捧寿图”，寓意吉祥，工巧细腻。

玳瑁分布很广，南海、印度洋、红海及索马里沿海等海域都有出产。自《汉书·西域传》称武帝时“殊方异物，四面而至”，“文甲（即玳瑁）……之珍盈于后宫”开始，玳瑁就成为海外异宝的代名词，是中外交流中最重要的贡品和进口商品之一。而进口的玳瑁有相当一部分被上层人士用来制作簪导、梳栉、带板、盘盒等服饰或工艺品，清代宫廷中依然如此。我们从道光十五年奕纪等人奉旨清查宫内、圆明园库内分贮物件的奏折中，看到宫内及圆明园均存有“玳瑁圆盒”等制品，即可见一斑。而此器正是其中杰出的代表。

黄杨木屉玳瑁嵌牙四合如意纹盒

清中期

高2.3厘米　盒总长13.2厘米　宽10.8厘米

盒以玳瑁雕作扁体四如意云头相联状。在顶板、底板之间用黄杨木雕成随形小屉，可储小饰件。其侧面设插榫，使屉盒可自由推出推入。顶面及底面除施以阳文装饰外，又以象牙镶嵌“太极阴阳鱼”图案，寓意深厚。

此器组合多种材质而成，造型奇巧，制作精致，是非常稀见的文玩制品。

查《活计档》中“匣作”乾隆九年十一月十二日下罗列“世宗御赐”物品中有“玳瑁如意转盒”一款，不知与此器是否有关联。

橄榄核雕小舟

清中期

高1.6厘米　长3.4厘米

小舟以橄榄核雕成。舟首一老者持杯而坐，小童捧壶侍立，舟尾一小童正搬动酒坛，而透过镂空花窗还可见舱篷内置一桌，杯盘肴馔俱全，一老者坐于桌旁，童子凭栏远望。舟底阴刻行书“秋山”等共二十六字，署“丙寅”年款，并“苏台陈子云制”，后有方圆二连珠小印。

舟体虽小，却精细异常，人物神态宛然，韵味淳厚，是不可多得的核雕珍品。自明代开始，在江南的苏州一带就出现了不少擅长制作核舟的名匠，依款识来看，陈子云当亦是其中代表。至于“丙寅”，可能为康熙二十五年（1686年）或乾隆十一年（1746年）。

橄榄核雕钟馗/寿星

清中期

高2厘米

寿星与钟馗，亦为橄榄核雕。虽受材料外形限制，却能巧妙传达人物的特点与神态，工巧别致，允称“绝艺”。这类作品或单独、或串连可组成配饰、手串、扇坠等装饰物，风行一时。

紫檀木嵌玉五镶如意

清晚期

长41厘米　首宽19厘米

如意作二如意相交式样，俯视呈“X”型，因交点恰好为三镶如意中部，故二柄共用一玉瓦，合成五镶，是三镶如意的一种有趣变体。

在晚清时期的服饰用品中，可以见到一种双“喜”如意饰品，也为二如意相交状，形式与此十分接近。这件如意上亦饰有喜字，其用途当与宫中的婚礼仪式有关。

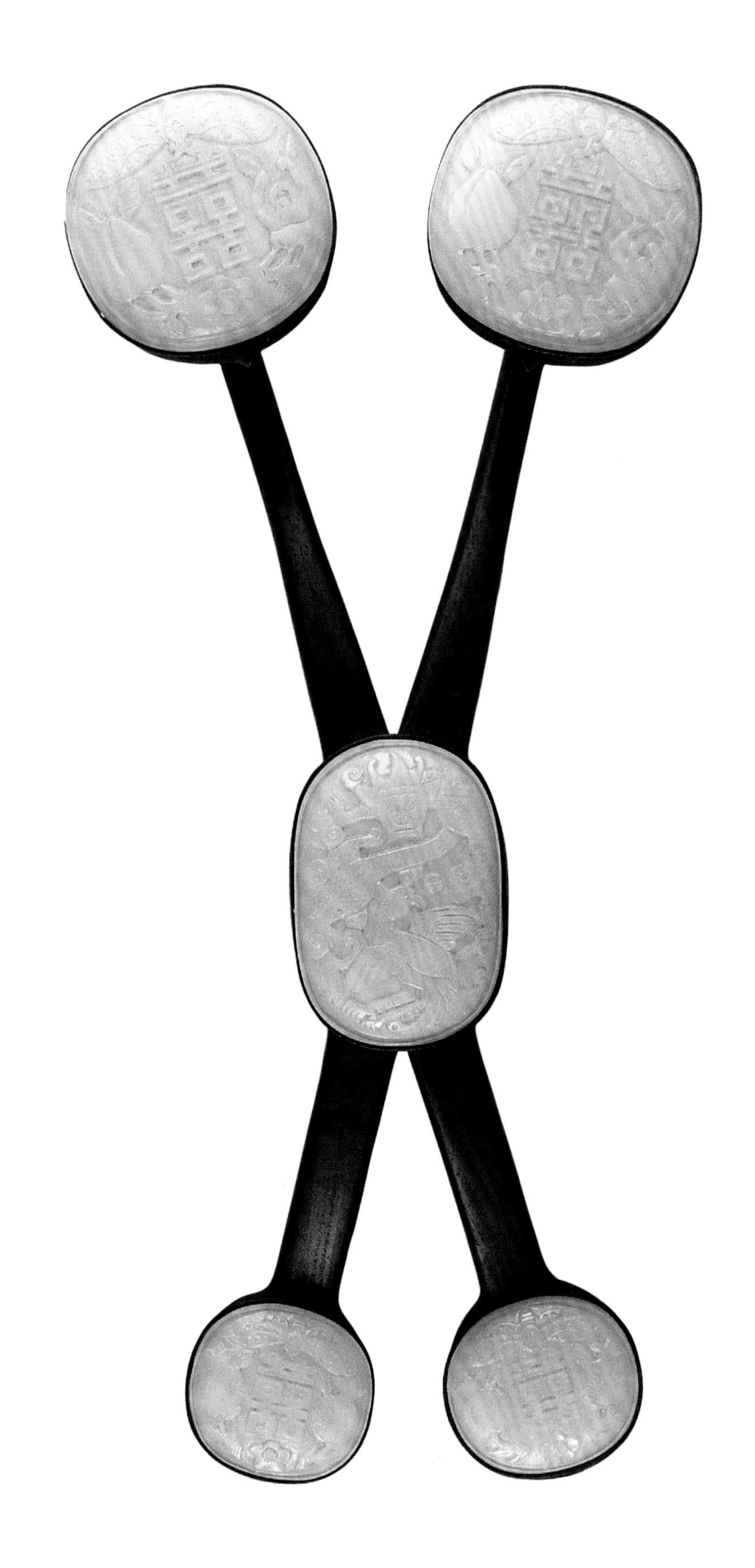

紫檀木雕兕觥

清中期

高17.5厘米　长28厘米

觥为椭圆形腹，方体兽形，无流，微撇椭圆圈足。带盖，盖作双角兽首式，领后伏一狭吻卷尾异兽。盖尾有一榫头，不知插接何物。除口、足沿以光素条带划分装饰区间外，通体刻回纹为地，其上饰变形夔凤纹、夔龙纹、饕餮纹、羽翼纹、几何纹等，并在纹饰上又施线刻装饰，形成三层繁复多变的纹样。

兕觥为盛酒用器。根据考古发现，出现于殷墟晚期，沿用至西周早期。这件紫檀木雕兕觥，从外形而言，比较忠实，但细节处多似是而非，尤其是牺首造型，不作圆雕，而呈球面，重圈为眼，如意为鼻，剔槽为口，如开口欲笑，神情轻快，圆整可爱，却没有商周青铜器的庄严厚重之感，从中不难看到清中期仿古工艺的某些特点。

核桃雕人物鼻烟壶

清中期

通高5厘米　腹径4.3厘米

鼻烟壶保留核桃原形，外壁刮磨后凹凸自然，光洁细润。一面浅浮雕山水、流云、树石，二老者一持杖披发，背生光华，另一长髯着帽，紧随其后。二人容貌装束，都有西洋风味，纹饰内容则有待考证。背面阴刻隶书铭文：

有香自鼻，无火名烟，入华池中，通绛宫前，

洩宣是赖，导引所先，善藏其用，于兹取焉。

引首钤“惜阴”，文末有“珍”“赏”篆书小印。器物中空，上有小口，配有黄杨木蒂式盖。

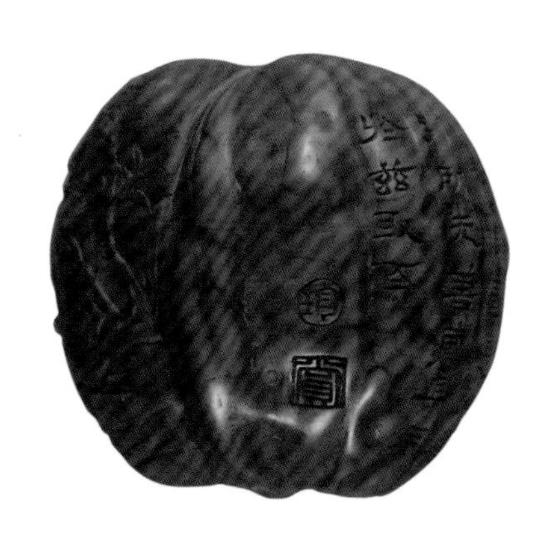

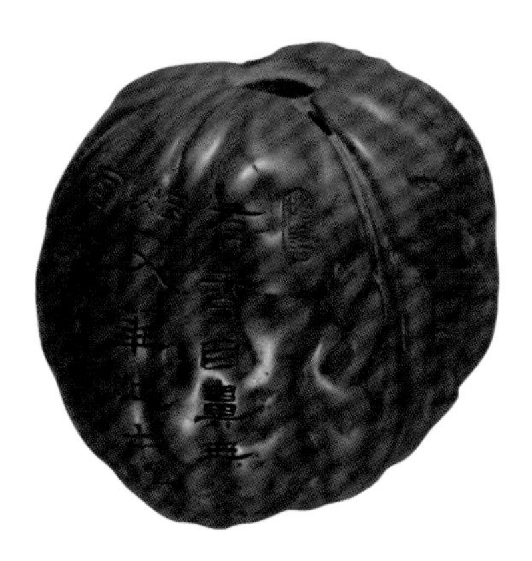

檀香木镂雕花篮蝙蝠云龙纹佩

清晚期
左：最大径6厘米　厚0.7厘米
右：最大径8厘米　厚0.9厘米

檀香木雕二佩，其一镂雕花篮、蝙蝠，四蝠以翅勾连，环环相扣，触之可动，分别坠连活链，工艺颇为精巧。另一浮雕云纹及二龙戏珠，纹饰层次丰富，满密而不留隙地，立体感甚强。尤可注意的是，龙首出现在一面，另一面则只见龙身，将两面有机地连为一体，极富匠心。二佩上下均配有装饰米珠、珊瑚粒的彩色丝穗，佩戴更为美观。

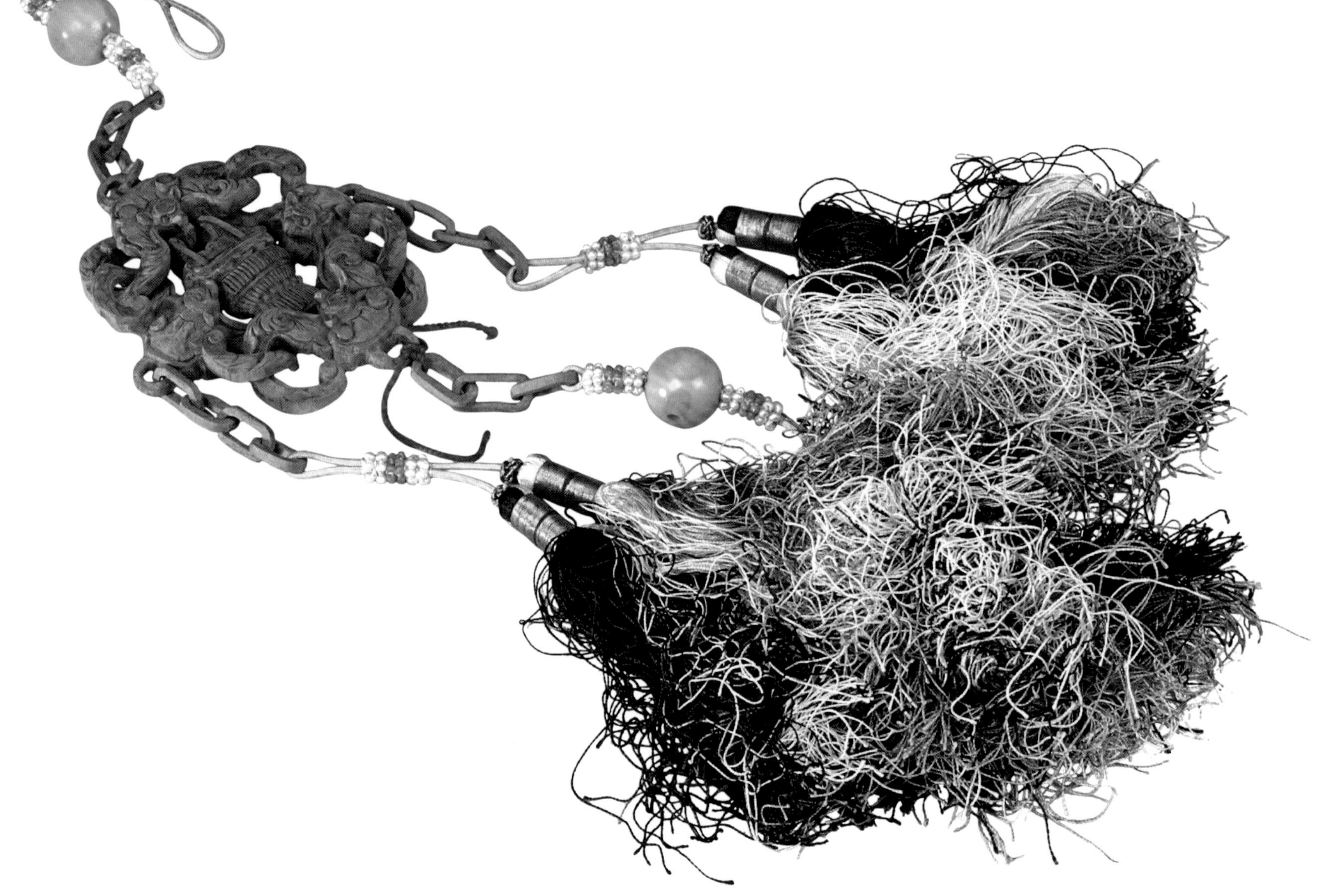

枷楠香木雕花佩

清晚期

长方形佩

一长6.3厘米　宽4.3厘米　厚0.8厘米

一长6.3厘米　宽4厘米　厚1厘米

八角形佩

直径5.3厘米　厚0.6厘米

三佩两块为长方形，一块为八角形。三佩装饰风格近似，均于凸起边框内浮雕纹饰。长方形佩其一双面饰博古图案；其一一面刻荷花双喜字，另一面刻荷塘鹭鸶；八角形佩则饰荷花金鱼等纹饰。

伽楠香，又写作伽喃、奇南等，是名贵的香料，产于南亚诸国，大多为熏香之用，极少数被制成了工艺品，这三件佩饰就是其中的精品。

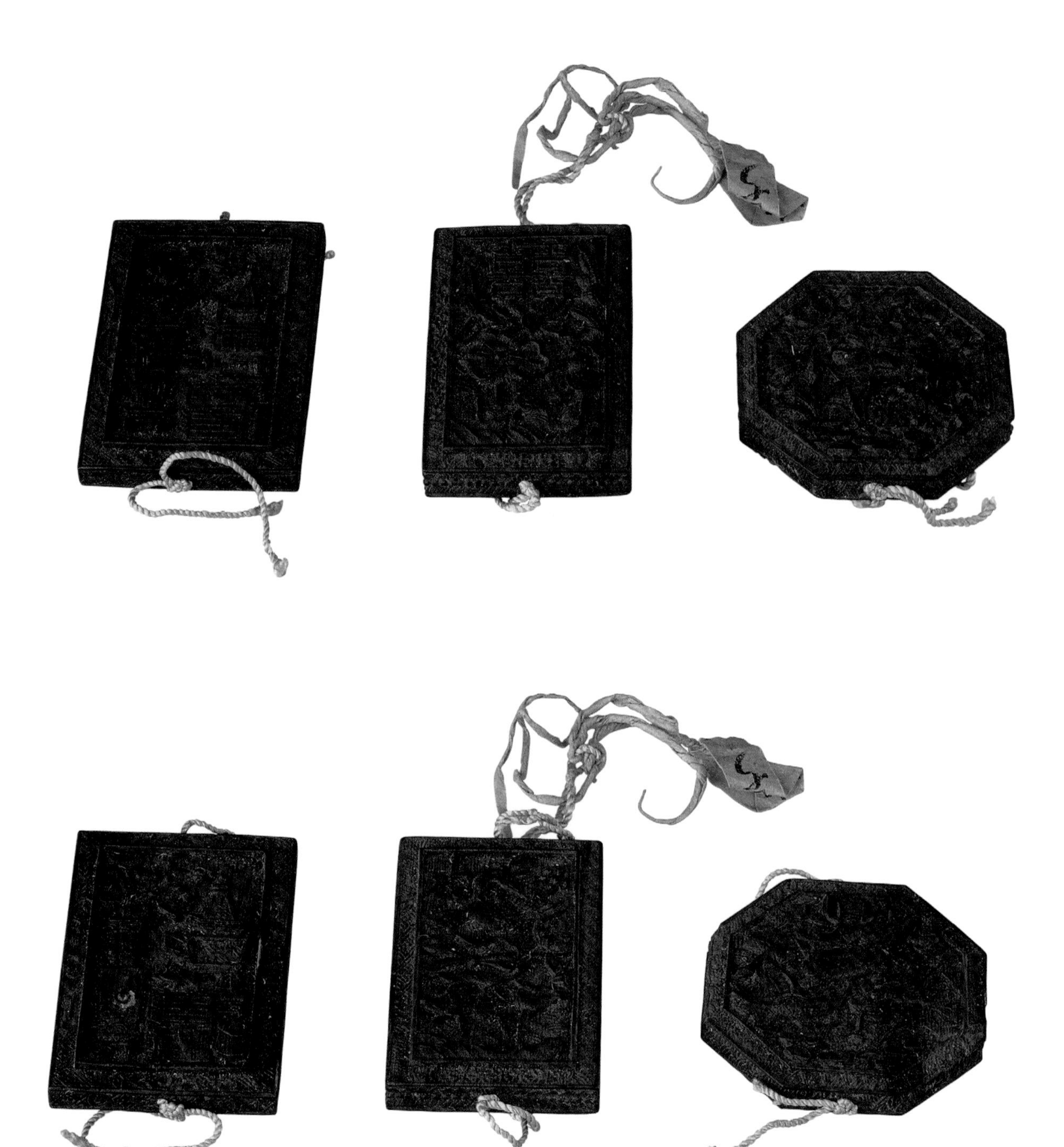

木雕达摩立像

清晚期

高21.7厘米 宽7.2厘米

达摩，也作达磨，为“菩提达摩”的简称。中国佛教禅宗创始人。相传为南天竺人。南朝宋时从古代印度航海到广州，转至南朝都城，因与梁武帝面谈不契，遂渡江北上，先到洛阳，后住嵩山少林寺，“九年面壁而坐，终日默然”。创立禅宗，成为中国禅宗初祖。由于后世禅宗受到独尊，达摩形象也就成为僧俗共同尊崇的神祇。此达摩身穿袈裟，光头跣足，双手一握球状物，一牵拽衣角，头微侧，双目炯炯有神。像身后背阴刻“莆田黄炳勋作”篆书款。

刘岳

中国的象牙雕刻历史悠久，传统丰厚，工艺水平亦达至极高境界。然其生产始终受制于原料之来源，规模较小，加之材质本属有机，容易损坏，故流传至今的作品数量也不多。降及清时，牙雕进入发展的黄金阶段，不仅宫廷中留下了为数可观的精品，在地方上也出现了以经营牙雕产品为特色的地区和城镇。贸易范围更远界欧美，令西人为之赞叹。

一、象牙的质地与特性

象牙雕刻的原料是象的上颚门齿，主要化学成分为“象牙质”，由磷酸盐和蛋白质等构成。象牙的颜色有白、黄、淡玫瑰等色调，硬度摩氏2～3，比重1.7～2.0g/cm。表面无珐琅质覆盖，质地细密，韧性极佳，有柔和的油脂或蜡状光泽。非洲象和亚洲象的牙齿性状略有区别，非洲象牙大都在1米以上，有的可达2米以上，有白、绿等色，光洁度较好，质地细腻，易生细小龟裂；亚洲象牙长度1米左右，色更白，质较疏松，易变黄。象牙根部中空，与头骨相连，又称牙管；中部露出口外，占总长1/3左右，为半空心；牙尖1/3实心，是用来雕刻的最佳部分。在实心部分的横截面可以看到独特的“勒兹纹”（Retzius）结构，又称“旋转引擎纹理线”，俗称“牙纹”。具体表现为由两组呈十字交叉状的纹理线，以大于115°或小于65°角相交的角度重复织成菱形网格。[1]牙纹出现在靠边缘的位置，中央的小黑孔则是纵贯象牙的髓腔，称牙心。旧时往往通过牙心来判断牙材的优劣，只有中央一粒，称“太阳心”，最好；数粒，称“芝麻心”，次之；不规则点线纠缠状，称“糟心”，又下一等。象牙的性质柔韧致密，硬度适中，易于奏刀，可以进行细致的雕琢，因此不论在我国还是在欧洲等地，都成了制作工艺品的绝佳材料。

二、牙雕工艺历史简述

中国使用象牙制作工艺品的历史虽然可上溯至新石器时代，但其从骨雕手工业中分离出来，可能已晚至周。《周礼·天官·冢宰》载：“五曰百工，饬化八材”，郑玄注：“八材，……象曰磋，……”，[2]磋，即磨治也，《诗·小雅·淇奥》毛传说得更明白：“治骨曰切，象曰磋”[3]，既冠以专名，则可见当时对治牙工艺特殊性认识之深，而牙雕亦应已独立成为一个工艺门类。

不过，关于早期象牙雕刻工艺的文献记载殊为零散，不足以帮助我们复原一个完整的历史图像，而近年来出土的相关考古发现，虽只是历经劫波后幸存的若干拼图，但毕竟是较为可信的窥豹之斑，有助于明了牙雕工艺的源流与背景，值得我们重视，故撮要于后。[4]

象牙及骨制品出土资料简表

时代	器物类型	出土地点	资料出处
新时器时代	双凤饰、鸟纹匕等共25件。	浙江余姚河姆渡	浙江省文物考古研究所：《河姆渡——新石器时代遗址考古发掘报告》，文物出版社，2003年。
新时器时代	梳2、耳环（琮？）7、珠1、牙片2、牙管1、牙雕筒10等，共23件。	山东泰安、宁阳	山东文物管理处、济南市博物馆：《大汶口》，文物出版社，1974年。
商代晚期	杯3、虎形鋬等。	河南安阳	中国社会科学院考古研究所：《殷墟妇好墓》，文物出版社，1980年；《殷墟发掘报告》，文物出版社，1987年。
商	梳、觚。	河南郑州	《郑州市白家庄商代墓葬发掘简报》，《文物参考资料》，1955年第10期。
商	平底碗、笄、帽形顶钮、卡子状顶饰、搬子、筒、圈等残片。	河南安阳	梁思永：《侯家庄》第二本《1001号大墓》，台湾"中研院"史语所，1962年。
商	一号坑出土象牙13株，二号坑出土象牙60余株。	四川广汉	四川省文物管理委员会等：《广汉三星堆遗址一号坑发掘简报》，《文物》，1987年第10期；《广汉三星堆遗址二号坑发掘简报》，《文物》，1989年第5期。
西周	象牙1000余株，牙器15件（11号祭祀坑）。	四川成都金沙	成都市文物考古研究所：《成都金沙遗址的发现与发掘》，《考古》，2002年第7期。
春秋早期	象牙刀盒。	陕西韩城	《陕西韩城梁带村遗址M19发掘简报》，《考古与文物》，2007年第2期。
春秋早期	剑柄、剑鞘（第1期M2415）。	河南洛阳	中国科学院考古研究所：《洛阳中州路（西工段）》，科学出版社，1959年。
春秋晚期	梳（甲组M116）、项链（M202）。	山东曲阜	山东省考古研究所等：《曲阜鲁国故城》，齐鲁书社，1982年。
战国	骨环。	河南洛阳	《洛阳烧沟附近战国墓葬》，《考古学报》，第8期，1954年。
战国	云龙纹牌、杖首饰、獠牙形饰（M52）；孝顺、器帽(M3)；孝顺、镖、笄、器座、管、把杯等(M58)。	山东曲阜	山东省考古研究所等：《曲阜鲁国故城》，齐鲁书社，1982年。
西汉	虎纹牙雕（刘胜墓）；勺、碗2、器柄1、六博棋子等（窦绾墓）。	河北满城	《满城汉墓》，文物出版社，1980年。

西汉	象牙一捆共5株（西耳室）、金钔牙卮、“赵蓝”象牙印、龙首形饰、饰片9、饰物40余、算筹一组、残器、棋子18枚。	广州	广州市文物管理委员会等：《西汉南越王墓》，文物出版社，1991年。
西汉	璧、瑗、环、舞人、饕餮纹剑珌等。	江西南昌	江西省博物馆：《南昌东郊西汉墓》，《考古学报》，1976年第2期。
东汉	残尺1、簪2（元宝坑M1）；人物装饰品、龙首状物各1（董园村M1）。	安徽亳县	安徽省亳县博物馆：《亳县曹操宗族墓葬》，《文物》，1978年第8期。
晋	饰件、齿轮等。	陕西华阴	《陕西华阴县晋墓清理简报》，《考古与文物》，1984年第3期。
北朝	梳等。	青海西宁	《青海西宁市发现一座北朝墓》，《考古》，1989年第6期。
隋	带钩、笏板等。	陕西西安	《隋罗达墓清理简报》，《考古与文物》，1984年第5期。
唐	骨簪、钗、梳、刷、针、版等。	江苏扬州	《扬州唐城遗址1975年考古工作简报》，《文物》，1977年第9期。
辽	梳。	辽宁朝阳	《辽宁朝阳前窗户村辽墓》，《文物》，1980年第12期。
辽	骨带扣、鸣镝等。	内蒙古	《内蒙古敖汉旗沙子沟、大横沟辽墓》，《考古》，1987年第8期。
金	骨梳。	北京	《北京市通县金代墓葬发掘简报》，《文物》，1977年第11期。
金	戒板、骨刷等。	山西大同	《大同金代阎德源墓发掘简报》，《文物》，1978年第4期。
元	“春水”饰。	辽宁喀左县	《辽宁喀左县大城子元代石椁墓》，《考古》，1964年第5期。
元	哀册。	江苏苏州	《苏州吴张士诚母曹氏墓清理简报》，《考古》，1965年第6期。
明	带板。	江苏南京	《南京明汪兴祖墓清理简报》，《考古》，1972年第4期。

在传世牙雕中，时代明确且可资为据的极少，比较重要的是两组唐代作品。一为甘肃敦煌榆林窟唐代普贤菩萨像，高80厘米，宽8.7厘米，可分开成两片，其内刻有54组佛传图，279个人物，12驾车马，极为精美[5]；另一为著名的日本奈良东大寺正仓院所藏拨镂牙尺、通天牙笏等，可补考古发现之缺，为珍贵的参考标本。[6]

宋元时期史籍中虽有文思院、将作院、犀象牙局之类机构掌管包括牙雕活计在内的手工艺制作[7]，还有文献提到曾见“或云宋内院”作之象牙“鬼功球”[8]、元代象牙“图章”、“卧美人”等，并说“元时尚牙器”[9]云云，但流传下来的实物其实寥若星凤。

到了明代，这种情况总算有所改观。今天所见明代前期的牙雕，据分析以宫廷御用监制作居多。主要是小型朝服人物像，较少染色；而明中叶以后在南京、苏州、扬州、杭州及福州、漳州和广州等地，因为商业的需求，牙雕工艺逐渐繁荣。[10]尤其是福建地区，因其海外贸易的便利，牙雕盛极一时。明人何乔远《闽书》中记载，崇祯间漳州“海澄有番舶之饶，……若犀、象、玳瑁、苏木、沉檀之属，麕然而至；工作以犀为杯，以象为栉，……”。[11]而崇祯元年《漳州府志》载，其地以泊来象牙雕刻仙人像，耳目肢体均生动逼真，海澄所造尤为精工，还生产筷、杯、带板及扇等制品，更为详尽。[12]该地以生产象牙人物著称，明人高濂在《遵生八笺》中谓“闽中牙刻人物工致纤巧”[13]，而沈德符在谈到“秘戏小像”时特别提到：“闽人以象牙雕成，红润如玉，几遍天下。”[14]虽然当时江南知识阶层似乎对福建牙雕人物评价不高[15]，但从其生产规模与销售渠道之畅通看来，早已远远超过前代。今天尚可见的明代传世牙雕作品中有文士、老翁、仕女、寿星、八仙、魁星、嫦娥、钟馗、弥勒、罗汉、观音及瑞兽、山子乃至佩饰、文具、笔筒、图章、盒等。其中有一类人像依象牙天然弯曲之势，略施雕刻，动态、衣纹、手持之物均不出材料轮廓，比例头重脚轻，容颜夸张简括，外壳红润，是目前所认为比较典型的福建制品。至于其他品类中亦不能排除有出于漳州牙匠之手者。[16]

另一值得留意之处是牙雕工艺与相关工艺领域联系极为紧密，在江南一带工艺传统较为深厚的地区尤为明显，制作牙雕的工匠往往也同时擅长其他门类的雕刻工艺。如明高濂推崇的几位工匠：“鲍天成、朱小松、王百户、朱浒崖、袁友竹、朱龙川、方古林辈，皆能雕琢犀、象、香料、紫檀、图匣、香盒、扇坠、簪钮之类、种种奇巧，迥迈前人。”[17]因此，牙雕工艺常常会于装饰趣味、雕刻技法、表现题材等方面取法竹、木雕等门类的经验。这种相互间的影响与借鉴一直延续，成为此类雕刻工艺的普遍现象之一，不独牙雕为然。难怪旧时以“竹、木、牙、角”合称，其间相通之理趣确乎不少。

三、清代宫廷与地方牙雕工艺的演变与特点

清代是牙雕的繁荣期，不同产地的不同面貌已日趋清晰。总体而言，可以分为南北两大系统。[18]而其中比较重要的地域有：继承明代传统的江南地区牙雕，深受西方影响的广州牙雕，汇集南北风格带有宫廷气派的造办处牙雕，以及稍晚兴起的擅长人物的北京牙雕等，以下分别述之。

1. 江南地区牙雕

江南地区的牙雕以苏州为代表，涵盖南京、扬州、杭州、嘉定等长江三角洲一带。这里自古就是商业与工艺美术行业发达的地区。其牙雕深受书画、竹雕等艺术形式的影响，文化底蕴厚重。嘉定竹刻家施天章、封岐等，都能从事牙雕制作，并曾作为牙匠在内廷造办处当值，称为“南匠”。[19]正因为江南牙雕的文化气息，故而该地所创新样为各地上流社会所追逐，隐然成为领导牙

雕发展的范本。当时广州工艺行有谚云："苏州样，广州匠。"[20]似可诠释为江南领导着市场的时尚，而岭南则生产规模大且工艺多元。

据《苏州府志》记载，当地常将"象牙、犀角之属，以制日用诸器，皆适于用"[21]，可见其制品多为富裕阶层所能接受的实用器具。从传世作品来看，情况也确实如此。除笔筒、笔架、笔舔等小件文房用具外，不乏碗、瓶、盒等功能性或陈设性器物；装饰题材多人物、花鸟、山水、历史传说等，常以名家画稿为粉本，追求笔墨的韵味，某些山水作品有吴门画派之风，花鸟则宗清初画家恽寿平，清雅脱俗。为了适应画作的复杂笔法，江南牙雕长于阴刻和隐起浅浮雕，运刀简洁，磨工甚好，注重留白，不喜染色或漂白处理，注意营造意境，有较高的审美格调。

乾隆中期以后，由于广州牙雕的挤压，江南地区牙雕逐渐衰落，清晚期分裂出上海和南京牙雕，在承继江南牙雕传统的同时，又有所创新，成为令人瞩目的新流派。

2. 广州牙雕

广州，古称番禺，其地牙雕的兴起得益于得天独厚的地理位置。早在秦汉时期，广州已是进出口贸易和中外文化交流碰撞的重要港口。《史记·货殖列传》称："番禺亦其一都会也，珠玑、犀、玳瑁、果、布之凑。"象牙作为主要依靠进口的材料，也只有像广州这样的贸易港才能保证其来源。到了唐代，广州有"关口象牙堆"之称，"蕃坊""蕃市"林立，象牙交易兴旺。此后，"香珠犀象如山"的说法依然时有。明代在广州城内珠江岸边（今大德路与惠福路间）开始集中出现一些牙雕店铺，方便运送原料和成品的船只停泊，逐渐形成了象牙加工、买卖的市场，名为"象牙街"。还有了象牙一巷至象牙四巷、象牙北街等地名，留在《城坊志》中。

乾隆二十年（1757年），清廷关闭了福建、浙江、江苏三处海关，广州成为中国唯一对外的通商口岸。福建等地的牙雕产业不可避免地衰落下去，而广州专营象牙制品的店铺纷纷涌现，主要集中在大新街（今大新路）一带。1793年，英使马戛尔尼一行抵穗，见到精美的象牙制品惊叹不已，后来随行秘书巴洛（John Barrow,1764～1848年）在见闻录中写到："在中国人擅长的机巧艺术中，达到顶峰的就是象牙雕刻。"他还说英国工艺制造中心伯明翰试图利用机械仿制象牙镂雕扇及其他器物，却"达不到像中国制品那样高的成就"。根据巴洛的记载，当时他在广州见到的牙雕品种，有镂花扇，胸针、饰针、项链、梳子、鼻烟壶、烟嘴、粉盒、筹码、多米诺骨牌、国际象棋等，特别是象牙球，"在小于半英寸的洞中，雕有九到十五层的球，一个套一个，都可转动"，令西方人为之"困惑和着迷"。[22]外销牙雕令广州闻名世界，英国汉学家波希尔就说："广东为重要的象牙品之出源地"，"广东人亦以善刻象牙著称于世"，"今英国博物馆中所陈者，多来自广东"。[23]

咸丰三年（1853年）民间牙雕艺人在广州成立我国第一个牙雕手工艺行会组织——象牙会馆，分为"慎玉堂"和"怀远堂"两个堂口。其中"慎玉堂"又分"贡行"和"洋行"，前者专做进贡宫廷的制品，集中了一批技艺较高的艺人；后者则制作出口货以供外销。1912年至1936年是广州牙雕业最为活跃的时期，外商订单络绎不绝。越来越多的艺人从珠三角聚集到广州，牙雕作坊业汇聚到大新街、小新街、三府前和玉子巷一带，成为闻名中外的象牙街。店铺达到126间，从业人员2780人。其技术和经营都达到历史的高峰，居于全国的前列。据记载，"民国九年、十年间，洋行订单最多，输出最广，业务最为鼎盛，商人颇得获利，工匠入息亦佳，在当时各行业中以牙雕行业为最稳健者。"[24]

充足的进口象牙原料，温暖湿润的气候，多元汇流的文化特色，促使广州牙雕探索出自己独树一帜的风格。首先是重视各种高难度的雕刻技巧，推崇技艺展示。最富有代表性的当然是多层象牙镂雕技术，名品如象牙球；还有象牙丝编织工艺，代表如簟席、纨扇、宫灯等。广州艺人还很注意吸收新的技术，在作品上可以看到使用镟床加工构件的痕迹。他们常常综合使用多种工艺，将各部分分解制作，最后拼装成大型的画舫、龙舟、景观等，人物众多，景物复杂，绝非个人可以完成，反映出广州牙雕商业组织的严密和分工的成熟。

从总体上看，广州牙雕工艺重视刀工而忽视磨工，作品显得锋棱毕露，对于表现象牙的细腻质感不太有利。此外，广州牙雕为了保持象牙的洁白，喜爱应用漂白技术，并在白地子上再进行染色、镶嵌等附加手段。染色用茜草及多种矿物染料，镶嵌则多见紫檀、玳瑁、犀角、宝石、翠鸟羽毛等，装饰效果极强，风格浓烈。最后，广州牙雕为了迎合不同对象的需求，不仅器形多种多样，而且纹饰题材五花八门；有传统的神像、山水、花鸟、吉祥图案等，还有面向西方市场或针对国内猎奇人士的天主教题材，如圣母子、牧羊人、耶稣基督以及带有巴洛克、洛可可风格的良茗叶、西番莲、写实花卉等；布局不避满密，追求繁缛艳丽。有些西方题材处理得亦中亦西，波希尔称之为"奇制怪形"[25]，是当时中西文化交流的真实写照。

据《宫中进单》《贡档》等史料记载，当时广东地区进贡的牙雕品种有牙扇、牙席、牙枕、牙褥、牙扇、牙牌掌扇、牙香囊、牙葵扇、鹤顶牙扇、牙花珐琅盆景、牙玻璃灯、雕牙香囊、雕花牙香盒、牙雕花搬指套、牙雕花盒、牙丝宫扇、牙茶碗、牙茶盘、牙槟榔盒、牙朝珠，牙丝香牌、牙丝搬指套、福寿象牙盒、牙炉瓶三事、雕镂牙花囊、雕镂牙花盒、牙丝花盒等，类型极为丰富。[26]大约到乾隆时期，以前所盛传的"苏州样，广州匠"，慢慢转变为"广州样，广州匠"。广州牙雕工艺已经完全摆脱其他地域的笼罩，并且逐渐向全国范围辐射。我们从各地工匠在宫廷造办处当值人数的变迁，就能部分见出这种历史消长。目前已知康熙、雍正、乾隆、嘉庆四朝宫廷牙匠至少32人，除5人为北匠，其余皆属南匠。后者又可分做两个来源，其一来自江南，约14人，另外均出广东，有13人左右。十八世纪初期以前，以来自江南者为主，乾隆五年（1740年）前后广匠比例逐渐增多，乾隆十年（1745年）以后宫廷牙匠几乎全为广东籍。[27]他们少则2名，多则6名，同时效力于造办处，实际上形成了一股集团力量，对宫廷牙雕风格的建构亦不无作用。在广东的地方志里称："香、犀、象、蜃、玳瑁、竹、木、藤、锡诸器，俱甲天下。"[28]口气虽大，却决不是虚妄自夸之语。

3. 宫廷牙雕

康熙十九年（1680年）宫中内务府下已设立造办处，康熙三十二年（1693年）开始设置作坊，不过，限于资料，各作成做活计的情况要从雍正元年以后才能确定，牙作也不例外。而据嘉庆朝《大清会典》载，"如意馆"下属匠役中亦有"牙匠"。那么乾隆时期造办处与"如意馆"的关系是怎样的呢？我们推测，"如意馆"很可能名义上隶属造办处，实际上为平行关系。当皇帝驻跸圆明园时，这些工匠迁入该处如意馆[29]，而皇帝返回紫禁城，他们也跟着移回启祥宫[30]候命。"如意馆"不仅地理位置距皇帝居所更近，他们承接的活计可能也是皇帝更为重视的。检点传世工艺作品，只有乾隆早期的牙匠才有留下名款的殊荣，这是非常特别的情况。[31]到了乾隆十年至二十年之间，随着玉料来源日渐充足，玉活计的重要性才逐渐超过象牙活计。[32]

这时宫中集中了各个地方、各个流派卓有建树的牙雕匠人，根据皇室的好尚，相互协作，不断融合。因此，宫廷牙雕虽然展现了个人的高超技艺，但主要还是体现了一种统一的宫廷趣味。这种宫廷趣味在雍正朝已逐渐成型，并得到皇帝大力倡导。胤禛在雍正五年(1727年)曾明确指出，近来所制器物"虽其巧妙"，却"大有外造之气"，今后要按已有的"内庭恭造式样"来制造上用之物。[33]而所谓"恭造式样"其实均经雍正帝亲自定夺。雍正九年，传谕褒奖制作洋漆、洋金、彩漆、漆、牙、玉、砚、广木等项的若干匠人，仅以牙匠来说共有6人受赏：施天章、屠魁胜、叶鼎新、顾继臣4人，每人得银10两，封岐得银6两，陆曙明得银5两[34]，受赏者均是来自苏、宁、杭的南匠。可见当时雍正帝对牙雕优劣的评价是：以江南牙雕风格和技巧为基础，遵循较为高雅而节制的审美趣味，按照给定的图样，经皇帝取舍得到认可的器物，均为合格的没有"外造之气"的"恭造式样"作品。[35]这一点，在乾隆初年应该没有大的改变。如广匠黄振效于乾隆二年（1737年）进入内廷，次年完成的镂雕小舟、渔家乐图笔筒，其风格明显有脱胎自江南地区工艺的特点。而乾隆六年（1741年）完成的《月曼清游册》，由广匠陈祖章领衔，萧汉振、陈观泉为辅，南匠顾彭年、家内匠常存等人共同制作，以再现宫廷画家陈枚的画面为务，用象牙与宝石、金、玉等镶嵌成十二本册页，表现了宫廷仕女一年中的不同生活情景，可以说既没有广州牙雕的风格，江南牙雕的风格也不显著，最为充分地展现了宫廷牙雕融汇众长的境界。

在乾隆帝的大力干预下，宫廷牙雕的面貌越来越清晰。不过，随着造办处供职广匠比重的增长，也可能有乾隆帝个人口味、重视程度的改变等原因，宫廷牙雕中广式风格有逐渐浓重的趋势。当然，这也和造办处本身承作活计的能力有限，难以制作更多典范性器物不无关系。今天所见"清宫典藏牙器大多为广东督抚将军、粤海关监督等封疆大吏及内廷外派官员向内廷进献的贡品"[36]，经皇帝挑选，那些有"外造之气"的作品一律驳回。这也形成了某种宫廷工艺与民间工艺的互动。在这一选择过程中，宫廷所推崇的范式得以传达出去，而地方的精品也经过一次过滤，转而给宫廷工艺提供某种推动力。而同、光以后，广东贡进的牙雕从构图的稚拙、形象之变异、刀工之草率、光素而无彩等方面，均毫无皇家气派，可知此时内廷所收到的不过是较高级的商品罢了。

4. 北京牙雕

北京牙雕是晚清以来牙雕的重要流派，这也是在内廷手工业衰落后应运而生的。北京牙雕最擅长的是雕刻人物，讲究利用象牙本形，设计动态，注意刻画面部神情，比例适度，衣纹简练挺拔，追求逼真写实的效果。以圆雕和浮雕为主要技术，多制仕女、罗汉、刀马武士等。代表人物如王彬，他早年从事玉雕设计，民国初年改行制作牙雕，善刻老人，多制八仙、十二花神、十八罗汉、“四爱”人物等。此外耿润田、崔华轩、胡凤山、杨世惠等也都为一时名手。除人物外，北京牙雕中的白菜蝈蝈、仿古器物、微雕“一粒米”等品类也极富特色。

注释：

[1] 张蓓莉主编：《系统宝石学》，第2版，页554～558，地质出版社，2006年。

[2] 《周礼注疏》，中华书局影印阮元校刻：《十三经注疏》本，1980年。

[3] 《毛诗正义》，中华书局影印阮元校刻：《十三经注疏》本，1980年。

[4] 此表编制过程中参考了林业强：《商至元代的出土牙骨器》，载《关氏所藏中国牙雕》，香港中文大学文物馆，1990年。

[5] 顾铁符：《“象牙造像”说明》。阎文儒认为是印度7-11世纪的作品，见《谈象牙造像》，载《文物参考资料》，1955年第10期。

[6] 图版见日本正仓院事务所编：《正仓院宝物》，官内厅藏版，日本朝日新闻社，1960～1962年。

[7] 参见《宋史》，卷一六三；《元史》，卷八八、九〇。

[8] (明)曹昭撰，王佐增补：《新增格古要论》，卷六，下册，中国书店影印本，1987年。对于所谓鬼工球的分析可参看施静菲：《象牙球所见之工艺技术交流——广东、清宫与神圣罗马帝国》，载台北《故宫学术季刊》，第二十五卷第2期。

[9] 前数语俱见(清)谢堃：《金玉琐碎》，卷下，收入黄宾虹、邓实编：《美术丛书》，三集第8辑，页1834，江苏古籍出版社影印本，1997年。

[10] 参杨伯达：《明清牙雕工艺概述》，载《关氏所藏中国牙雕》，香港中文大学文物馆，1990年。

[11] (明)何乔远编撰：《闽书》，卷三八，《四库全书存目丛书》，史部204册，页721，齐鲁书社，1996年。

[12] 转引自杨伯达：《明清牙雕工艺概述》。杨氏亦据《商至清代中国牙雕》(伦敦东方陶瓷学会，1984年)，页39引文转译。

[13] (明)高濂：《遵生八笺》，卷一四，《燕闲清赏笺》，页423，书目文献出版社影印万历十九年雅尚斋刻本，1988年。

[14] (明)沈德符：《敝帚斋余谈》，清乾隆四十三年(1778年)刻本，清咸丰元年(1851年)增刻。

[15] 如高濂认为这种制品“无置放处，不入清赏”，见注13。

[16][35][36] 杨伯达：《中国古代象牙犀角雕刻简述》，载《中国美术分类全集·牙角器》，文物出版社，2009年。

[17] 见前揭《遵生八笺·燕闲清赏笺》。

[18] 朱家溍：《牙雕概论》，载《中国美术全集·工艺美术编11·竹木牙角器》，文物出版社，1987年。

[19] 关于二人生平事迹可参看(清)金元钰《竹人录》，收入黄宾虹、邓实编：《美术丛书》，二集第5辑，江苏古籍出版社影印本，1997年。二人于内廷之活动可参看嵇若昕：《十八世纪宫廷牙匠及其作品研究》，载台北《故宫学术季刊》，第二十三卷第1期。

[20] 据(清)阮元监修，陈昌齐等纂：《广东通志》，卷九七“器用类”，清同治三年(1804年)重刊道光二年本。

[21] 《苏州府志》，卷一八，“物产骨角”，道光四年

(1824年)刻本。

[22] 转引自曾应枫著：《广州牙雕史话》，页8～9，广东人民出版社，2008年。前揭施静菲文亦引述该书，并附原文，此处酌改。按施文考证十六、十七世纪在神圣罗马帝国境内、今德国中南部地区制作象牙球的工艺已很成熟，后传入广东。十八世纪中后期落地生根，十八世纪末产品返销欧洲。而欧洲人似乎也对这个过程并不了解，以至于巴洛有此感叹。

[23] 见(英)波希尔著，戴岳译，蔡元培校：《中国美术》，收入陈辅国主编：《诸家中国美术史著选汇》，页172，吉林美术出版社，1992年。

[24] 以上广州牙雕背景资料多采自《广州牙雕史话》。1949年大新路尚存之象牙店铺名单。见是书页13～14。

[25] 见前揭《中国美术》，页171。

[26] 见杨伯达：《从清宫旧藏十八世纪广东贡品管窥广东工艺的特点与地位——为〈清代广东贡品展览〉而作》，载故宫博物院、香港中文大学文物馆编：《清代广东贡品》，香港中文大学文物馆，1987年。

[27] 见注19《十八世纪宫廷牙匠及其作品研究》。

[28] 见前揭《广东通志》。

[29] 圆明园内可能本有一处建筑名如意馆，这也应是“如意馆”这一机构名称的由来。因圆明园已毁，故其具体方位不详。

[30] 启祥宫在乾清宫之西，同治年间(1862～1874年)改为太极殿，其位置比位于慈宁花园内的造办处距离皇帝居处更近。

[31] 目前发现的款识年代集中在乾隆朝第一个十年内，只有李爵禄制小套盒有癸未，即乾隆二十八年年款。至于为何只有牙匠才有刻款的情况，目前还不十分清楚。不过，从牙匠施天章、黄兆等曾先后得恩赏九品、八品官衔来看，可能好手牙匠的地位确实较高，这当然与皇帝个人的好恶分不开。参前揭《十八世纪宫廷牙匠及其作品研究》。

[32] 关于如意馆及如意馆中供职的牙匠情况，参看嵇若昕：《乾隆时期的如意馆》，载台北《故宫学术季刊》，第二十三卷第3期。

[33] 雍正五年闰三月初三日“记事录”，见中国第一历史档案馆、香港中文大学文物馆合编：《清宫内务府造办处档案总汇》，第2册，页456，人民出版社，2005年。

[34] 同上注，第5册，页48～49。

象牙雕山水人物笔筒

明晚期

高14.6厘米　口径10.8厘米　底径11.5厘米

笔筒为筒形，口微侈。底边凸起一周，高度与外壁纹饰相同，为减地浅浮雕效果。纹饰一面为长髯华衮巨官手捧牙笏，款步徐行，身前小童提灯，其后侍从掌扇，以点带面地表现出为官的风光与荣耀；另一面则刻画一青年，牵马执鞭，老者拄杖相顾，似正谆谆叮嘱。背景烟岚雾霭中，楼台隐现。纹饰间点景空白处阴刻行书诗句：

> 龙楼凤阁九重城，
> 新筑沙堤宰相行。
> 我贵我荣君莫羡，
> 十年前是一书生。

诗句恰将纹饰勾连起来，表达了十年寒窗一朝得中，即可平步青云的劝诫主题。从形制、刀法乃至细节，都具有鲜明的特点。

象牙雕云龙纹笔筒

明晚期

高15.5厘米　口径10.3厘米　底径10.8厘米

笔筒取象牙近根部一截雕成，随形微弧，口壁厚而足壁薄，底为后嵌。外壁浅浮雕二龙翻腾于云水间，衬以云气、山崖及虬松老干。筒底阴刻一周花草纹。纹饰处理上颇具特色，准确中不乏概括，粗犷中蕴有精细，包含充沛力度，是一件值得重视的作品。

象牙雕双凤纹笔筒

明晚期

高14.2厘米　口径10.5厘米　底径11.4厘米

笔筒圆体，外壁饰“丹凤朝阳”的传统吉祥图案，但做出了创造性的处理。双凤展翅低回，上有红日云翳，下有牡丹、灵芝，并雕刻松树、怪石等纹饰为点缀。纹饰以浅浮雕表现，极具程式化倾向，如凤之头、冠，都以三角形表示；松针阴刻“米”字；石头只存形而不雕琢肌理，朴素自然，富于时代风格。

象牙雕海水双龙纹笔架

明晚期

通座高9厘米　底长16厘米　宽4.5厘米

笔架呈山字形，以圆雕法表现二龙盘绕于五峰之间，下为水波翻卷。龙纹雕刻细腻，气势不凡，造型具有典型的明代风格。而器物整体在不损害功能的前提下，显露出较强的艺术表现力，是一件成功的文房用品。

象牙雕荔枝纹方盒

明晚期

高8.1厘米　口边长7.5厘米

盒方形，盖顶浅浮雕双螭，四壁饰荔枝枝叶纹样，并利用简与繁、整与碎的对比关系，在荔枝上阴刻细密、规整的几何回形、菱形、六角及钱纹等，富于图案化美感。

此盒似仿雕漆意匠，刀法圆润，制作严谨，主体纹样突出，是明代牙雕工艺中的代表。

象牙雕麒麟钮印章料

明晚期

高8.9厘米　底长8.8厘米　宽5.4厘米

圆雕麒麟曲足半跪于长方形基座上，昂首、凸睛、阔口，身披鳞甲，颈鬣上扬，肩挟火焰，背棘如戟，尾若分瓣，形象鲜明，雕琢有力，具有明代麒麟的一般特征。

传说中麒麟龙首鹿身，为祥瑞异兽，有种种神通，而性情温良，“不履生虫，不折草木”，是儒家理想中“仁”的象征。麒麟降临被认为是太平盛世的瑞兆，因此，古代装饰艺术中常见麒麟的形象。

依其型或本为印章料，但未刻印文。

象牙雕魁星

明晚期

高16.3厘米　底座径5厘米

魁星圆雕而成，一手握笔，一手持墨，圆瞪双目，侧首而视。左足上扬作踢斗状，右足下踏站于鳌头之上，寓意“魁星点斗”“独占鳌头”之意。

奎星是二十八宿之一，北斗的第一星，民间供奉奎星是为了科场及第，名列前茅。将奎星写为魁星，亦即科举夺魁之意。

此作刀法深峻，雕刻精湛，无论是动作还是神态，均生动传神，是明代晚期象牙圆雕中的精品。

象牙雕松梅纹笔筒

清早期

通高15.1厘米　口径12.4厘米　足径13.5厘米

笔筒截取一段象牙随形雕成，外壁雕成古干虬枝状，其上密布瘿节疤痕。口沿及底沿雕出数枝松枝，松针茂密，如笠如轮，生意盎然。又从口沿部斜伸出一折枝梅花，怒放于枝头，风情万种。老干沉郁，新枝娇健，动静相生，生动自然。笔筒采用深刻和去地浮雕法来表现树瘿、枝杈。在对梅花的处理上，主要是通过铲出花瓣的倾斜度，以突出花蕊，显示立体效果，颇具匠心。

笔筒无底，配红木雕底座。

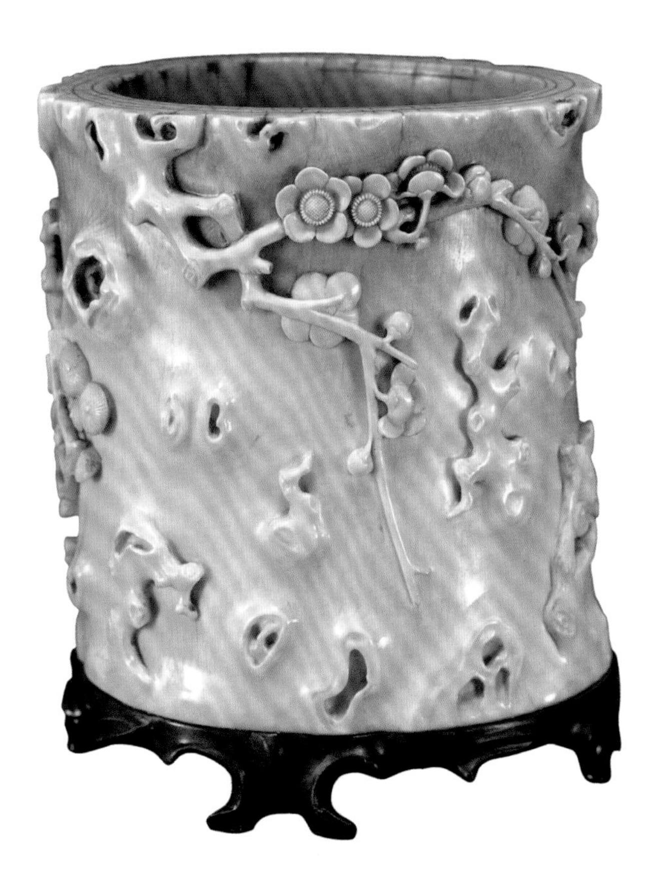

象牙雕花卉纹填黑漆地笔筒

清早期

高14厘米　最大口径11.5厘米

笔筒呈五瓣梅花式，四周承六委角矮足。在筒壁装饰上，不同于一般象牙作品，采用了去地阳文技巧，将花卉之外的地子铲掉一层，填涂黑漆，遂成背景，图案黑白相间，对比鲜明，效果有如画作。口缘和底沿所饰为变体夔纹，每一分瓣区间内，分别雕刻水仙、山茶、梅花、月季等四季花卉及竹石等为点缀。底中央有圆形补痕。

象牙雕四季花卉纹笔筒

清早期

高12.1厘米　口径9.3厘米　底径8厘米

笔筒呈上宽下窄的折角四方形。四面和折角处均有长方开光边框，四面开光内去地浮雕四季花卉图案，有牡丹、荷花、菊花、梅花，花繁叶茂，俨如写真，形式新颖，不落俗套；又点缀蝴蝶、蜜蜂、鹭鸶、竹枝等，组成有寓意的吉祥纹样，如平安、报捷、连科、三友等。折角处开光内饰夔纹。

此作构图规整，刀法精细，加之色泽洁白莹润，更增添其清雅之味。风格似乎受到竹刻等工艺的影响，体现了宫廷牙雕的工艺趋势。

象牙雕松荫高士图笔筒

清早期

通高14.4厘米　口径12.7厘米

笔筒直筒式，玉璧形底。在口沿及底边的回纹装饰带之间，雕镂有山水人物场景。人物可分三组：一组为一老者立于桥上，回首停步，手指前方，似在引路，一小童于岸边闻声观望；一组为老者携杖徐行，二小童相随抱琴背囊，兴高采烈；又一组为二老者正伏案观书，忽有所感，与烹茶、提壶小童一起远远观望。

作者利用圆形的筒身铺排情节，以山松为界，步步设景，每一转侧均有不同画面，而又似有内在联系，藕断丝连，十分巧妙。

此笔筒以高浮雕为主，并配合浅浮雕、镂雕等技法，精巧娴熟。其制作一丝不苟，连地面都琢磨得光滑圆整，显示出这一时期象牙雕刻的典型风格。

象牙雕抚琴图金里碗

清早期

高5.3厘米 口径9.2厘米

碗为圆形，敞口、圈足。碗内镶有金里，外壁浅刻山水人物图。岩壁层叠，水波荡漾，一隐士坐于石台上，手抚古琴，举首观看瀑布飞流直下，似以琴声相应和。身后小童背负书卷，临风而立。

此碗纹饰线条细密，填涂黑漆，如同细笔勾画。空白处阴刻楷书诗句：“断山疑画障，悬流泻鸣琴。”并刻“飞”“泉”篆书填红小印。足内外底刻“宫制”篆体方印。

这类象牙碗一般是由广东贡进，有的刻有花纹，有的则为光素，根据旨意再另行配刻图文，此作即为其中代表。

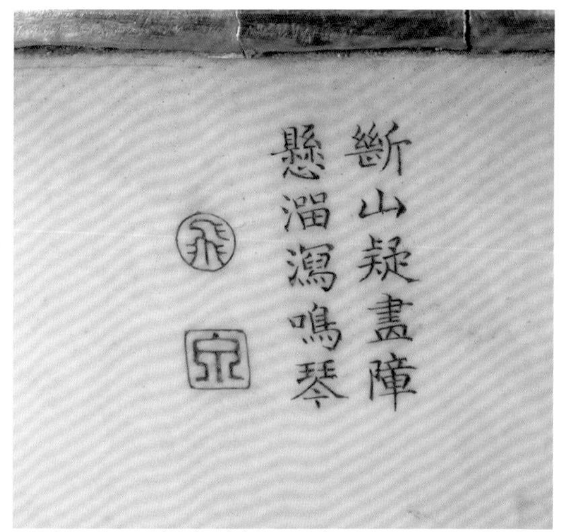

象牙雕柿式盒

清中期

高2.5厘米　口径最大6.7厘米

盒为柿形，象牙染成深红色。盒身正面覆盖枝叶，枝叶下横压一柄灵芝首如意，如意柄尾叠刻一卐字，寓“万事如意”之意，盒底正中刻楷书“雍正年制”四字款。

此盒是清宫中盛放印泥的小盒，同时可作为书斋几案上的陈设艺术品。其造型准确，磨工圆润，器壁薄而光洁，风格清雅，是清代雍正时期牙雕代表作之一。

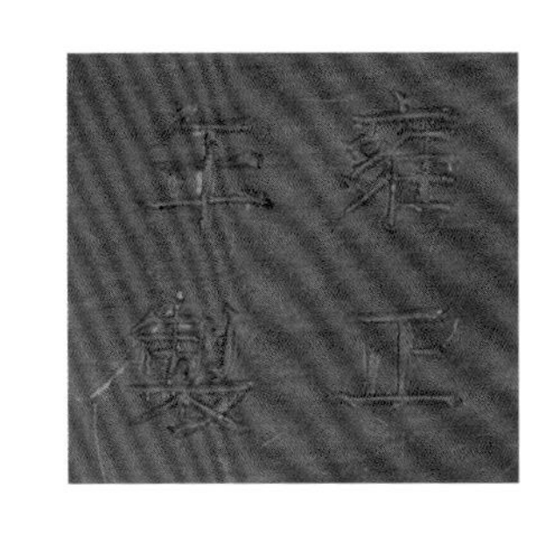

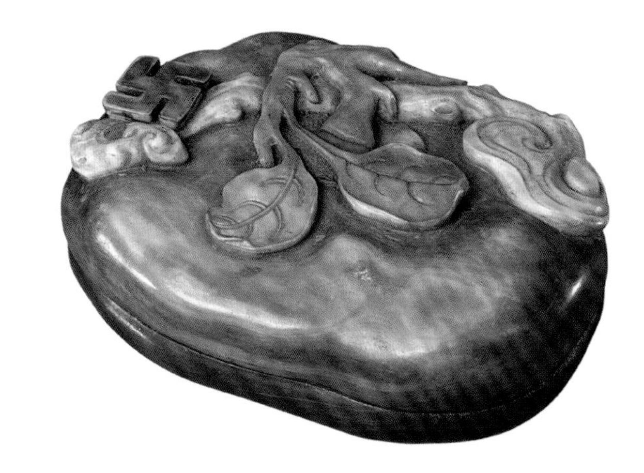

象牙雕竹纹圆盒

清中期

高2厘米　口径5.5厘米

盒为扁圆形，旋扭螺口。盖面中央双线圆光内，浅浮雕竹干、竹叶等。盒身轻薄光润，而纹饰部分肌理特殊，有细密规律、若隐若现的同心旋状纹，与通常所见细腻精致的宫廷风格颇有区别。右下角纹饰似石、似笋，又似一小兽，难以分辨，似未经细刻。其外底正中有阴刻填漆楷书“雍正年制”四字款。

若仅从审美角度而言，此盒之纹饰雕刻算不得十分成功，但何以能刻年款呢？很可能在于其螺口设计及独特的工艺痕迹。查目前故宫博物院留存的牙雕作品中还有一些与之相似，疑为使用西方式镟床的结果。或许正是因为非同一般的工艺，这类作品才得到重视。至于它们之中是以造办处学习西洋车镟工艺的试验之作为主，还是包含了西方工匠模仿中国风的进口产品，则还需进一步探求。

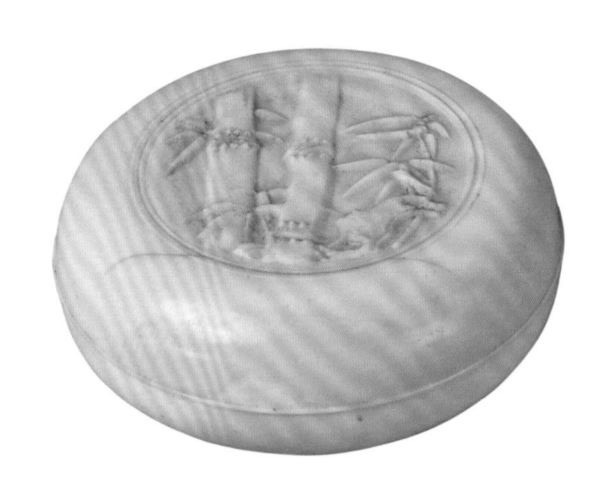

象牙雕开光山水人物图笔筒

清中期

高13厘米　口径9.3厘米　腹径10厘米

笔筒呈凸腹圆筒形，口沿、底足光素。筒壁以浅浮雕双线蟠螭拐子纹，分出四个长方开光，开光内高浮雕山水人物，分别为携琴访友、小桥相会及观瀑、泛舟图景。

图中山峦重叠，流云环绕，古木耸立，亭阁俨然，如同四幅笔墨韵味浓厚的山水画，雕刻精细，工艺高超，反映出清中期宫廷牙雕的审美趋向与典型面貌。

象牙雕渔家乐图笔筒

清中期

高12厘米　口径9.7厘米　底径9.7厘米

笔筒以高浮雕及镂雕技法在筒壁上刻画渔人生活的图景。崖岸上松、柏、柳、竹等树木成荫，其下溪流潺湲，渔人或泊舟闲坐，或挈妇将雏，或聚谈，或欢饮，篷上小猫，篷中什物，均历历可数。在山壁一侧阴刻填漆楷书乾隆帝御题诗句：

网得鱼虾足酒钱，

醉来蓑笠伴身眠。

漫言泛宅曾无定，

一曲渔歌傲葛天。①

并“宸”“翰”二篆书填朱印。近足处有“乾隆戊午长至月小臣黄振效恭制”款识。戊午即乾隆三年（1738年）。

黄振效为广州地区著名的牙雕工匠，于乾隆二年（1737年）被地方官举荐入宫，一直在造办处做象牙活计，并受到乾隆帝的赏识。这件笔筒在技法上有广东牙雕的精细工巧，在题材的选择与画面的设计上则富有嘉定竹刻的格调，反映出宫廷牙雕逐渐步入成熟阶段的特点。此作旧藏热河行宫，刻诗与刻款二处字体相同，但与其他作品上黄氏名款稍有区别，是一处值得深入研究的细节。

① 见《清高宗御制诗集》，初集卷一，原题《戏题渔乐图》。

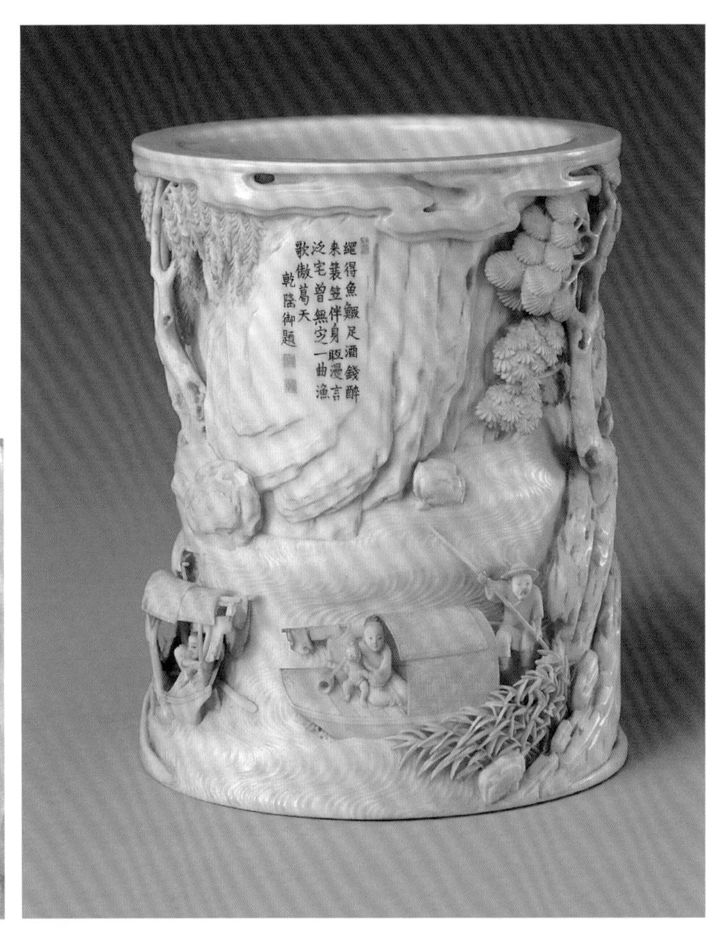

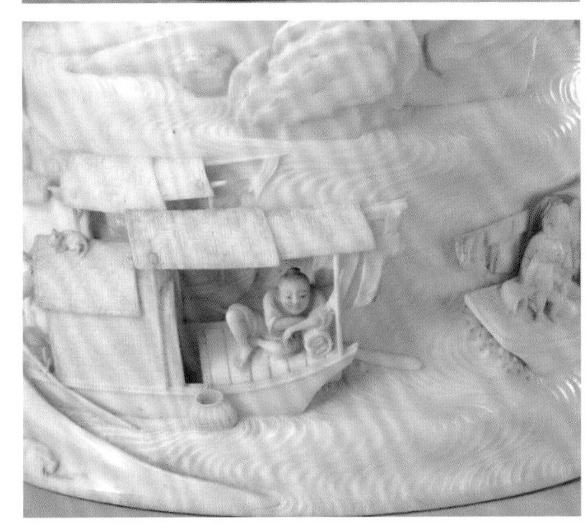

象牙雕山水人物图方笔筒

清中期

高10.2厘米　口径6.3厘米　足径6.8厘米

笔筒方形，委角，四边框内以用去地高浮雕及镂雕表现山水人物图。一为“荷亭纳凉图”，水面荷叶点点，水边双柳低垂，亭中一人凭栏而坐；二为“长松独步图”，河岸屋舍接连，松桐挺拔，院内一人踱步；三为“山亭耸秀图”，湖边峭壁高峻，崖顶一方亭，崖下小桥上一人策蹇前行；四为“山村野渡图”，岸边屋舍林立，枫桐苍郁，一叶小舟荡漾于湖中。

这件象牙雕笔筒雕刻细腻，纹饰层次深至六七重，但通过合理地搭配转换与适度留白，并不觉繁复卖弄，其轻灵雅洁的风格反映出清中期象牙工艺的高度与艺术成就。

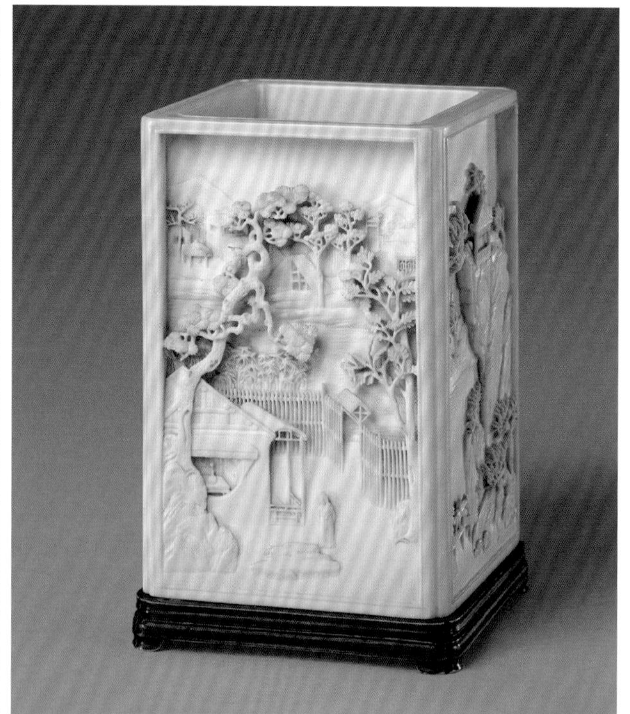

象牙雕十八罗汉图臂搁

清中期

长29.1厘米　宽6.1厘米　厚2.4厘米

臂搁上窄下宽，面略拱圆，背凹如覆瓦，有四矮足。下端作竹节形，正面浅浮雕一僧趺坐面壁焚香，炉中香烟袅袅，冉冉上升，在空中凝成殿阁一座。臂搁的凹面，雕有“十八罗汉渡海图”。图中弥勒坐于三鬼所托锦茵上，众罗汉各持法器分乘在龙、猴、狮、麒麟、龟、鱼、牛、虎、鹿、马、猪等众生之上，腾波蹴浪，前呼后应，踏海而行。

此作刻工细腻圆润，刀法精绝，是清代中期象牙清玩中的精品。其来源有两种可能，一据《宫中进单》载：“乾隆十一年（1763年）七月初三日，内务府员外郎管理九江关务唐英进象牙十八罗汉笔格一件。”二据清钱泳《履园丛话》载，吴郡工匠杜士元，号为鬼工，乾隆初年被召入启祥宫，钱氏曾见其所作象牙臂搁，刻有十八罗汉渡海图，或以为与此作有关。

类似作品目前已知传世有两件，另一件为广东籍牙匠黄兆制作于乾隆二十八年（1763年）。

象牙雕九老图臂搁

清中期

长17.3厘米　宽3.9厘米　厚1.1厘米

臂搁长形，覆瓦式。正面雕寿星，含胸侧首，微笑慈祥，宽衣博带，着云头履，手捧画卷。背面雕“九老图”，山崖、清泉、树木交错，山路盘曲，九位老者或持杖过桥，或山间相迎，或高谈阔论，虽身形如豆，却神情毕现。远处有云烟重峦，楼台隐现，收尺幅千里之功。

唐代诗人白居易晚年退居香山，尝与胡杲、吉皎、郑据、刘真、卢真、张浑、如满、李元爽等八人一同宴游，九人皆高龄，时人称“香山九老”。[①]又，宋李昉慕白氏之举，适有张好问、武允成、杨徽之、李运、宋琪、赞宁、魏丕、朱昂等共八人，都年过七十，想继之为宴集，未果。[②]后世多有以此入诗画者，含有祝寿祈福之意。

此臂搁正背图纹分别采用浅浮雕和高浮雕技法雕成，技法不同，繁简迥异，而祈寿之意相同，清雅之韵合一，实为清代牙雕文房用具中的代表作。

①见(唐)白居易《九老图诗》。

②见(宋)洪迈《容斋随笔·至道九老》。

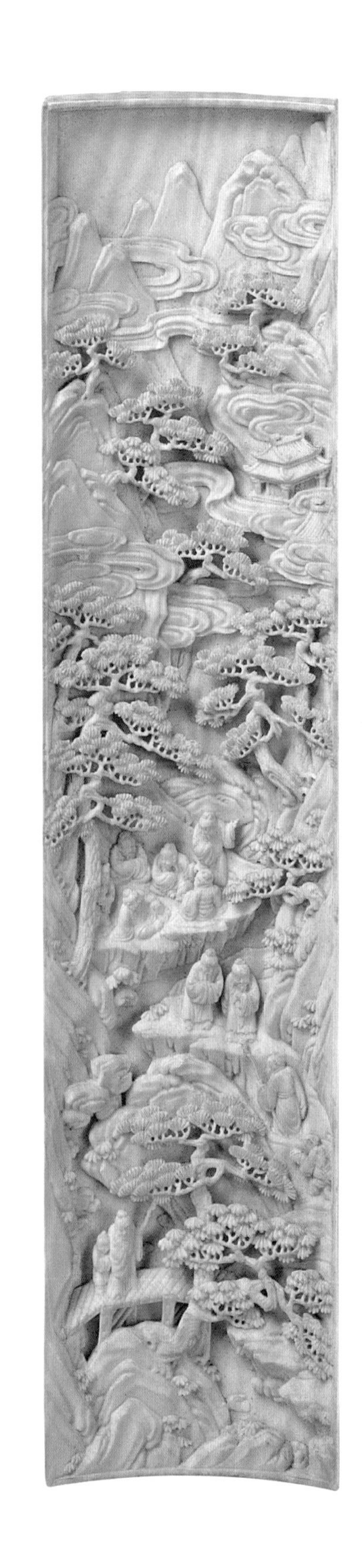

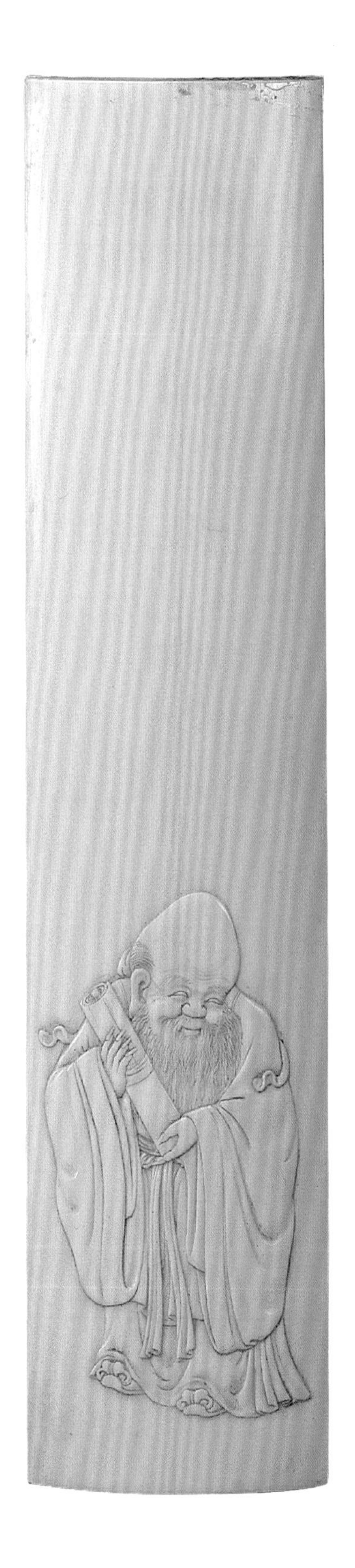

象牙雕蝠纹葫芦形盘

清中期

长17.5厘米　最宽13厘米　厚1.5厘米

盘为葫芦式。柄处藤蔓盘曲缠绕交织于器底，数片小叶舒展于旁，叶下并缀以一小葫芦，卷须分枝更是探入盘内，蓝绿色的叶片翻卷自然，叶脉清晰可见，葫芦的右侧一只红色的展翅蝙蝠伏于口沿。

此器器形及纹饰是人们所喜闻乐见的吉祥图案，葫芦发音接近“福禄”，红色蝙蝠谐音“洪福”，均具有祈求吉祥福禄的用意。

此器系采用圆雕、阴刻、浮雕、染色等多种技法制成，工艺精湛，器壁轻薄，为牙雕高手所作。

象牙雕松鼠葡萄纹叶形盘

清中期

长20.1厘米　宽11.1厘米　厚1.4厘米

器呈扁体葡萄叶形，边缘连弧状，浮雕数片小叶及果实于叶底和叶面，蒂柄处枝蔓盘绕。又高浮雕两只松鼠于叶上，各抱一珠果似正饱餐。右角下刻有盛开的月季花作为点缀，一只长尾蜻蜓攀附在叶边，形态逼真生动。

此器刀工精细流畅，毫无滞涩之感，叶片、花卉、昆虫、动物，无不细腻逼真。而且无论深浅浮雕，在严谨的布局中都应用得恰到好处。其器壁轻薄，光照下有透视效果，实为精工之作。

象牙雕松纹镇纸

清中期

长13厘米　宽5.8厘米

镇纸为扁形，略呈覆瓦式，雕作松干状。以浅浮雕及镂雕技法表现表皮松树鳞片错落，极具韵律美感。枝桠虬结，松针如云，裂罅于正背较浅，于侧面通透，布置巧妙。背面上部有圆形小池，反置可为水丞。尤为精巧的是，正面下部松针处有一机括，拉动机括，则可掀起一椭圆盖，盖下椭圆池内，浅浮雕云螭纹，亦可为水丞。盖背面雕成砚式，且隐隐有墨痕浮现。

此器一物而多用，雕刻、磨工俱佳，设计出人意表，是极为罕见的文房器具。

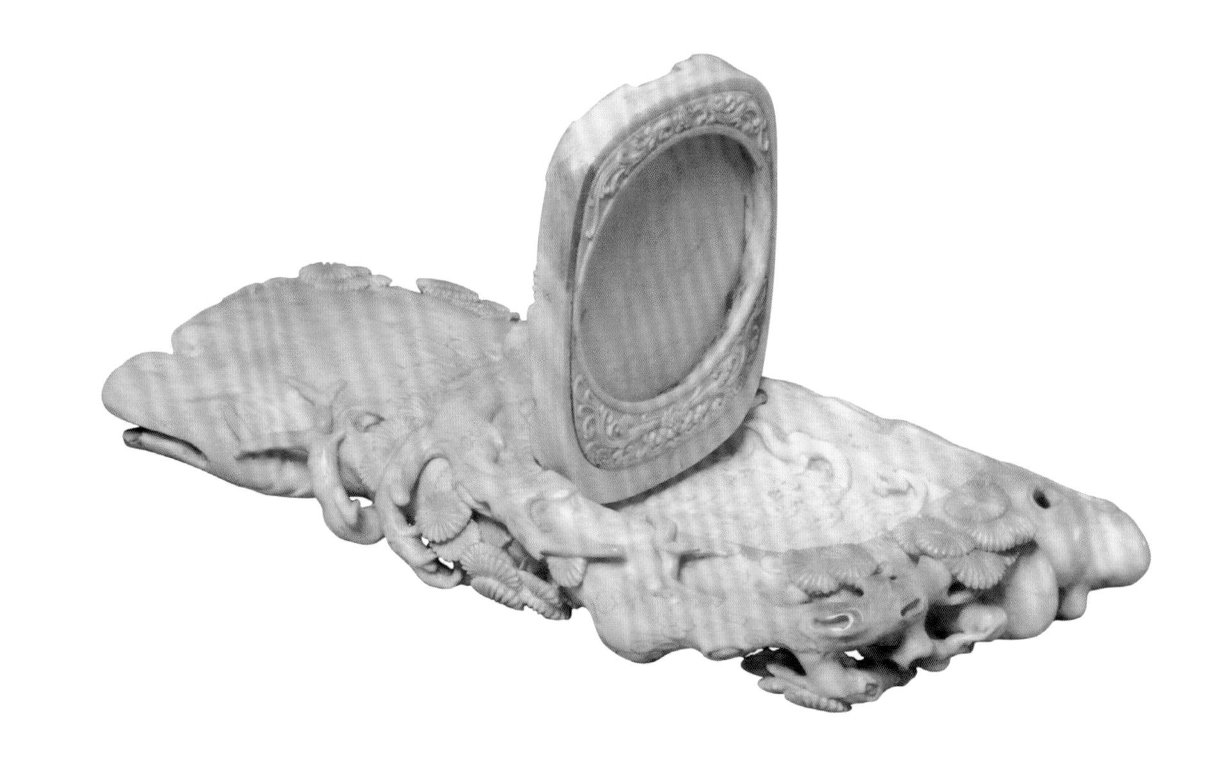

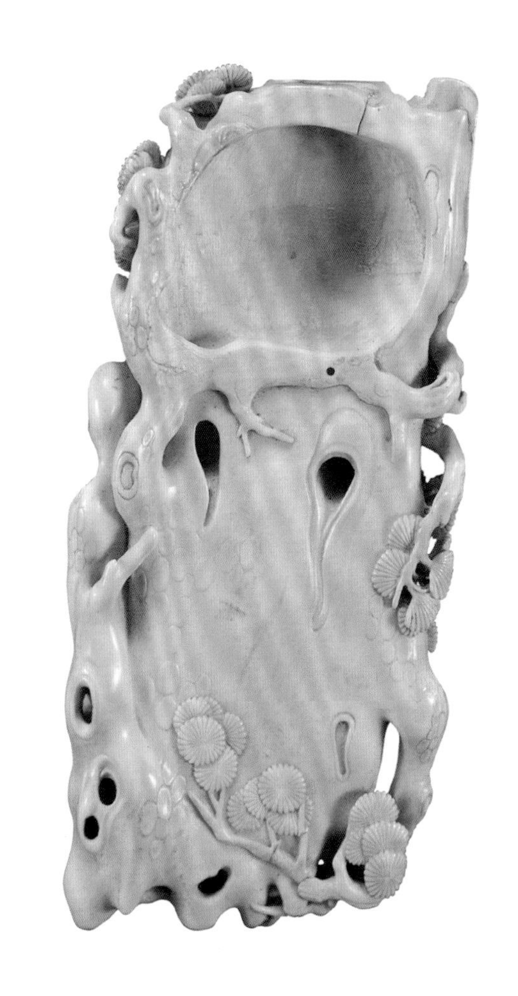

象牙雕小葫芦

清中期

通高4.9厘米　最大径1.7厘米

小葫芦通体光素，束腰处有弦纹一道，可由此分成上下二部，并以螺口相连。上部瘦长，下部扁圆，均为中空，器壁甚薄。二部比例适当，恰成映衬。壶盖似壶藤状自然弯曲，与壶身亦螺口相连。

此壶体虽小而工精，形制乖巧，玲珑可喜，实为同类制品中的佳构。

象牙雕管夔凤纹斗紫毫提笔

清中期

管长18.3厘米　管径0.9厘米　帽长8.7厘米

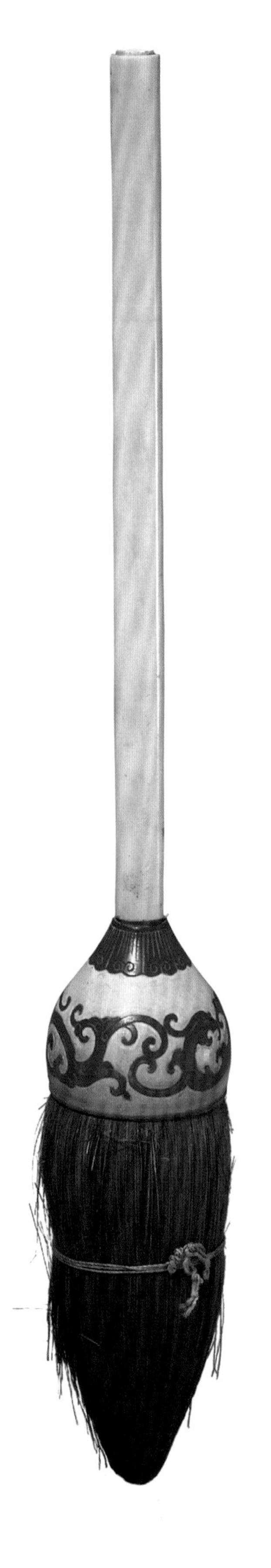

毛笔由笔管、笔斗、笔毫三部分组成。笔管光素无纹，染牙笔斗红白色相间，雕饰夔凤纹，体态生动。笔斗颈部雕饰莲瓣纹，极具装饰效果。

此笔以染牙雕刻纹饰，颇具新意。笔斗纳狼毫，丰满圆健，为清代宫廷御用提笔特点。

象牙镂雕钱纹管紫毫笔

清中期

管长25.2厘米　直径0.8厘米

笔管镂雕古钱纹，细若网纹交错有致。笔管一端以两道阴文填蓝线为装饰。笔帽浮雕五只飞翔的蝙蝠，间饰云朵纹，两端雕饰阴文填蓝回纹。中纳紫毫，呈兰花蕊式，为清代内廷御用笔特点。

此笔笔管采用镂雕与浮雕等技法，纹饰繁缛精美，体现了乾隆时期制笔工艺高度发展的水平。

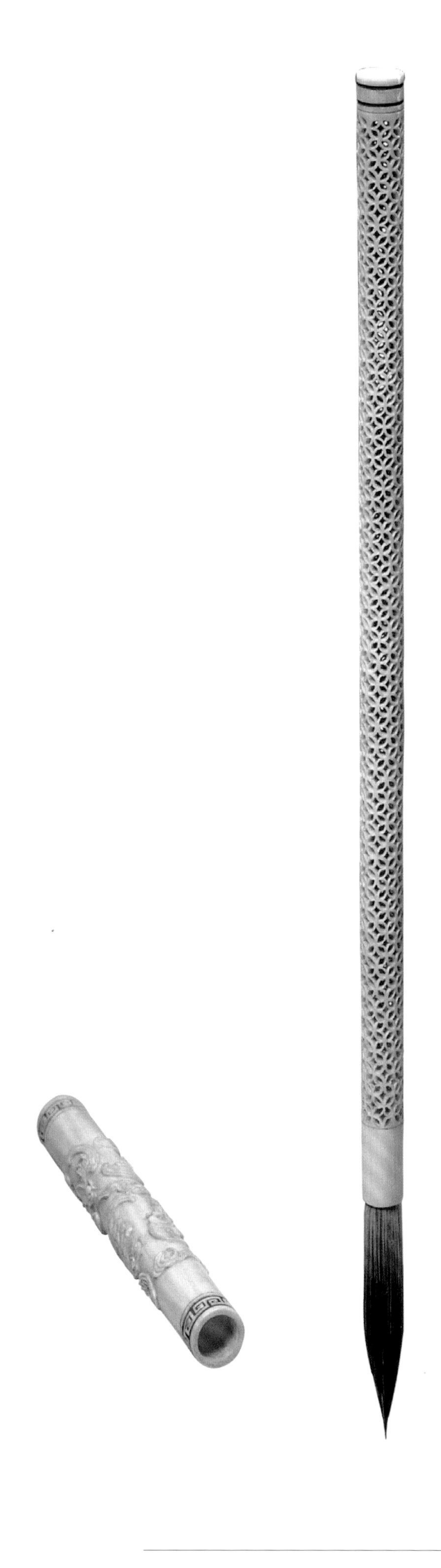

象牙雕八仙图管狼毫笔

清中期

管长25.2厘米　直径0.8厘米

笔管象牙制，管身阴刻“八仙人物图”。线内戗黑漆，上端刻仙台楼阁，隐现于云雾中。笔帽通体线刻“海屋添筹”纹饰。管顶端及笔帽上下端均镶嵌酱色染牙口。笔锋狼毫兰花式，顺直挺拔。

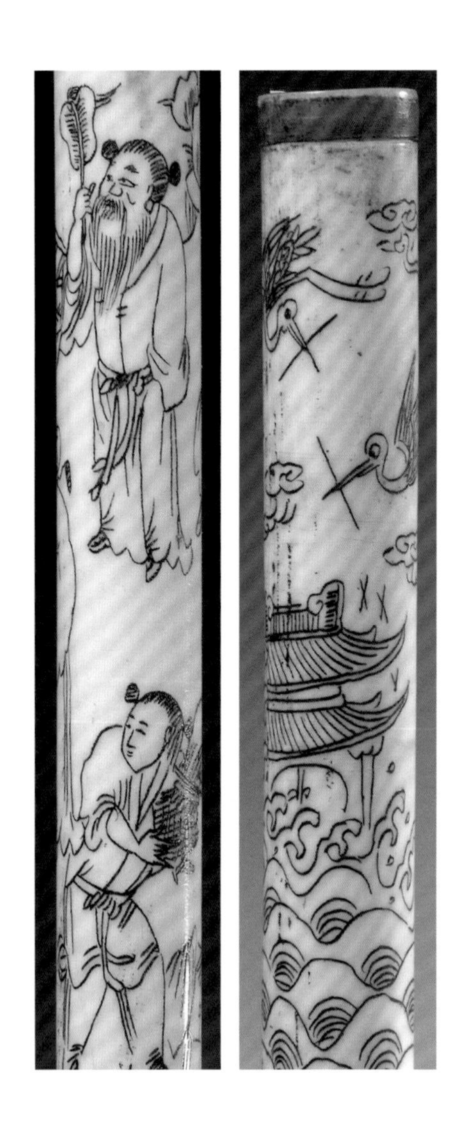

象牙雕海水龙纹火镰套

清中期

长11.7厘米　最宽5.9厘米　最厚2.3厘米

火镰套分为两部分。上部为主体，中空，呈钟形，略扁，内为明黄缎储物袋，储物袋与底托相连。两侧放置镂空铜镀金双龙戏珠纹火镰及长方形火石。

火镰套整体以黄丝带贯穿，下有染色象牙结子，佩戴在腰间，既可自由拉开火镰盒取出内藏物品，又不至散落，设计巧妙而富实用性。牙盒外壁为浅浮雕纹饰，开光内为海水龙纹，在很小的高度间雕刻得密不容针，却又层次井然。纹饰精密异常，隐起圆润，水流纤如丝缕，龙纹虬劲欲飞，并以黑漆点睛。

此器工艺高超，具有清雍正时代特征，显现出一种较为成熟的宫廷牙雕风格。

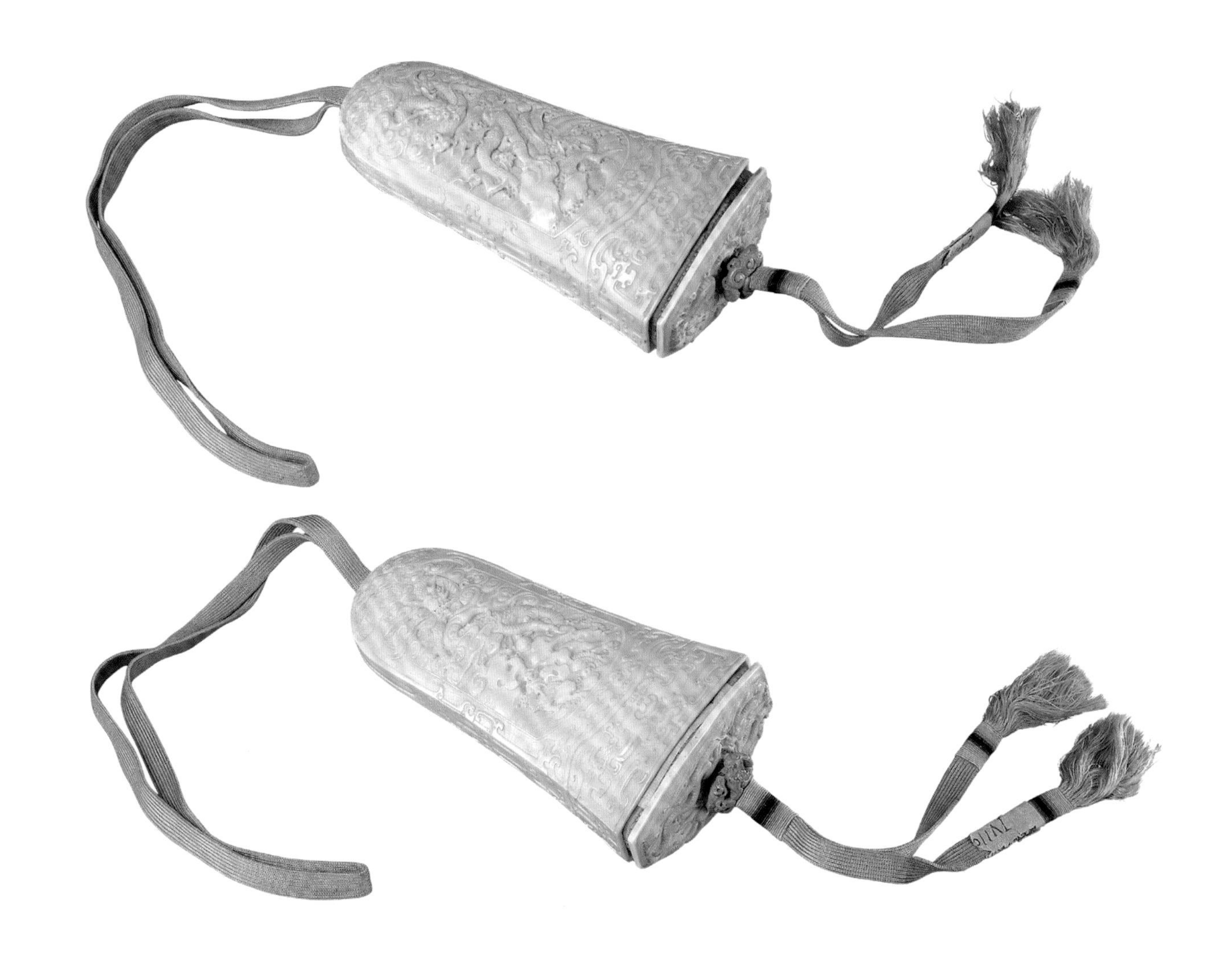

象牙镂雕花卉纹香囊

清中期

纵5.4厘米　横7厘米　厚0.9厘米

香囊呈斧形，由盖、身两部分合成。通体镂雕成斜方格纹锦地，其上饰阳文染色拐子如意及雀、竹、梅纹。中部有一根嵌珊瑚及细小珍珠的黄丝带穿连，两端配有珊瑚或碧玺、染骨珠衬饰。

此香囊造型新颖，玲珑生动，纹饰既严谨又活泼。这种技法原出自广东，但构思与设计出自造办处匠师之手，是清宫中特有的工艺品种。

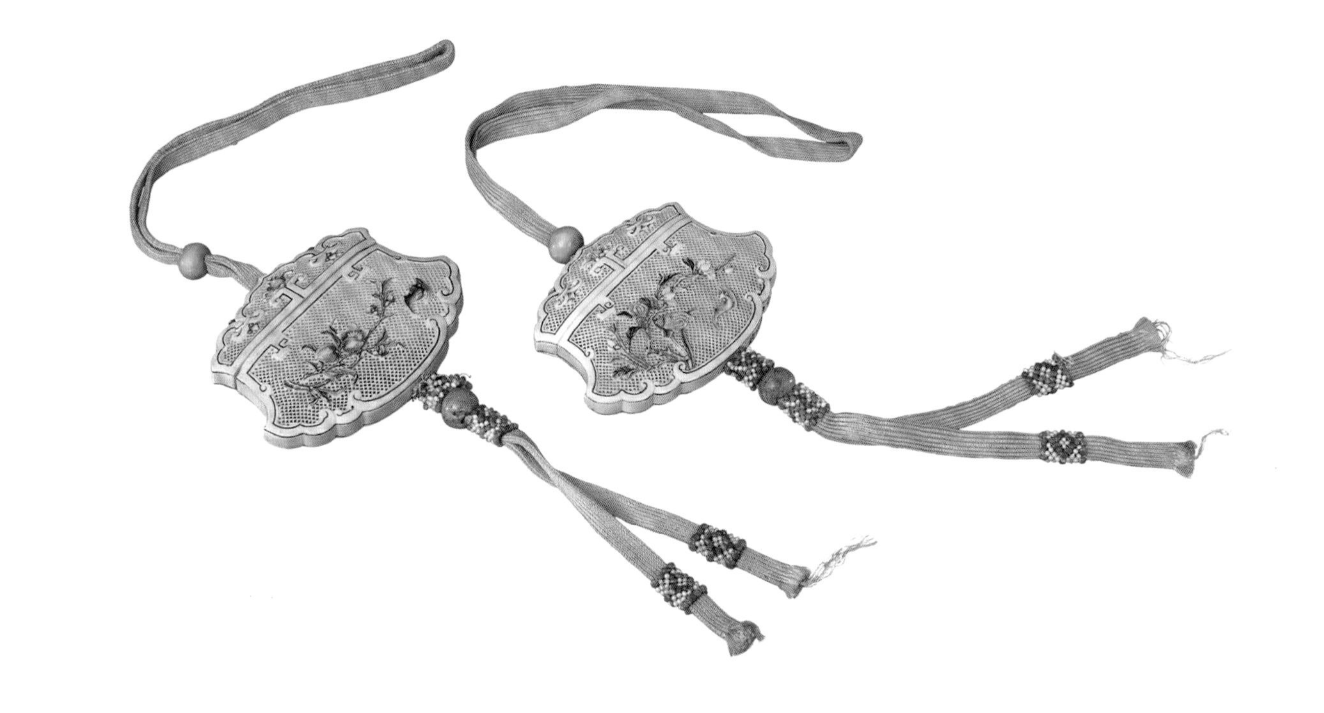

象牙雕海水云龙纹火镰套

清中期

长8厘米　宽7.4厘米

火镰套形如荷包，分盖、盒两部分，中空，由一根黄丝带及两块莲叶形珊瑚珠穿连。盖口边呈双线如意式，刻蟠夔纹。盖上两面正中雕正龙，余皆饰海水行龙及带焰火珠，龙纹穿插，波纹旋动，构图复杂，气势不凡。盒内盛有一条穿珠绣寿字夔龙纹黄缎火镰带及镂空錾夔龙纹金火镰一把、玛瑙火石数块、引火绒纸一叠。盒壁两侧分刻楷书“乾隆壬戌”“振效恭制”。

据清宫造办处《活计档》记载，乾隆帝曾多次交待造办处，让他们“想巧法做上用火镰包”。这件作品结合竹雕艺术，采用浮雕技法，纹饰层次分明，气韵生动，刀法精细流畅，独具风格，是牙匠黄振效于乾隆七年（壬戌，1742年）按照清宫服制要求制作的。

象牙雕刘海戏蟾

清中期

高2.9厘米

此作圆雕而成，刘海体态肥胖，秃顶披发，斜身半卧，右腿曲起，脚趾微翘，一手托举，一手逗弄三足蟾，面露喜悦之色。动态准确逼真，神情栩栩如生，雕刻精致圆润，宫廷风味极浓。此作可能出自宫廷造办处中江浙地区牙雕工匠之手。

象牙雕老少耕读

清中期

长8.9厘米　宽4.3厘米　高6厘米

此作用小块象牙采用圆雕、镶接等多种技法制成。以糙地刀法刻草地山石，耕牛卧于地面，老少二人肩系草帽，背靠山石和柴捆，席地而坐。少年身体前倾，老者手持书卷，似正问答讨论。这一景观将对农事的向往、对文化传承的肯定、对天伦之乐的赞美融汇一处，表现的是传统思维模式中关于田园生活的浪漫想象。

此作艺术性较高，雕刻精巧细致，发须、眉眼、嘴唇等部分染色准确，使形象更为逼真生动。整体看来，有着较强的江南地区牙雕风格，可能为雍正时期该地工匠在造办处当差时所制。

象牙雕童子戏狮

清中期

高6厘米

此作以小块象牙经雕刻拼接而成立体小景观。以糙地刀法刻出地面及岩石，一大狮躬身翘尾，回首瞪视，小童赤足而立，敞胸露腹，眯眼含笑，手托小狮。二狮神态相互呼应，作势欲动，人物则表情轻松，似有逗引之意，三者间关系紧凑，相映成趣。

与此作风格近似的还有人物耕读、牧羊、牵鹿等三件作品，应为同时制作的同一套景观，它们均使用了边角余料，但表现出的都是精工细巧、雅致细腻的工艺趋向，代表了一种宫廷牙雕的审美追求。

象牙雕仕女立像

清中期

高23厘米

此作为圆雕，仕女直立，微躬，身着长衫。左手稍抬，呈捏持状；右手握笔，似运思冥想，斟文酌句，神情惟妙惟肖。仕女描眉点睛，衣边、头发、笔尖均染成黑色。人物面庞、发髻、衫裙类似《康熙南巡图》上的市庶妇女形象，而面庞稍丰满，身材比例匀称，又似雍正时宫中的美人图造型。而茜色等技术，亦运用得十分到位。

象牙雕鹌鹑形盒

清中期

长12厘米　宽4.5厘米　高5.6厘米

盒圆雕成鹌鹑形，通体披羽。羽毛雕刻极富层次感，由头部的鳞片状至身后渐变成叶片状。双尾下垂，盒底雕刻脚爪，如匍匐状。盒口沿隐于胸腹羽毛间，毫无突兀之感，颇见巧思。头微偏侧，二目炯炯有神。颊部雕染的绒毛，极为逼真。喙部刻画亦生动有力。通体染色，色彩写实，沉着多变，尤其羽干处的留白，一丝不苟。

此盒将鹌鹑浑圆的体态略作夸张，既保证了盒的实用性，又不损其造型的真切感，体现了工匠高超的技巧，也代表了雍正、乾隆时期牙雕中的一种写实风格。

象牙雕鹤形鼻烟壶

清中期

长4.7厘米　最宽2.9厘米

鼻烟壶作伏卧仙鹤式。喙上、双眼、尾羽嵌玳瑁，头顶嵌血石以表肉冠，双腿染作绿色。腹下有盖，设暗销，盖内阴刻篆书“乾隆年制”款识。盖连牙匙，设计极为精巧。

此壶外形设计极为生动，肖形写生而不损功用。细节装饰精美，足、颈、眼周的变化与恰到好处的镶嵌，在写实中富于装饰效果。暗销的设置，更突出了这一时期宫廷工艺精巧细腻的特点。

此壶与另一件鱼鹰形鼻烟壶大同小异，查造办处《活计档》，乾隆十八年九月二十七日“牙作”下，照样准做的四件鼻烟壶中有“象牙掏鹤鼻烟壶一件”，又传旨“再仿其大意另想法多做几件，不拘各种材料成做”，可能所记就是这两件姊妹之作的制作过程。

象牙雕吉庆纹小盒

清中期

长8.5厘米　最宽3.9厘米　高4厘米

盒为双连式。由一环佩和一柄芭蕉扇为托，一盒雕作折枝橘，橘皮系采用糙地法刻出密密麻麻的小细点加以表现，橘上雕有两只蝙蝠展翅相对；另一盒雕作系带磬式，盖面雕勾云如意纹，盒内盛有一枝含苞待放的玉兰花。蝠谐音“福”，橘、磬谐音“吉庆”，纹饰寓意“福寿吉庆”之意。

此器以圆雕、镂雕及浅浮雕雕成，开启是小盒，合上是几案上的陈设品，设计精巧，做工考究，是宫廷造办处牙匠高手的杰作。

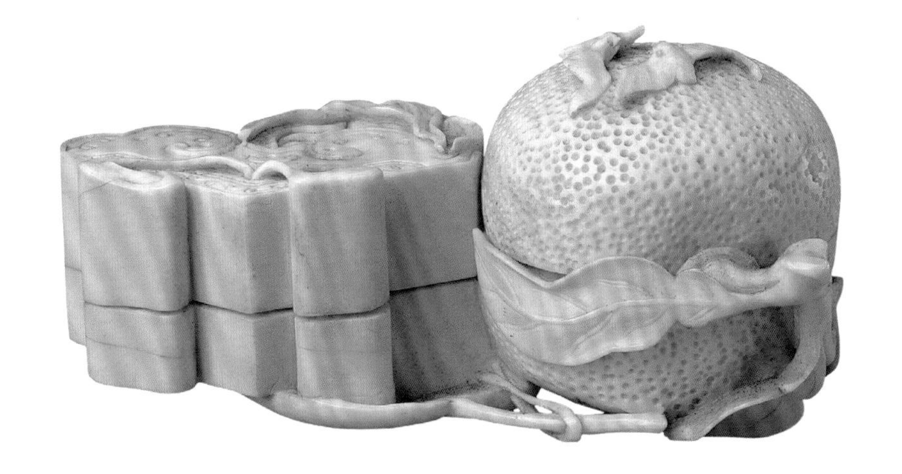

象牙雕竹节式盒

清中期

长7.8厘米　宽3.5厘米　高9厘米

器雕作两竹节相并式，一株较细高，中空，根部镂雕小枝，伸延向上，一蚂蚱伏于竹叶间；另一株较粗短，为分层屜盒，最上层盖顶内凹，上高浮雕二蜘蛛相对，近底处一周根须毕露。

此器雕刻细腻谨严，状物生动，意境清新，在写实的造型中又不失功能性，设计精巧，是这一时期文玩中有代表性的作品。

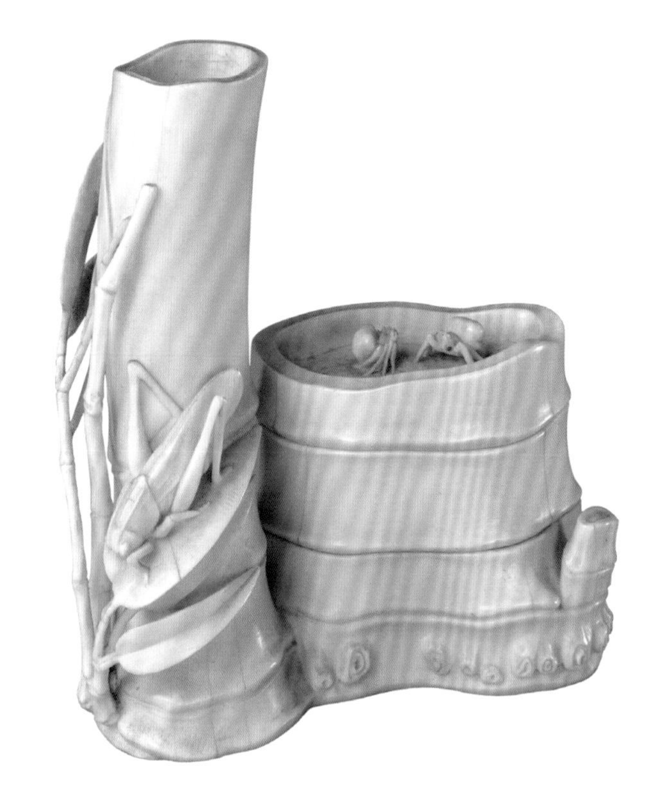

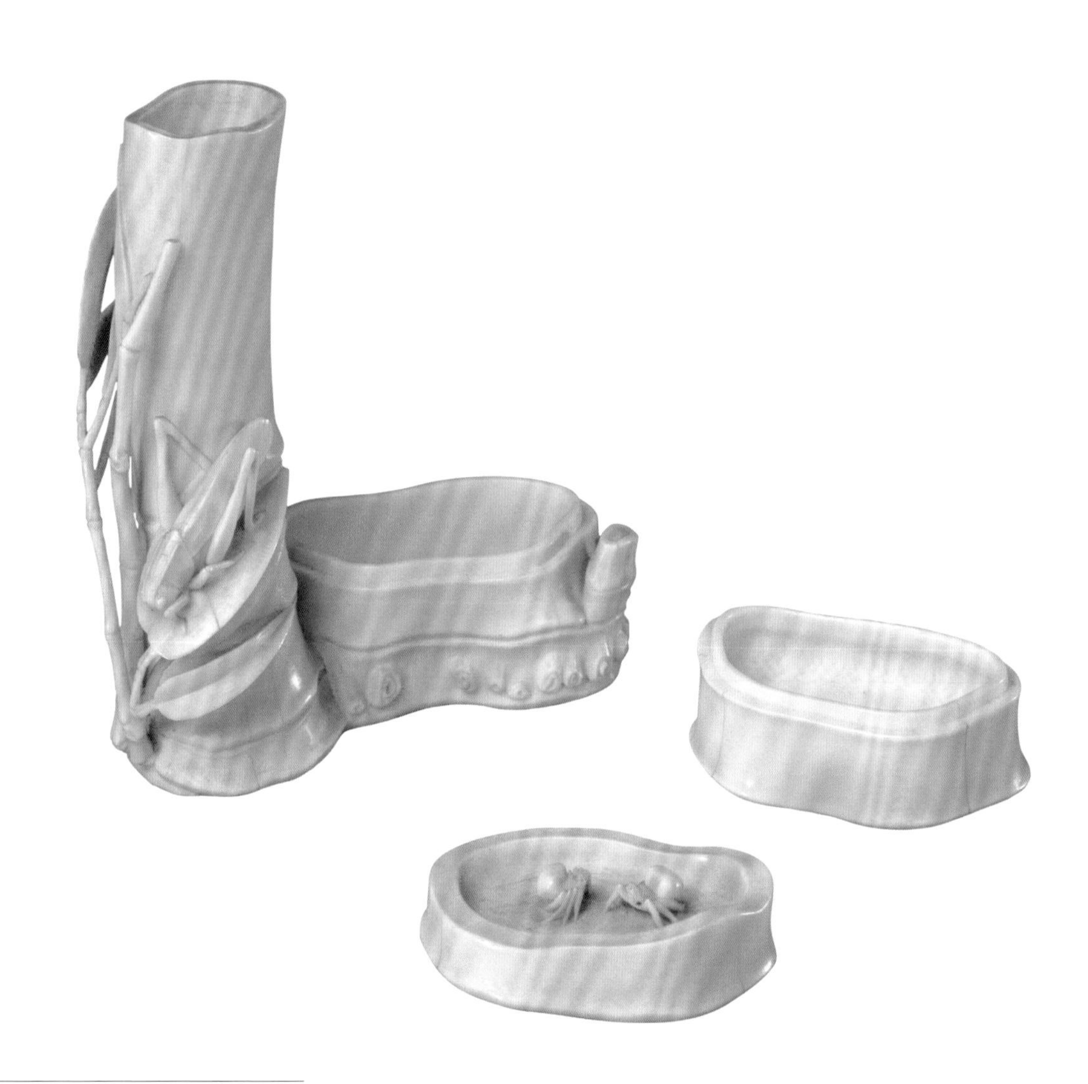

象牙镂雕活纹长方小套盒

清中期

外盒长5.7厘米　宽4.5厘米　高2.3厘米

盒长方形，通体镂空纹饰，盖面正中饰如意锁花，相互勾连，轻触之可活动，应即清宫档案中所称之“活纹”。盒内分两层盛装十八个各式小盒，均镂雕回纹、钱纹、缠枝莲等不同花纹，每盒不过指甲大小，其纹细如发丝，壁薄如蛋壳，有些盒中还雕刻活链、果实、昆虫，更细如米粒，其精密绝伦处，令人叹为观止。盒底阴刻填漆楷书“乾隆癸未（1763年）季春小臣李爵禄恭制”。

目前已知尚有同类套盒传世，其上留有乾隆早期造办处牙匠代表人物黄振效款识，此作或许为效仿黄作而来。李爵禄亦为广东地区的牙雕高手，约于乾隆二十三年至三十八年（1758～1773年）间供职于内廷造办处如意馆。而现有乾隆时期清宫牙雕作品上的年款多集中于前十年内，像这样纪年较晚的还极为少见。

象牙镂雕提梁花篮

清中期

通梁高17厘米　口径6.2厘米　足径3.9厘米

花篮阔口，束颈，圆腹，覆盘式足。口两侧连接绳纹及染牙团寿链如意垂云活环提梁。花篮腹部分内外两层，外层镂雕双连如意纹，内层刻可以转动的双环钱纹。

这件象牙花篮，采用镂空刻花，雕镌巧妙，吊在木制圆座支架上，极其精巧雅致，是出自清代宫中造办处广东牙匠之手的陈设珍品。

象牙镂雕活链提梁卣

清中期

通梁高14.8厘米　卣高8.1厘米

最大口径4.6厘米　最大足径4.2厘米

提梁卣仿青铜器造型。盖面镂雕夔龙团寿纹，顶中嵌乳色玛瑙珠钮。卣腹两侧嵌雕兽面活环耳，上连活环链，配有夔首提梁。腹部镂空可活动“十”字和回纹。

这件象牙提梁卣，作用与香囊相同，内可置香料。它的纹饰简朴大方，刀法圆润流畅，造型优美，做工、构思巧妙精雅，是清代雍正、乾隆年间珍贵的象牙雕刻品。

象牙镂雕回纹葫芦

清中期

高9.5厘米　最大腹径4.8厘米　口径1.8厘米

圆雕葫芦顶部镂雕蟠龙盖钮，颈部浅浮雕一条蟠螭，束腰处镂雕如意纹，上腹和下腹中部均镂雕活动回纹。在葫芦内部，有一根活环主链与盖相连，主链上有三根支链，圆雕的三足蟾、刘海、束腰葫芦分别连在三根支链上。蟾背负一束灵芝，双爪搂圆珠，刘海手摇挂钱，刻画精细，神态动人。

此件作品体壁薄透，刻工细腻，特别是镂雕的活环长链，细如篦丝，环环相套与底相接，真为鬼斧神工之作。

象牙镂雕双喜大吉葫芦

清中期

通盖高18.8厘米　口径2.8厘米

此器为圆雕葫芦式，以镂雕及染色等技法制成。外壁上满镂钱纹锦地，并浮雕染色缠枝瓜果、花蝶、蝙蝠纹饰。正中两面开光，一面镂雕楷书填金“大吉”，一面镂雕填红隶书双喜字。盖钮内有螺旋套口，腹内有活环长链一根，上下与葫芦盖、底相连。长链上又有三条小链，每条小链上分别带有一只小葫芦，雕刻极为精细。

此件作品是清代雍正至乾隆年间（1723~1795年）由清宫造办处中牙匠为皇室婚礼之用而制作的。这种不通过任何拼接手段，纯以镂雕为主制作复杂活链结构的工艺，是清代象牙雕刻的突出成就。根据当时各地的不同风格特征及牙作的构成情况，这件象牙葫芦虽然没有留下款识，但应是出自广东籍匠人之手。

象牙镂雕小船

清中期

长3.7厘米　宽1.3厘米　高1.5厘米

微雕牙舟形制与宫廷画家徐扬所绘《乾隆南巡图》及《姑苏繁华图》中内河小船相仿。栏杆细如篾丝，栏板雕花镂空，细致写实，纤毫毕现。舵可自由升降转动，极尽工巧之能事。而在四面通透的舱室、蓬顶、船头，更雕刻有十七个人物：主舱八仙桌旁围坐三人，一仆捧壶侍立；后舱四人，或倚栏，或休憩；舟头三人操作、烹茶，另一人正欲从船舷走向船后，双手扶柱，如恐倾坠；蓬顶五人，戴箬笠者正奋力拉绳，一小儿爬上高处，母亲作势相拽。人物小如米粒，全无眉眼，但动态清晰，身份明确，篷、檐等部分的不同质地均有交待，其工艺之周到令人赞叹。

舟身一侧阴刻填漆“乾隆戊午孟夏小臣杨维占恭制”款。戊午为乾隆三年（1738年）。杨维占是乾隆二年年底与黄振效等三人一起由时任粤海关监督的郑伍赛作为牙雕好手举荐入京的，隶属内廷“如意馆”。根据《活计档》记录，曾受命设计伽楠香木料，制作蜜蜡暖手、象牙灯等。今天传世尚有牙雕群仙图小插屏、沉香木九老图山子等署款作品。这件小船，与黄振效所制一件时间、形制都颇相近，不过更为小巧，估计均应是初入宫时考较工匠水平的“试手”之作。微雕小船表现的是苏东坡游赤壁的故事，为江南匠人擅长的活计，广东匠人也要完成这样的题目，不难想见当时牙作里南匠的主导地位。而随着广东匠人的进入，一种所谓“苏州样，广州匠”的宫廷牙雕风格也逐渐成型

象牙镂雕小船

清中期

长5.2厘米　宽1.5厘米　高1.7厘米

象牙镂雕花篷小官船属微雕制品。船边有回纹护栏，船首刻牌坊，有三人立于牌坊前向前观景。牌坊后刻有篷舱，篷舱有九扇镂刻的窗户，可活动开合，舱内镂空，对窗可以相望。篷顶上七个船公正将桅杆放倒，看似船已到岸。船下有舵桨，活动自如。船底阴刻填漆“乾隆戊午花月小臣黄振效恭制”款。

小船十分轻巧，所刻窗棂纹细如丝，人物面目不用放大镜难以看清，鬼斧神工，堪称巧做。

象牙雕海市蜃楼景屏

清中期
通高32厘米　上部宽14.9厘米
底座长21.2厘米　宽11厘米

景屏分座、托、屏三部分。作者采用圆雕、浮雕、镂雕等多种技法，以传说故事为题材，制成海市蜃楼景。下设染牙栏杆，镂雕缠枝宝相花纹长方座。座上洞石耸立，有两只鹌鹑相对立于石上，并有松、竹、梅、灵芝、花草点缀其间，色彩绚丽。座正中浮雕祥云状屏托。屏为如意形，刻有远山、楼阁、人物仙景。

此件作品是清代乾隆年间造办处牙匠为宫廷陈设所制。作者以十分丰富的想象力，巧妙的设计，娴熟细致的雕工，把人间仙境刻画得玲珑剔透，精巧异常，景致由近至远，层次分明，在4厘米厚的象牙上所刻层次达十余层之多，真有鬼斧神工之妙。

象牙雕榴开百戏

清中期

高5.3厘米　腹径5.7厘米

器作仿真石榴形，运用圆雕、镂雕、浮雕、染色等多种技法。外部分为五瓣，用活钮机关控制，可以开合。关闭时为一完整果实，外皮染成棕红色，浅浮雕花枝及蝴蝶纹，颇为生动。张开后则如盛开的莲花，内壁染色浮雕红蝠流云纹。正中有一圆台，圆台上雕刻二层楼阁，玲珑剔透，阁内外雕刻细小人物，或进香，或攀谈，或观景，还有戏狮、爬竿、舞幡、马技等杂耍百戏，一派市井的热闹景象。

石榴多子，故有“榴开百子”的吉语，寓意多子多孙家族兴旺，是明清工艺美术中经常采用的题材。此器机关设计巧妙，在寸许之地刻画不下百人，神态又各不相同，其工艺之繁难，已带有相当程度的微雕色彩。

据《活计档》载，乾隆四十五年（1780年）曾传旨着牙匠黄兆作仙工活计，画榴开百子纸样，呈览后命另一牙匠杨有庆做；又嘉庆十五年（1810年），牙匠莫成纪画得榴开百子样呈览，传旨照样准做，而已知传世同类作品只此一件，不知是否就是这二次记载中的作品之一。

象牙镂雕福寿宝相花套球

清中期

外径9.1厘米

象牙球交错重叠、玲珑精透，表面镂雕各式花纹。球体从外到内，由大小十一层空心球套成。其中所套的每一球均能自由转动，且具同一圆心。而且每一层套球均镂雕着精美繁复的纹饰，外层为“福”“寿”字及宝相花纹，内层以几何纹为主。

这种象牙球被称为“鬼工球”，是广东牙雕工艺之一。据说从宋代就已开始出现了二三重的象牙套球。到清代乾隆年间，雕刻水平更为提高，发展到了十四层，清末时已达到二十五至二十八层，是我国象牙雕刻中的一种特殊技艺。但学界还有一种看法，认为象牙套球工艺是自西方输入的。

象牙镂雕活环鱼

清中期

长8.1厘米　宽1.8厘米　高3.9厘米

鱼用一小块象牙镂刻而成。鱼腹中空，只是头、下鳍、尾为实地，鱼鳞刻成扭曲勾连环扣状，使鱼身受力后可上下左右摇摆，屈伸自如，栩栩如生。

这种小巧的雕刻工艺，实属少见，既表现出设计师的巧妙构思，也显示了其高超精湛的雕刻技能。

象牙丝编织席

清中期

长216厘米　宽139厘米

象牙席是以象牙为原材料制作的薄片编制而成的席簟。据汉人《西京杂记》记载，武帝时即有牙簟出现，但其工艺究竟始于何时，尚难以确知。明代安南也曾进献过牙簟。故宫博物院所藏则是清代宫廷遗物。

这张象牙席背后整包枣红色绫缎，席的四周沿包蓝色缎边。席面通体由薄如竹篾、宽仅0.2厘米的扁平牙条编织成人字形纹。其制作程序非常复杂，要先用药水浸泡软化牙材，然后劈成厚薄宽窄相同的薄片，并磨制到呈现出洁白的光泽为止，最后才是编织。象牙席纹理细密均匀，光滑平整，夏天铺垫时较草席、竹席更为凉爽宜人。

根据雍正、乾隆时期的清宫造办处《活计档》和《宫中进单》等记载，象牙席是当时广东地区重要的贡品。由于象牙席用料靡费，编织艰难，耗资甚大，清世宗于雍正十二年（1734年）宣谕禁止生产，但是似乎并未得到严格执行。不过，今天故宫博物院留存的象牙席也只有两张而已，这件是保藏比较完好的一张。

象牙丝编织玉堂富贵图宫扇

清中期

通柄长57.5厘米　扇面长33.6厘米

扇面为腰圆芭蕉形，上微卷如潮州式。扇边包镶玳瑁框，嵌有骨珠及淡绿色彩绘花蝶纹画珐琅握手把，并系有明黄色丝穗。扇面中心嵌棕竹柄梁，镶有铜镀金点翠錾蝙蝠纹护顶。柄梁的上、中、下部各嵌有雕蟠夔宝相花纹的橙、紫、黄、红四色蜜蜡护托。细润洁白的扇面是用宽不足1毫米、薄如细篦的牙丝编织成蒲纹锦地。其上嵌有染牙阳文浅浮雕玉兰、牡丹等花卉及蓝甸鸟。扇面纹饰精致细密，孔隙均匀，经纬片拼合得天衣无缝。

这种为皇家御用特制的艺术陈设品，是十八世纪广州工匠为向朝廷进献寿礼而制作，并且由广东地区官员进贡。

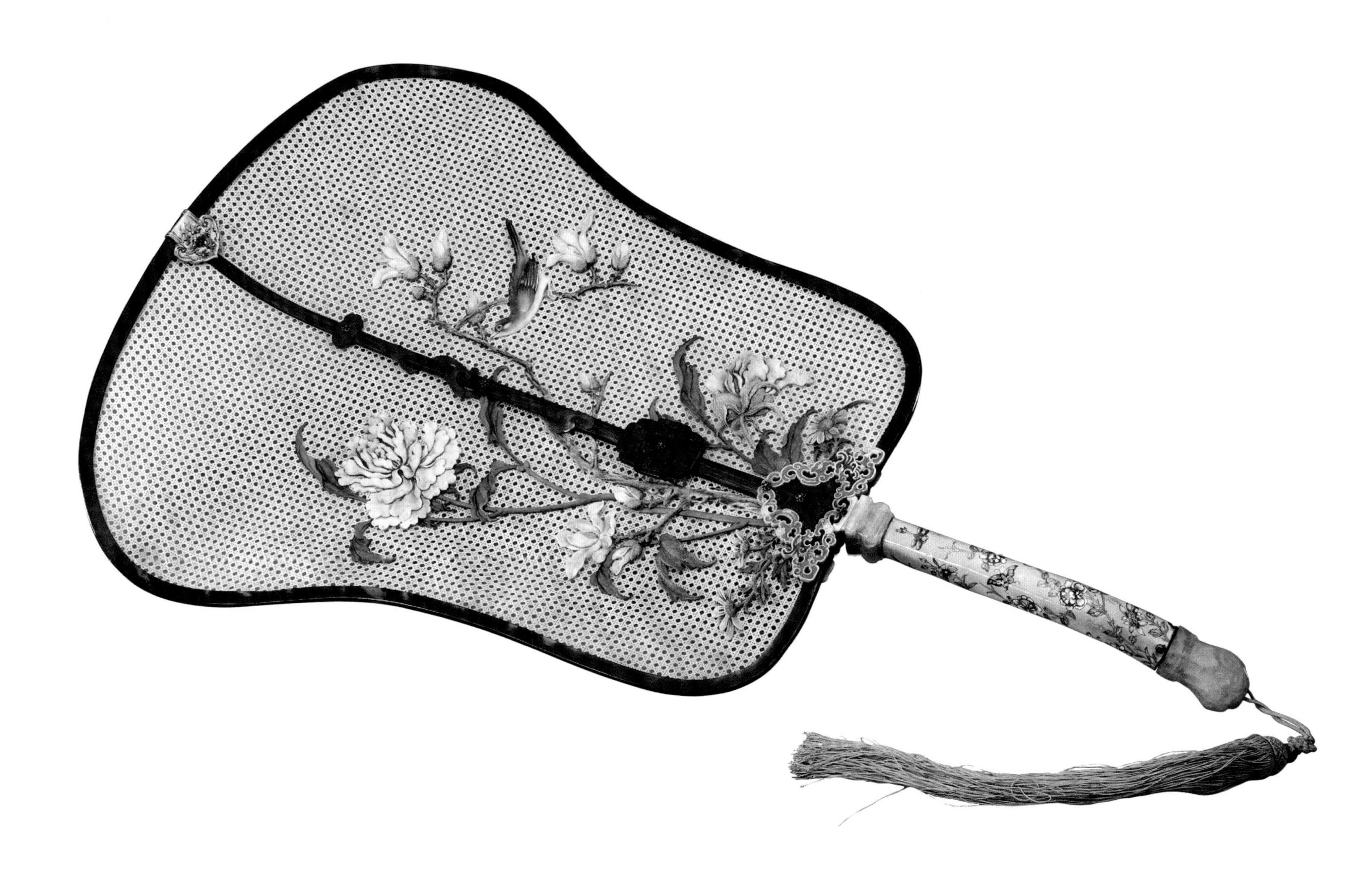

象牙镂雕云雁纹灯罩

清中期

高49厘米　腹径32厘米

灯罩作四瓣筒形，通体应用镂空、拼接、染色等技法。以牙条为框，框内罩壁通透，细薄如纱，每面纱壁上又镶嵌十六朵彩色祥云和四只飞雁。上下部为仰覆莲瓣纹，莲瓣边沿为实心，瓣内同样为细密镂空而成。灯罩下配有黄色画珐琅勾莲纹托、璎珞及紫檀木雕云纹四足座，将器物衬托得更为雍容华贵，富丽堂皇。

此器工艺极为繁复，尤其是镂空部分，既要保证旋削牙片轻薄，还要进行软化处理，并使用钻孔梭锯进行细致锼镂，每一步都需精益求精，才能达到如此效果。这也是广东地区牙雕工艺中又一富于代表性的品种。

象牙雕月曼清游册（十二册）

清乾隆

纵39.1厘米　横32.9厘米　厚3.2厘米/每册

图册均为对开册页式。每册展开一面为染牙雕刻，配以各种彩石，青、白玉，红、蓝宝石及玛瑙、玳瑁、珊瑚等，表现宫中仕女从正月至十二月的生活娱乐场景，外嵌玻璃保护；另一面于深蓝地色上镶嵌螺钿正、草、隶、篆各体乾隆帝御题诗句。十二个月景题分别是："寒夜寻梅""闲庭对弈""杨柳秋千""韶华斗丽""水阁梳妆""荷塘采莲""桐荫乞巧""琼台赏月""重阳观菊""围炉博古""文阁刺绣""踏雪寻诗"。

这件作品是根据宫廷画家陈枚的《十二月美人图》画稿，由造办处广东和江南地区的优秀牙雕匠人陈祖章、肖汉振、陈观泉、顾彭年、常存等，遵照乾隆帝的要求，于乾隆四至六年（1739~1741年）合力制作而成。原名《百美图》，也曾题名《上园长春册》，后来定名《月曼清游》。相对陈枚画稿有很大改动，融合了地方牙雕的优长之处，达到了精工典雅尤胜原画的地步，是清代宫廷风格象牙雕刻工艺的代表作。

臙脂勻綴小桃枝別苑
春和二月時鏡戶團圞
清晝永楸枰斜倚共敲
棋竹籬石逕罨窗紗逗
漏春光日正賒恬底阿
香移步晚爲拈紅綠誤
烹茶
御題

清明時節杏花天岸柳
輕垂漠漠烟寂是春閨
識風景翠翹紅袖蹴秋
千曲池風靜鏡澄波絲
柳青輸兩鬢螺未許人
間輕比似壺中游戲半
仙娥 御題

日日韶華鬭麗新鼠姑
獨殿一園春蛾眉倚檻
相看處寂妒沉香亭畔
人天香國色兩相爭轉
覺詩人費品評氣韻風
標都不讓只饒無語一
般情 御題

石欄澈以透冰紗徙倚
中宵玩月華環珮風清
涼夜永水晶宮裡綠華
家峭寒乜切薄羅裳雲
外風飄桂子香指點秋
光合意變愈空月色正
蒼蒼
涵題

浹秋黃葉看霜添砌畔
寒花映綺簾何必東籬
誇勝賞風情都付女陶
潛迴廊楓柏染新丹幾
許秋光結伴看莫道綺
羅人怯弱冰肌原不畏
輕寒
御題

深閨寂靜重帷暖彝鼎
縱橫白璧雙淡遣閒情
寒不到小陽春日度明
窗何處行來洛浦仙衣
裳如霧鬢如烟瑤池玉
簡群尋捨不數米家書
畫船
御題

象牙镂雕群仙祝寿图砚屏

清中期

长10.4厘米　宽2.4厘米　高13.2厘米

插屏分屏与座两部分。屏长方形，两面雕镂群仙祝寿图景。祥云缭绕，波浪翻滚，楼阁高矗，松柏参天，众仙人或站立云端，或乘槎浮海，三五成组，神态各异。屏座以四双头兽为底足，两侧插牌柱浮雕缠枝万寿菊，站牙镂雕夔纹，顶端圆雕小狮。

此屏屏心图案繁缛，构图复杂，人物众多，工艺精密，近乎微雕，依《活计档》推测，可能为乾隆三十八年（1773年）如意馆牙匠所制。

象牙雕婴戏三羊图红木座插屏

清中期

长33.8厘米　宽46.6厘米　高60.1厘米

插屏屏心以象牙为主要材料，镶嵌婴戏三羊图，庭院中有松、竹、梅、石，曲栏前一童骑羊，一童掌扇与一羊随行，又一童驱策一羊前行，寓意“三阳开泰”。屏背面洒金黄绢地有行楷书五言诗一首：

雨洗高秋净，天临大野闲。
葱茏清万象，缭绕出层山。
日落千峰上，云销万壑间。
绿萝霜后翠，红叶雨来殷。
散彩辉吴甸，分形压楚关。
欲寻霄汉路，翘首愿登攀。

署“朱延龄秋山极天净诗”款。屏座及边框为红木制，绦环板、牙板雕如意云纹及夔龙纹。

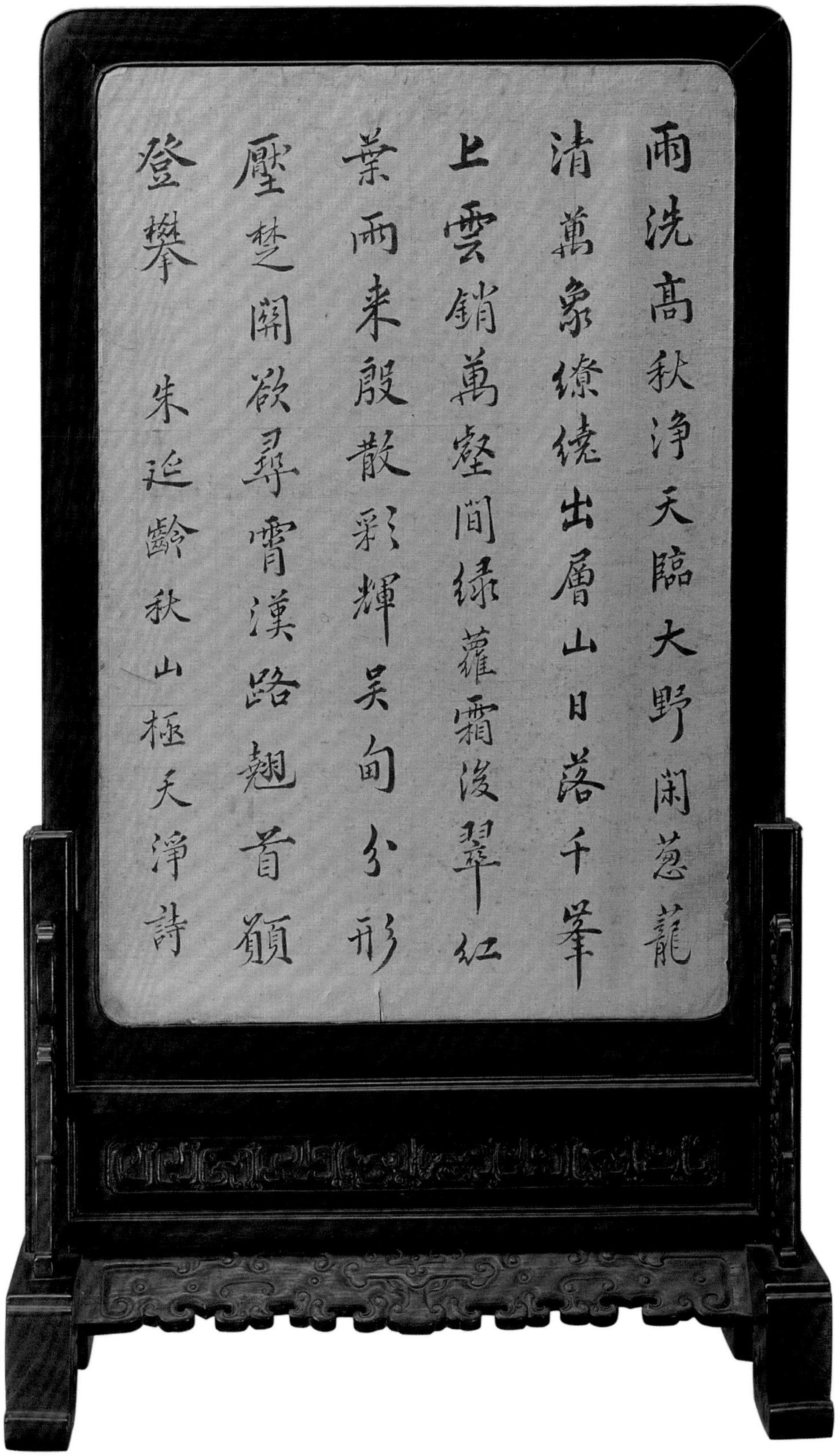

雨洗高秋淨天臨大野闊蔥蘢
清萬象繚繞出層山日落千峯
上雲銷萬壑間綠蘿霜後翠紅
葉雨来殷散彩輝吴甸分形
壓楚關欲尋霄漢路翹首顧
登攀

朱廷齡秋山極天淨詩

象牙雕花篮图紫檀座插屏

清中期

长116厘米　宽63厘米　高236厘米

插屏象牙雕成，屏心为金漆地，正中嵌染牙花篮，篮内雕百花齐放，有牡丹、桃花、莲花、菊花、天竹、玉兰等花卉，寓意祥瑞。边座与屏帽紫檀木制。屏帽、绦环板与披水牙雕云纹，帽上嵌黄、蓝、粉色珐琅制云龙纹各一，披水牙嵌珐琅制海水江崖纹与之相呼应。站牙、座墩分别雕松竹纹与回纹。

此屏采用镶嵌、浮雕等技法，刀法圆熟细腻，花色鲜艳绚丽。此插屏为清宫陈设器，常于堂中两侧各置一座，成双使用。

象牙雕仙山祝寿图红木座水法插屏

清中期

长60厘米　宽48厘米　高114厘米

插屏屏心内镶嵌染牙并点翠，图中鸾凤在天空中飞翔，祥云缭绕的山间殿堂掩映，楼阁耸立，翠竹花树遍布，殿堂里、山路上老者、小童或手持如意，或手捧蟠桃，或持灵芝和如意宝瓶而来，一派祝寿场面。屏心在下部有水法装置。屏风边框为红木制，委角，正面边框起阳线，在槽内镶嵌黄杨木雕的团寿及云蝠纹。

象牙雕五百罗汉图紫檀座插屏

清中期

长125厘米　宽33厘米　高115厘米

插屏屏心以鸡翅木雕群山，山腰间以象牙雕高台、树木、瀑布及河流。在山上、山下、树丛中、平台上镶嵌五百罗汉各执法器，或交谈，或观望。屏心正中上部有乾隆帝御题《罗汉赞》一首：

指出乾闼，手扶禅杖。

塔或倚肩，瓶或擎掌。

或佩法轮，或持拂子。

如意如谁，数珠数此。

虎驯若狸，以手抚之。

全身威猛，满志慈悲。

屏心另一面雕“半壁出海日”。边座、站牙、绦环板、披水牙均为紫檀木浮雕夔龙纹。

此屏是依据宋代画家陈居中的画稿而制。

御
製羅漢贊
指出乾闥手
扶禪杖塔或
倚肩缾或擎
掌或佩法輪
或持拂子如
意如誰數珠
數比肅馴若
貍以手撫之
全身威猛滿
志慈悲

象牙雕柏树灵芝纹玳瑁包镶边框挂屏（一对）

清中期

高64.5厘米　宽47厘米

挂屏屏心为象牙丝编织蒲纹地，上嵌染牙雕柏树、洞石、小草、灵芝和梅花鹿，牝鹿口衔灵芝昂首奔来，牡鹿回首顾盼，寓意“柏鹿同春”。边框用玳瑁包镶。

此屏与《松鹤图》挂屏为一对。

象牙雕仙人天然木槎景

清中期

通高39.5厘米　最宽54厘米

保留木根天然形式，略为删汰冗枝，成一舟状，尾部蜿蜒上举，回溯至槎身。其表缠绕铜镀金丝制藤萝，垂玉石葫芦及烧蓝装饰叶片。槎身正中端坐一染色象牙雕刻老者，长髯及胸，一手抚膝，一手执画卷，容色安详。其身前后置铜镀金四出葵瓣式錾胎珐琅盆、掐丝珐琅圆盘及錾胎珐琅六方瓶各一，并分别栽植玉石、象牙、碧玺等制成的桃、菊等花果，形制不同，错落有致。槎下以彩绘泥塑波浪为托，逼真而富装饰性。波浪内均匀地留出孔洞，插入象牙雕刻的莲花、莲叶、莲蓬，细巧可爱。

仙槎的灵感来自神话传说。晋张华《博物志》曾载，某人乘槎泛海漂去，竟遇到了牛郎织女。后世又将故事的主角附会为张骞，谓其乘槎以寻黄河之源。目前已知最早以仙槎为工艺题材的是著名元代冶银工匠朱碧山，他所制银槎流传至今。明清时期，仙槎被纳入吉祥图案体系，与八仙过海等相似，都被赋予祝寿的寓意，深受皇室的喜爱，也是宫廷工艺中比较常见的题材。

此作结构匀称，色彩丰富，技巧繁难，材质多样，且应用合理，无疑是同类制品中突出的代表。

象牙雕群仙祝寿龙舟

清晚期

长91.5厘米　宽23.5厘米　高58厘米

龙舟以象牙所制零件拼接组装而成。舟上置三层台阁，前有门楼，四角垂风铃。两侧为八柱拱门，上有团寿字檐，花牙为葡萄纹，每一拱内设一摇桨童子。台上层立龙凤旗及伞、盖，中层有仙人及奇花异草。楼阁均饰以勾莲、花卉、瓜果等镂空纹饰，纤细华丽，令人目眩。

此器为清宫内务府大臣于慈禧六旬寿诞时所进献的寿礼。其镂雕、染色、拼镶等技术带有鲜明的广东牙雕风格，是晚清时期一件罕见的集大成之作。

象牙雕群仙祝寿塔

清晚期

长98厘米　宽54厘米　高102厘米

塔前部福、禄、寿三星立于盘龙柱牌坊下，群仙环侍在金水桥四周。中部有重檐歇山顶殿堂，饰双龙摩尼宝珠屋脊，檐下悬宫灯，殿内西王母端坐。殿后金树镶珠嵌宝，六角宝塔共十三层，每层栏杆雕飞龙走兽、福寿宝相花纹，仙人穿行其间。檐角悬铃，顶上嵌蜜蜡葫芦形塔刹。灵岩合拢于其后，阶梯蜿蜒曲折，直通山顶。山间亭阁错落，松柏、藤萝、灵芝丛生。

此作以象牙为主，又应用了多种珍贵材料，综合了镂雕、圆雕、拼镶、染色等多种技法，穷极工巧，华美富丽，是地方官员在慈禧太后寿辰时进呈的礼品，带有广东牙雕的特色。

雕百花图象牙

清晚期

通长69.9厘米　最大口径8.3厘米

这件以“百花不露地”形式雕成的整象牙，通体刻有牡丹、芍药、秋菊、玉兰等花卉纹，以寓“富贵长寿”之意。在口沿之下，有一小段留白作为口饰，口饰中刻有两道阳文弦纹，弦纹内刻暗八仙纹饰。留白中刻有阳文楷书“粤东同盛号制”，为商业作坊的名号。

此件作品构图规整，所刻纹饰精密，华丽优美，加上整只象牙本身完美的外形及洁白细腻的质地，更显玲珑剔透，雍容华丽，是清代晚期广州象牙雕刻中的佳作之一。

粤東同

象牙雕云龙花鸟纹镜奁

清晚期

长29.5厘米　宽22.2厘米　高19.8厘米

镜奁为宫中后妃专用的梳妆用具，共两层。上层为盒式，盖分为两部分，中有合页相连，内安装牙框玻璃镜，盖掀起并折叠后，镜恰好抵住盒边，十分巧妙。下层为双门柜，柜内分两层，装有三个抽屉，均可抽拉。屉上镶银镀金錾双桃、双鱼纹锁扣。盖顶面雕刻五龙戏珠纹，奁壁以菊纹锦地为边框，分别饰松鹤、梅菊、丹凤、牡丹、葫芦、佛手等花鸟果实图纹，寓“九重春色、地久天长”之意。两侧装有银镀金把手。

此镜奁设计新颖，图案细密，以奇、巧、精的手法，给人以“镂金错彩，雕缋满眼”的美感。雕刻、拼镶等技术应用合理，纹饰边缘锋棱毕露，具有广东牙雕工艺的特色，为研究该地牙雕发展提供了又一重要的资料。

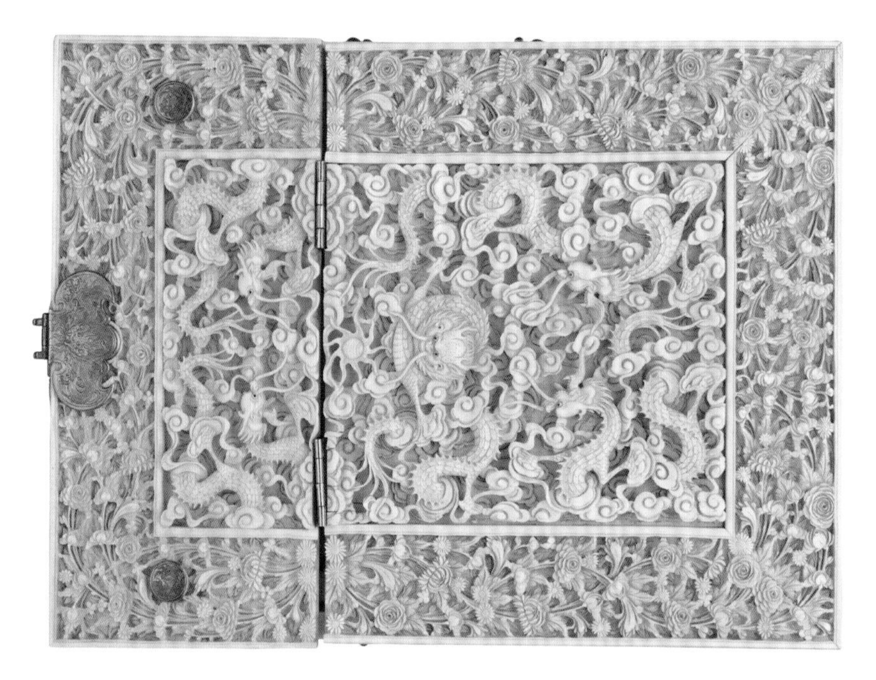

象牙雕渔家乐图鼻烟壶

清晚期

通高9.5厘米　腹径5.1厘米

鼻烟壶圆瓶式，撇口，细颈，圈足。壶体减地高浮雕并镂雕通景渔家乐纹饰，表现渔人捕鱼及日常生活的场景，似长卷徐徐展开，一派祥和景象。壶颈部及足外墙阴刻回纹，肩部及近足处均雕云纹为饰。配雕花圆盖，连染牙小匙。

此壶满雕纹饰，层次分明，带有广东牙雕的特点，造型、题材等均甚别致，是清宫所藏鼻烟壶中比较少见的品种。

象牙雕花骨纱绣云龙戏珠纹折扇

清晚期

骨长22.1厘米　扇面高11.8厘米

扇骨象牙制，共二十支。外骨浮雕云龙纹，并以黑漆点睛，纹饰阳起较高，锋棱明显。内骨极薄细，下部锼镂规律的几何纹饰。扇面纱质，绣云龙戏珠纹。纱面通透的效果，正与内骨相得益彰。扇骨雕刻有鲜明的广东牙雕工艺的特点。扇轴部附铜活，上系丝穗。配黑漆描金长方盒。

象牙刻无量寿佛小插屏

清晚期

高10.3厘米　屏径4.9厘米　屏厚0.6厘米

插屏分上下两部分，上部屏为圆形片状，阴刻填墨色图文，溪岸边古松斜立，挂满藤萝，一罗汉倚靠松干，背光莹澈，颌枕手臂，神态悠闲，似聆听松涛溪流之声。右上方空白处阴刻《御制无量寿佛赞》，文末署“于啸轩”款识。屏托镂雕染红流云式，浮雕蝙蝠五只，合之有“五福捧寿”的吉祥寓意。

于啸轩，即于硕（1793-？年），一字啸仙，江苏江都（今扬州）人。工书画，精于雕刻象牙及水磨竹器。他是清晚期平面象牙微刻的代表人物，能于寸许空间内刻千余字，或在三分宽扇骨上刻十二行，行百余字，且字字清晰，波磔宛然，全无败笔。据说，他只需画几行墨线防止欹斜，即可施刻，整个过程纯依手感，不靠目力，简直神乎其技。

象牙雕松鹿图笔筒

清

高11.5厘米　口径6.8厘米

笔筒为圆体，口唇微侈，底部弧凸一周，有三矮足。器壁较薄，器形清秀规整。器表饰山岩间草坡上，十只花鹿悠游于松荫之下。花鹿分作四组，有独立回望者，有结伴同行者，有雌雄相嬉者，有俯身饮水者，姿态各异，构图合理。而尤为特别之处是纹饰的肌理，应是以烙铁烫出，色近焦糖，表层有因高温而产生的细密龟裂纹和轻微剥脱。在纹饰范围之内，又划分出深浅、虚实的不同，如物象边缘、鹿眼部、蹄、脊骨等处都为深色，颇显难能 。

此器工艺罕见，于象牙制品上施烫花装饰，且取得令人满意效果的，在故宫博物院众多藏品中也不多见。

象牙刻八仙柄缂丝花鸟图团扇

清

通长45厘米　扇面最宽31.5厘米

扇作上广下狭的芭蕉式，中于桃红地上缂织折枝牡丹、梅花、绶带鸟。铺排全依画理，花枝偃仰有致，小鸟尤其生动。

值得注意的是，物象形体边缘为缂出，其内则为添笔彩绘。这样既降低了工艺难度，又使局部更为精致和写实，反映出清代缂丝的新风格。扇幅正背花纹相同，清晰平整，也是使用了新兴透缂技术的结果。扇面下部配四出柿蒂形护托，一面饰缂丝加绘宝相花纹，一面刺绣卷草纹，均甚分明。扇面整体以红、蓝二色为主调，牡丹及梅花都分别用两种丝线滚边，配色较和谐。扇柄牙制，嵌犀角顶头，柄身阴刻填漆八仙纹，黑白分明，写形传神。

象牙雕草虫白菜

近代

长26.5厘米

此作为一节整象牙雕刻而成。一株白菜上伏着蝈蝈、螳螂、蚂蚱、瓢虫、蜗牛、天牛、蝇等昆虫，似正欲一快朵颐。一枝牵牛花伴菜而生，娇艳美丽。

此作雕刻极为精致细腻，如蝈蝈之触须细如发丝，却显得劲挺柔韧，如蕴生机，加之色彩渲染适当，使草虫白菜等无不逼真传神，极富田园情趣。草虫白菜是晚清民国时期北京地区牙雕工匠最擅长的品种之一，此作就是其中优秀的代表。

角

刘岳

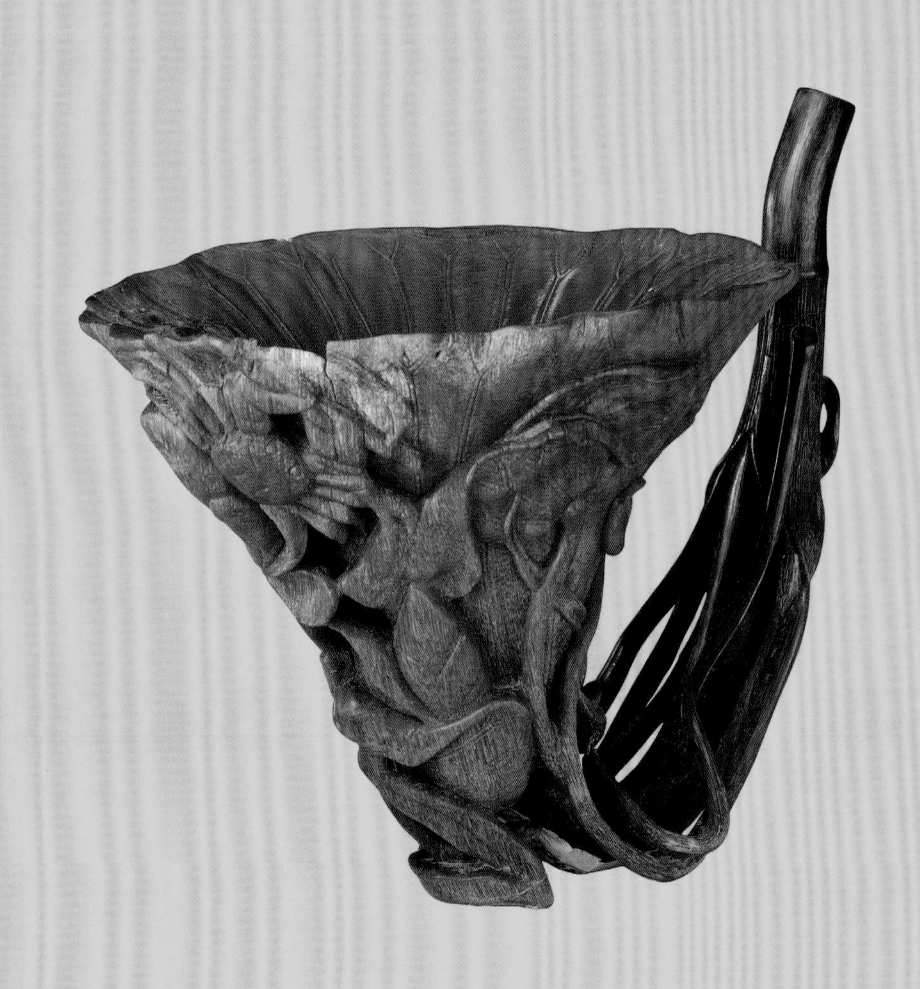

犀牛是一种珍稀的哺乳动物，利用犀牛的角进行雕刻是中国传统工艺中的一朵奇葩。然而，受原料限制，其早期实物流传极少，文献记载也十分零散。到明清时期情况有所改观，虽然传世器物的数量仍不能与其他工艺品类相比，但精品颇多，自成一格，值得我们重视与探讨。

一、犀角的质地与特性

犀牛在历史时期共有五个亚种生存，其中亚洲犀三种：印度犀（Rhinoceros unicornis）、爪哇犀（Rhinoceros sondaicus）和苏门答腊犀（Didermocerus sumatrensis）；非洲犀两种：黑犀（Diceros bicornis）和白犀（Diceros simus）。两种非洲犀都生双角；三种亚洲犀中，苏门答腊犀亦为双角，印度犀、爪哇犀为独角。

犀角生长于犀牛头盖骨的结节上，从外部形态而言，即与牛、羊、鹿角等有根本区别：犀角是无角柱而终身不脱换的角质纤维角；牛、羊角是由骨质角柱和包裹角柱之角鞘构成的空角；鹿角则是在生殖季节前脱换，由角柱和外包毛茸之皮肤构成的实角。就成分而言，犀角源于真皮层的角质化，主要包含角蛋白（Keratin）、胆固醇、磷酸钙、碳酸钙等，还含有其他蛋白质、肽类、游离氨基酸、胍衍生物（Guanidine derivatives）、甾醇类等[1]，成分更近于毛发，故有人形象地称之为“头发的凝集”。而最近的研究表明：集合成犀角的纤维没有毛囊，将其看作纵向的角朊纤维的固体集合体，可能更为准确。也正因此，它才能在纵向呈现出与发丝或竹丝相似的丝状纹理，而在基底或横断面则呈现排列均匀，如毛囊或气泡[2]的独特颗粒状细纹，古人称“粟纹”。应该说，材质本身的独特性是犀角雕刻能从各种骨角雕刻中脱颖而出的重要因素之一。[3]

二、犀牛在我国的分布变迁及犀角的来源

在今天，犀牛只分布在地处热带的非洲中、南部以及亚洲南部的印度、爪哇、苏门答腊等地。而在战国秦汉以前，中国境内也有犀牛生存，而且数量还颇为可观。我们从浙江余姚河姆渡、河南淅川下王岗等新石器时代遗址中都发现了犀骨[4]，而安阳殷墟发掘出的动物遗骨中也鉴定出犀牛的骨骼[5]，这表明犀牛分布很广，即令人口稠密的中原地区也不乏其活动的痕迹。这一点还可从流传至今的造型艺术品中找到旁证。如商晚期的小臣艅尊，整体为一苏门犀造型；而四祀邲其卣的耳部，也塑造成双角犀首状[6]，都十分写实，足见制作者对犀牛形象了然于胸。至于南方各地，在先秦文献中更是成为犀的主要产地。《尔雅・释地》谓：“南方之美者，有梁山之犀、象焉。”《墨子・公输》：“荆有云梦，犀、兕、麋、鹿满之。”《国语・楚语》：“巴浦之犀、犛、兕、象，其可尽乎？”

秦汉以后，犀牛在北方已不多见，关中地区至迟在西汉晚期已经绝迹。唐代华南仍产犀牛，《新唐书・地理志》中还列举澧、朗等十三个州土贡犀角。到了宋代，其分布范围向南退缩得很快，而且能保证贡赋数量的地点，急剧下降到只有一两个地区。明清时期其生存状况恶化更甚，虽然有调查显示到20世纪初，两广、云南等地还有零星发现犀牛的记录[7]，但其灭绝的大势却无可挽回了。

关于历代土贡犀角的情况，详参下表。[8]

犀角土贡地表

朝代	犀或犀角土贡（或土产）地		今日行政区划	贡进类别
唐	山南道	澧州（澧阳郡）	治所在澧阳（今湖南澧县东南）。	土贡犀角
		朗州（武陵郡）	治所在武陵（今湖南常德）。	土贡犀角
	陇右道	鄯州（西平郡）	治所在今青海乐都。	土贡牸犀角
	江南道	道州（江华郡）	治所在弘道（今湖南道县西）。	土贡犀角
		邵州（邵阳郡）	治所在邵阳（今湖南邵阳）。	土贡犀角
		黔州（黔中郡）	治所在彭水（今四川彭水）。	土贡犀角
		辰州（卢溪郡）	治所在沅陵（今湖南沅陵）。	土贡（《太平寰宇记》作土产）犀角
		锦州（卢阳郡）	治所在卢阳（今湖南麻阳）。	土贡犀角
		施州（清化郡）	治所在清江（今湖北恩施）。	土贡犀角
		叙州（潭阳郡）	治所在龙标（今湖南黔阳）。	土贡犀角
		奖州（龙溪郡）	治所在今湖南新晃侗族自治县。	土贡犀角
		夷州（义泉郡）	治所在绥阳（今贵州凤冈）。	土贡（《太平寰宇记》作土产）犀角
		费州（涪川郡）	治所在涪川（今贵州思南）。	土产犀角
		南州（南川郡）	治所在南川（今四川綦江县）。	土产犀角
		溪州（灵溪郡）	治所在大乡（今湖南龙山县东）。	土贡犀角
	岭南道		治所在今广州，辖五岭以南地区。	贡犀
	岭南道	驩州（日南郡）	治所在今越南义安省荣市。	土贡犀角
宋	荆湖南路	常德府 衡州（衡阳郡）	治所在衡阳（今湖南衡阳）。	土贡犀
		宝庆府	治所在今湖南邵阳。	土贡犀角
	广南东、西路		约辖今广东、广西两省。	产犀
明	播州宣慰司	废绥阳县	治所在今贵州绥阳。	土贡犀角
	梧州府	郁林州	治所在今广西玉林。	土贡犀

清	重庆府		犀当分布于辖境内东南綦江、南川二县。	土贡犀角
	酉阳州		辖今四川酉阳、彭水、修水、黔江等县。	土贡犀角
	石阡府		辖今贵州石阡、凤冈二县。	土贡犀角
	遵义府	（绥阳县）	治所在遵义县（今贵州遵义）。	土贡犀角（《古今图书集成·职方典》卷六三九："犀角绥阳县出。"）
	梧州府	郁林州	治所在今广西玉林，辖今玉林市、博白县等。	有犀（《古今图书集成·职方典》卷四三四）
	廉州府		辖今广西北海、合浦、钦州、灵山、防城诸市县。	山犀间有（《古今图书集成·职方典》卷三六四）

由于对犀牛逐渐生疏，大多数人都不再清楚它的形象。如果说唐代金银器上的犀牛纹饰[9]还去真不远的话，那么明清时期很多书籍中的插图都将犀牛描绘为独角黄牛，就明白地反映了这种隔膜。[10]更有意思的是，康熙时任职钦天监的比利时传教士南怀仁（P.Ferdinandus Verbiest），在根据外国文献编选的《坤舆图说》里提及独角犀牛，却命名为"鼻角兽"，这恐怕是以讹传讹的犀牛形象已深入人心，致使名实割裂，编者只好另立新名。[11]

而这种生疏带来的另一结果是慢慢生出一种神化犀角功能的倾向，比如温峤"燃犀照渚"的故事[12]，反映出犀角辟邪的观念；而从其药用价值又引申出犀角验毒的说法，如谓将其放入有毒液体中，就会像煮沸一样泛起白沫[13]；至于骇鸡犀、却尘犀、辟水犀、光明犀[14]等等，各有神奇之处。这种古代观念世界里带有巫术色彩的神秘看法，虽然在今天看来有些无稽，但对犀角工艺的发展显然起到了促进作用。

随着犀牛在我国逐渐稀少，上述土产各地犀角来源有限，至少从汉代开始，犀角便成为中外贸易重要的进口物品之一，故而有人称广州等处犀角"往往来自蕃舶"。[15]正如《隋书》卷三十一所言："南海、交趾，……多犀象玳瑁珠玑，奇异珍玮，故商贾至者，多取富焉。"这些贸易来的犀角大多出自东南亚产犀地区，不过，通过阿拉伯商人的中介，更有些远航东非海岸的中国商船，将非洲犀角也运往了东方。[16]而正是在新航路开辟以后，沿线地区所产犀角源源输入中国，才孕育出十六至十八世纪犀角雕刻的繁荣时代。[17]

三、犀雕工艺历史简述

犀牛与工艺制造相联系，起初可能并非因为角，而是因为其厚而坚固的皮。它被用作甲胄的重要材料，《楚辞·国殇》里"操吴戈兮披犀甲"的诗句，就是明证。成书于战国时期的《考工记》所载"百工"中，有专门制甲的"函人"："函人为甲，犀甲七属，……寿百年。"[18]

至于犀角工艺之始，限于资料，目前还不清楚。据罗振玉著录，他曾得一件出自殷墟的器物："筒形残器一，空中而无当，上敛下广，但存半筒，不知为何物。雕文至精，验其材，乃犀角也。"[19]但尚不能证实其说。还有学者推论《诗经》中一再出现的"兕觥"本应为犀角所制，山西石楼出土的角形青铜器正是依据其形而来。[20]

唐宋以前的犀角制品不仅实物几乎没有留存，连相关的记载都不算丰富。到了唐宋时期，各种记载逐渐增多，我们可以知道此时的犀角制品以服饰与生活用品为主，品类已粗具规模。服饰用品中主要有犀簪、导、犀带銙、犀梳等；生活用品则有犀箸、犀簟、犀如意、犀笔管等。其中最堪述及的是犀带銙。它是装于革带带鞓上的一种装饰品。唐代装饰带銙的带具已经成为男子常服中必不可少的部分。制作带銙的材料也多珍贵，概而言之，唐重玉带，宋重金带，明代也以用玉为重，不过，犀角一直是制作带銙的重要原料，其规格也很高。[21]《新唐书·车服志》即载："朝贺宴会之服：一品、二品服玉及通犀，三品服花犀、班犀。"

更为重要的是，在日本奈良东大寺正仓院北仓收藏有一条斑犀偃鼠皮御带，著录于天平圣宝八年（756年）"献物帐"，时代下限明确，流传脉络清晰，如非来自中国，也至少受到唐风影响，可见唐代犀带形制之概。另外，该处所藏光素犀角杯，器形完美，也是极为重要的实物材料。而诸如斑犀把刀子、黄金钿装如意、银绘如意、斑犀尺等为数不少的犀角制品，都是罕见的早期作品例证。[22]

检点这一阶段的文献与实物，可知此时比较重视犀角本身的质地、纹理之美，不以显示雕工为目的。即使是复杂如如意，从正仓院藏品来看，也是和其他贵重材料结合起来，突出的依然是犀角本身的花纹。

而当时对犀角质地、纹理的评判标准，首先是要滋润莹澈如"犬鼻"[23]，花纹则以"通天犀"且"备百物之形者最贵"。[24]通天犀曾经晋人葛洪描述，后来越传越玄，又于贯通条纹之外有了各种象形花纹。不过，还有一种说法却较为平易质朴：唐人将斑纹黑黄相间的犀角概称"通天犀"，到宋代又区分出"正透""倒透"等，所谓"透即通"[25]，并进一步细化："正者，世人贵之，其形圆，谓之通天犀。"[26]那什么是"透"呢？它是用来描述犀角内部天然色斑浑然一体效果的专有名词，简单说"正透"就是黑地黄花，"倒透"是黄地黑花。后来又分出一种叫"重透"，是黑中有黄黄中有黑，或黄中有黄黑中有黑。"通天犀"也就是"正透"纹犀角，等级最高[27]，而有重透纹者也是等级较高的，倒透就要低一些，只有散乱斑纹的又差一等，纯黑无花的不值钱，只能车象棋子。[28]若简单说，就是"犀角白而带花者为上，黑为下"。[29]除色斑以外，"粟纹"也是分别优劣的标准之一。[30]它们与斑纹一起构成了另一个专名"云头雨脚"，形容角身色浅丝纹隐现如雨线，而顶端色深朦胧如云团。"云头雨脚分明"是鉴别器物的要素之一。宋人甚至将以上经验总结为一句口诀："云头雨脚要分明，正透尤佳倒透纹。"[31]

这一阶段还出现了第一位留名史籍的犀雕工匠董进，他以犀、玉雕刻并称，曾慧眼鉴别前代遗留的犀角材料。[32]

元代官方营造机构将作院下设温犀玳瑁局，掌成造犀、象等器皿造作；修内司下设犀、象牙局，"掌两都犀、象龙床、卓器、系腰等事"[33]，可见其时犀角雕刻工艺在官手工业中所占重要地位。

而今天所见传世犀角作品大多创作于明清时期，这其间又以从明晚期至清早期的十七世纪前后为犀雕最繁荣的阶段。其产品之主流已从带銙之类转向以杯、盏为主的类形。近人叶恭绰在《遐庵谈艺录》中谈到这种变化时谓："明尚犀杯，几为贵游不可少之物，与宋重犀带同，至清代乃忽不重视，是所传大抵皆明代作也。"又说："清初似尚相当重之，不知何时始变异。"[34]犀杯之兴很可能与中上阶层生活方式演变有关，更与宴饮娱乐的时尚联系紧密。李渔在《闲情偶寄》中指出："酒具……富贵之家，犀则不妨常设，以其在珍宝之列，而无炫耀之形，犹仕宦之不饰观瞻者。……且美酒入犀杯，另是一种香气。……玉能显色，犀能助香，二物之于酒，皆功臣也。"[35]犀杯似乎也不是一般酒具，而是多作为“劝杯”，即酒宴过程中用来劝酒的珍贵材质酒杯，在主客及陪客间传递，每次都需饮干。[36]

更值得注意的还有此时的犀角雕刻不仅像其他工艺门类一样，突出雕琢意匠，而且很多还经过染色，而流行的造型往往掏空器芯，这样一来无论前述虚实两个层面的“通犀”花纹似乎都不能很好的突显，仿佛工匠和消费者们都没有了对于纹理的那种推崇，这是很耐人寻味的一种转变。至于转变是怎样发生的，我们还缺少足够的实物和文献来说明，它可能发生在明代或更早，和精英阶层的仿古、玩古意识的逐渐浓厚有关，犀角制品不仅在器形上吸收古代青铜器的因子，而且在色泽上追求古色古香的沉穆，几乎和以前完全异趣了。

这一时期文献中提到的犀杯形式有葵杯、荷叶杯[37]、规矩杯、乳杯[38]、天鹿杯、芙蓉杯[39]等，有些与实物可为比勘。

当时制作犀角器物的地区主要在苏州、广州[40]、漳州一带。[41]文献中所记载的犀雕匠人也较以前为多。著名的如鲍天成，吴县（今苏州）人，其治犀时人推为吴中绝技之一。[42]尤某，无锡人，有“尤犀杯”之称，精巧为三吴冠，康熙时被征入内苑，[43]乾隆帝以为即有作品传世的尤通。[44]明人高濂在《遵生八笺》里列举：“我明……鲍天成、朱小松、王百户、朱浒崖、袁友竹、朱龙川、方古林辈，皆能雕琢犀、象、香料、紫檀图匣、香盒、扇坠、簪钮之类、种种奇巧，迥迈前人。”[45]可见鲍氏不单善刻犀角，尤某同样兼能制作象牙、玉石文玩，而在《竹人录》里留名的朱鹤、濮仲谦等也都兼能治犀，这些工匠多为一专多能，也使犀雕与其他雕刻工艺，如竹刻、牙雕、玉雕等关系更显紧密。

四、清代宫廷犀角雕刻

关于清代宫廷制作犀角雕刻的材料我们掌握得还很不充分，不过，目前看来其制作数量有限，质量也不如预想中高明，即使是乾隆朝也不例外。或许也只有犀雕这一工艺在此时期没有发展为总其大成的阶段。据道光十五年奕纪等人奉旨清查宫内、圆明园库内分贮物件，并覆核帐册，缮写“清单”，其中“库贮象牙、角器一款”：“印册内存象牙盒、罐、犀角等项六十七款。今查得：宫内存象牙花囊、雕花果盒、雕花各式盒、玳瑁圆盒、盖罐、犀角共三十七款，圆明园存象牙雕各式盒、雕花果盒、玳瑁圆盒、犀角夔龙杯、犀角共三十款，覆与印册相符。”[46]统计的虽然只是两处库储物品，但也未免嫌少了些。这也反映出即使对于皇室而言，犀角也是珍罕之物。

清宫中犀角原料的来源主要依靠南方诸藩属国进贡，虽然据乾隆朝《会典则例》卷九十三，康熙五十五年曾恩准免除安南进献犀角、象牙等物，但事实上暹罗、缅甸、南掌、廓尔克，包括安南等国还是在不断贡进，少则二三支，多则八九支。而乾隆三年（1738年）暹罗一次就进献犀角五十四支。[47]按乾隆朝《会典则例》卷一五九记载，这些贡品主要交由广储司下六库之一皮库保管。

不过，我们从造办处《活计档》的记载看，宫内犀角材料在承作活计时还是时有不敷用的情况，乾隆十五年为做七宝上（镶）犀角碗，将库贮大犀角二件持进呈览，结果乾隆的旨意是：“不准用大犀角，着挑小犀角用。”[48]而同年本拟制作银法瑯座犀角碗，则干脆传旨：“犀角既不足用，做银间镀金的。”[49]而改作器物时旋下的犀角末子五钱，也要交到药房，不能浪费。[50]在乾隆四十六年，曾传旨查核广储司库内共收贮犀角几件，回奏皮库仅有六件，于是再命“明年暹罗国人来如呈进犀角题奏伺候”。[51]犀角原材的数量实际上制约了这项工艺在宫中的发展。

乾隆中晚期以前，在《活计档》中记载的有关犀角的工作，大抵以配座或配锦匣、锦袱等为多，还有少量收拾见新的活计。如乾隆三十九年对犀角碗一件“将足缺处镟去，另起底足，碗里外见新”。[52]还有在现成器物上刻字或加款的情况，如乾隆八年着刻字作将犀角元盒一件带往圆明园，查古画内有“墨林”二字，刻在盒底上。后刻“子京”字样。[53]又如乾隆十九年传旨着如意馆在犀角圆杯盘的杯底照盘底一样刻阳文款；将犀角莲瓣高足杯底上刻“大明宣德年制”阴文字款，刻好后入“乾清宫古次等”。[54]至于二器的制作年代则不得而知。

当时造办处并无制作犀角的专职匠人，甚至连能准确辨别材料的人都缺少。现故宫博物院藏有一件牛角小杯，配小木盒，盒盖内面贴黄色纸签，写楷书：“解毒杯。是犀角杯。乾隆二十一年十二月十一日，钦命西洋人郎士宁、汤执中等认看，云解水中诸毒力大于兽角碗。”[55]国人对犀角已陌生，工匠亦不能外。而负责完成犀角活计的应是如意馆中的好手牙匠，如黄兆曾制乌角雕宋龙小刀鞘[56]；又如广东籍牙匠杨秀在嘉庆二年告假回乡，还需将未完成的“寿同山岳永犀角杯”带在身边。[57]

早期制作犀角活计的记载极少，如乾隆七年曾传旨照犀角匙箸瓶一件之颜色作一香盒，照犀角香盒一件的颜色作一匙箸瓶，推测应以犀角来完成。[58]而乾隆十七年开始至二十二年着匠人通武作“犀角班指八件”，并配“商金银海棠盒”，其中有两件带有“乾隆年制”款识，是这一阶段比较重要的作品。[59]乾隆三十九年为给两件白玉娃娃配犀角座，还曾毁掉了一件犀角杯。[60]

直到乾隆四十六年（1781年），我们才见到有造办处制作的“犀角蓬瀛仙侣觥”，上有“大清乾隆仿古”及“辛丑”纪年御题诗。到了乾隆五十三年（1788年）如意馆为新做得的云龙四喜犀角杯配山水座画纸样[61]；同年如意馆又为新做得的西园雅集犀角杯配座画纸样。[62]后者现藏故宫博物院，有“大清乾隆仿古”款识及“乾隆己酉御题”诗句。按该诗见《清高宗御制诗集》五集卷八十四，颔联下有自注：“《无锡县志》载明尤通以善制犀角饮器得名，内府旧有尔所作乘槎式犀角杯，雕镂精巧，适安南国王阮光平所贡大犀角，即命仿此杯为之。”说明了其制作过程。而在同年犀角云龙杯的御题诗里乾隆帝写道：“命匠敦淳朴，作杯斥巧浮。”[63]表明他对犀角工艺关注虽晚，但强调古雅浑朴的宫廷审美格调，却与玉雕等其他工艺类别一脉相承。在今天看来，乾隆帝的干预只是令宫廷造作披上了一层历史的外衣，转化为更趋精致化的仿古风格，而其内里依然是极度炫示的皇家气派，不过，至少在乾隆帝本人看来，他对自己领导的工艺变革成果还是踌躇满志的。

五、犀角雕刻的作伪与鉴别

由于犀角本身的经济价值极高，故历来不乏赝鼎，其作伪方式主要是在材料上以假充真，或以次充好。揆诸文献，实古已有之。唐代广州某“善理犀者，能补白犀。补时，以铁夹夹定，药水煮而拍之，胶为一体。制梳掌多作禽鱼，随意匠物”。[64]虽然说的不是作伪，但也表明其时利用技术手段提高犀角价值是多么自觉与成熟。而到了宋代，成都双流已有匠人用“牛角造通犀”，不过“刻画太逼真”，反而“易为人所识别”。[65]又有用青藏高原地区出产“龙羊”角为带铐以“乱犀”者。[66]这种以假充真的做法以后越益多见，“雕镂颇有可观”的“犀角杯皿”，其实只是“外夷野牛角所制”[67]，因此才会出现“常见犀角之器，其值尚低于其质之价”的不正常状况。[68]此外，还有把犀角切成薄片包贴在牛、羊角外面，以迷惑人者。而将档次低的犀角进行染色改制更是普遍：如果是“粟纹不圆”、“原透花儿不居中”的材料，可“用汤煮软，攒打端正”[69]；“旧犀角色沉晦者，用蜡炬油同灰少许入水煮，片时遂鲜明有光彩”；“色不黄者，用凤仙捣糜烂同矾少许涂敷一时，温水涤去，色自明黄”。[70]掺假的手段花样繁多，古人为避免轻易入彀，也总结出一些鉴别的方法，比如用手摩擦，因“犀性凉，磨之不热”[71]；观察“底、面花儿大小远近，更于侧畔寻合缝处”[72]等等。大抵从鉴别犀角特性入手，毕竟犀角的色泽、质感、丝纹以及粟纹那种“鸡皮疙瘩”似的细微凹凸感，仿制都不容易，相对而言作伪的成本也为免太高。古人说：“色泽粟纹，自有不可揜者”[73]，还是中鹄之论。

注释：

[1] 犀角之成分参见《辞海》第3册，“犀角”条，页2900，上海辞书出版社，1999年。

[2] (宋)赵汝适撰，杨博文校释：《诸蕃志》：“角之纹如泡。”页208，中华书局，1996年。

[3] 关于犀角的特性，参看霍满棠为《中国犀角雕刻珍赏》所撰前言，香港大业公司，1999年。

[4] 文焕然、何业恒、高耀亭：《中国野生犀牛的灭绝》，收入《中国历史时期植物与动物变迁研究》，重庆出版社，2006年。

[5] 杨钟健、刘东生：《安阳殷墟之哺乳动物群补遗》，载《中国考古学报》，第4册，页145～153，1949年。该文推测殷墟哺乳动物遗存中的犀牛，总数在十只以下。

[6] 二器分别见《中国美术分类全集·青铜器全集》第4册，图134；第3册，图129～130，文物出版社，1998年。

[7] 蓝勇：《历史时期西南野生印度犀分布变迁研究》，收入《古代交通生态研究与实地考察》，四川人民出版社，1999年。关于犀牛在历史时期分布的变迁还可参看注4文焕然等：《中国野生犀牛的灭绝》；王守春：《历史时期野生亚洲象与犀牛地理分布与气候环境变迁若干新认识》，载《历史地理》，第18辑，上海人民出版社，2002年。

[8] 此表据《新唐书·地理志》卷四三、《通典》卷六、《宋史·地理志》卷八八、卷九〇、《太平寰宇记》卷一二一、一二二等书摘抄，并参考《古今图书集成·经济汇典·食货典·贡献部》第一八三～一九二卷、《乾隆府厅州县图志》等资料。

[9] 见齐东方：《唐代金银器研究》图版29～30，卡尔·凯波藏犀牛纹圆形银盘；彩图38，“穆悰”犀牛纹椭方形银盒；图1～245，日本白鹤美术馆藏卧犀纹云头形银盒，中国社会科学出版社，1999年。

[10] 典型者如(明)王圻、王思义编集：《三才图会》、(明)李时珍：《本草纲目》及《古今图书集成·禽虫典》“犀兕部”附图等。

[11] 见南怀仁编：《坤舆图说》，卷下，《丛书集成新编》，第97册，页688，台北新文丰出版公司，1986年。

[12] (南朝宋)刘敬叔撰：《异苑》，卷七，《丛书集成新编》，第82册，页535，台北新文丰出版公司，1986年。

[13] (东晋)葛洪撰，王明校释：《抱朴子内篇校释》，页312，中华书局，1985年。

[14] 俱见(唐)刘恂撰，鲁迅校勘：《岭表录异》，卷中，页23～24，广东人民出版社，1983年。

[15] (宋)张世南撰，张茂鹏点校：《游宦纪闻》，卷一，页12，中华书局，1997年。

[16] 详见沈福伟著：《中国与非洲——中非关系二千年》，中华书局，1990年。

[17] 蔡玫芬：《犀花解作杯——几件17世纪的连座花杯》，载台北《故宫文物月刊》，2005年9月。

[18] 参杨鸿：《中国古兵器论丛》，页3～8，文物出版社，1980年；闻人军：《考工记译注》，页47～49，上海古籍出版社，1993年。

[19] 罗振玉撰述，萧文立编校：《雪堂类稿》甲：《殷虚古器物图录附说》第二图“犀角筒形残器”，页438，辽宁教育出版社，2003年。

[20] 孙机：《中国古文物中所见之犀牛》，载《文物丛谈》，文物出版社，1991年。

[21] 孙机：《中国古代的革带》，收入《中国古舆服论丛》，文物出版社，1993年。

[22] 图见日本正仓院事务所编：《正仓院宝物》，官内厅藏版，日本朝日新闻社，1960～1962年。

[23] (宋)王辟之撰，吕友仁点校：《渑水燕谈录》有“文如茱萸，理润而缀，光采彻莹，甚类犬鼻”等语，页105，中华书局，1981年。又(宋)陆佃：《埤雅》：“犀有四辈，其纹……或如狗鼻者上”，说得更为明确，《丛书集成新编》，第38册，页279～280，台北新文丰出版公司，1986年。

[24] 见前揭《渑水燕谈录》、《游宦纪闻》至明初曹昭《格古要论》等宋明人著作，在这一点上都是统一的。

[25] (宋)程大昌：《演繁露》，卷一，《丛书集成新编》，第11册，页566～567，台北新文丰出版公司，1986年。

[26] (宋)姚宽撰，孔凡礼点校：《西溪丛语》，卷下“辨犀”条，页123，中华书局，1993年。

[27] 《格古要论》也说：“有正透纹者，……古云通犀”，可见元明时其说依然流行。参见(明)曹昭撰，王佐增补：《新增格古要论》，卷六，中国书店影印本，1987年。这显然也更能与实物相对应，市场交易或实际的鉴赏活动或许就是在其指导下进行的，而种种神奇传说则成了停留在纸面上的文学想象。

[28] 见前揭《格古要论》。但前揭《游宦纪闻》引大中祥符年间(1008～1016年)太监李德永所撰《点头文》，称制作腰带的装饰“至贵者，无出于黑犀”。《金史·舆服志》中也有品官服用“乌犀带”的规定，或许也曾流行一时。

[29] (元)周达观撰，夏鼐校注：《真腊风土记校注》，页141，中华书局，1981年。又前揭《诸蕃志》中已经说：“以白多黑少者为上。”

[30] 见前揭《游宦纪闻》：“俱有粟纹，以粗细为贵贱。……更有一眼者，佳也。”按，此处所谓“眼”，就是《格古要论》所称“粟眼”。

[31] (元)佚名编：《居家必用事类全集》，戊集，“宝货辨疑”，其下注明出自“故宋掌公者所著”。《北京图书馆古籍珍本丛刊》缩印明刻本，页215，书目文献出版社，1988年。

[32] (宋)何薳撰，张明华点校：《春渚纪闻》，卷二，页25～26，中华书局，1983年。

[33] 见《元史》，卷八八，百官志四；卷九〇，百官志六，中华书局点校本。

[34] 叶恭绰：《遐庵谈艺录》，“明鲍天成犀角杯”条，页51～52，1961年铅印本。

[35] (清)李渔撰，王连起注释：《闲情偶寄图说》，下册，页257，山东画报出版社，2003年。

[36] (日)中川忠英编著，方克、孙玄龄译：《清俗纪闻》，页406，中华书局，2006年。

[37] 汪道昆：《犀葵杯铭》、《荷叶犀杯铭》，收入(明)汪道昆撰，胡益民、余国庆点校：《太函集》，卷七八，页1651，黄山书社，2004年。

[38] 见(明)方以智撰：《物理小识》，卷八，其子方中通注，器形俟考。《文渊阁四库全书》，第867册，页916，台湾商务印书馆，1986年。

[39] 徐珂编：《清稗类钞》，第1册，“钱谦益贡物”条，中华书局，1986年。

[40] 前揭《物理小识》：“匠作有规矩杯、乳杯，花草、山水，苏作为佳。今广亦仿苏作。”

[41] 崇祯六年(1633年)《海澄县志》载，从海外输入犀角原材后“澄人镂以为杯及为簪、为带”，转引自前揭蔡玫芬文。

[42] (明)张岱撰，马兴荣点校：《陶庵梦忆》，卷一，页20，中华书局，2007年。

[43] 李放编：《中国艺术家徵略》引《酌泉录》，义州李氏铅印本，1911年。

[44] 《咏尤通刻犀角乘槎杯》诗注：“《无锡县志》称尤氏以犀角饮器名，即尤通也。”收入《清高宗御制诗集》，四集卷九八。

[45] (明)高濂撰：《遵生八笺·燕闲清赏笺》，卷十四，页423，书目文献出版社影印万历十九年雅尚斋刻

本，1988年。

[46] 中国第一历史档案馆编：《圆明园》，上，《奕纪等奏遵旨清查官内及圆明园贮物件摺》(道光十五年十一月二十九日)，页516～534，上海古籍出版社，1991年。

[47] 乾隆三年(1738年)十月十九日《呈为琉球国等国进贡物件数目清单》，奏案05～0023～026。

[48] 中国第一历史档案馆、香港中文大学文物馆合编：《清宫内务府造办处档案总汇》，第17册，页289，乾隆十五年五月二十四日“记事录”，人民出版社，2005年。

[49] 同注48，第17册，页431～432，乾隆十五年三月十一日“錾花作”。

[50][52] 同注48，第37册，页646，乾隆三十九年十二月初四日“金玉作”。

[51] 同注48，第44册，页613，乾隆四十六年十月二十五日“记事录”。

[53] 同注48，第11册，页354，乾隆八年二月初二日“刻字作”。

[54] 同注48，第20册，页96，乾隆十九年“匣作”。

[55] 千字文号为：阙九〇五$_4$。实物并非犀角制，且与盒并不严丝合缝，或许并非原配。

[56] 同注48，第21册，页306，乾隆二十年六月十二日“如意馆”。乌角可能并非犀角，但活计性质相近。

[57] 《活计档》乾隆六十二年六月二十一日“如意馆”。

[58] 同注48，第11册，页31，乾隆七年四月十六日“杂活作”。

[59] 详见326页说明。

[60] 同注48，第37册，页388～389，乾隆三十九年十一月二十八日“广木作”。

[61] 同注48，第51册，页8，乾隆五十三年四月初四日“如意馆”。

[62] 同上，页20～21。

[63] 乾隆五十三年(1788年)作《题云龙犀角杯》，收入《清高宗御制诗集》，五集卷三九。

[64] (唐)段公路撰，崔龟图注：《北户录》，卷一，《丛书集成新编》，第91册，页108，台北新文丰出版公司，1986年。

[65][73] 见前揭《游宦纪闻》。

[66] 见(宋)宋祁：《益部方物略记》，《丛书集成新编》第43册，页662，台北新文丰出版公司，1986年。从其描述看，或许是盘羊一类的动物。

[67] (清)谢堃：《金玉琐碎》，卷下，载黄宾虹、邓实编：《美术丛书》，三集第八辑，江苏古籍出版社影印本，第2册，页1834，1997年。

[68] 赵汝珍：《古玩指南》，“犀角器物”条，中国书店点校本，页526，1993年。

[69] 俱见前揭《格古要论》。

[70] (明)宋诩编：《宋氏燕闲部》，卷上，“甲角等器”，《北京图书馆古籍珍本丛刊》缩印明刻本，页62，书目文献出版社，1988年。前揭《物理小识》也有类似说法。

[71] 见前揭《西溪丛语》。

[72] 见前揭《格古要论》。

犀角雕花果纹杯

明

高8厘米　最大口径18.7厘米　最大足径8.9厘米

杯以犀角近根部雕成，口如花瓣式，敛腹，下为镂雕竹枝圈足。杯身以浮雕及镂雕技法表现桃花、桃实、玉兰、竹叶、灵芝等，并浅刻叶脉、花筋。

此杯雕刻简朴，以留白的杯身作为纹饰的衬托，磨工十分细腻，雕刻物象均为民间喜闻乐见的花果，同时又含有吉祥祝福之意，是一件值得重视的犀角雕刻作品。

依其型疑为非洲犀角雕成。

犀角雕玉兰花形杯

明

高9.5厘米　最大口径16.5厘米　最大足径5.2厘米

杯截取一段犀角雕成玉兰花形，杯口椭圆。外壁高浮雕并镂雕枝叶及花瓣，花、杯身与装饰融为一体，状若花丛中盛放的一朵大花，清雅别致。

杯经染色，追求一种古旧的色泽与肌理效果。注重疏密、繁简的对比，使装饰更富体量感，体现出较高的工艺水准。

此器为孙瀛洲先生捐赠。

犀角雕玉兰花果纹杯

明

高8.1厘米　最大口径16.8厘米　最大足径7.8厘米

杯撇口，形如倒盔。外壁浮雕婀娜开放的玉兰，饱满硕大的荔枝，葡萄剔透晶莹，纹饰布局疏朗，镂雕枝条圈转成环形足。杯口处阴刻的叶片与浮雕的枝干衔接，装饰效果极为独特。

此杯朴厚端庄，细节处又不失精雕细刻，打磨也甚为精心，故而才成就这样一件犀雕精品。

此器为香港收藏家叶义先生捐赠。

犀角雕折枝蜀葵花形杯

明

高39.7厘米　最大口径14.6厘米

杯随形镂雕，作折枝蜀葵式。主枝至腰处分裂为二，于杯口处合抱，又有小枝盘绕其间，穿插转侧，变化多端，花瓣形之杯口随犀角纹路作螺旋式。杯内底挖刻花蕊。为角形所限，枝叶、花苞的弯曲均略作夸张，但总体而言，较为写实。折枝之刀口表现得一丝不苟，镂雕、浮雕、浅刻等技法运用得游刃有余。染色于枝干处稍深，至花叶处趋淡，使其于古雅中见妍媚，是犀角雕刻中的精品。

依其型，似为非洲犀角雕成。

犀角雕花果纹三足杯

明

高16.9厘米　口径14厘米　足距11.4厘米

杯如一朵盛开的大花，三足仿佛三束折枝花果，枝蔓交错，托抱杯体。外壁雕镂荷花、海棠、蜀葵、荔枝等，将其枝叶、花朵的开合、偃仰、向背、叠压、转侧、穿插等关系作悉心组织，尤其是镂雕工艺的熟练运用，无疑拓展了犀角雕刻的表现力，使观者不知不觉间忘记了犀角本来的形状。同时，作者将角尖部一分为三，经软化变形处理令其外撇，形成底足，既满足实用要求，也增添了轮廓线的变化，是最具匠心之处。

据其型及纹理疑为非洲犀角雕成。

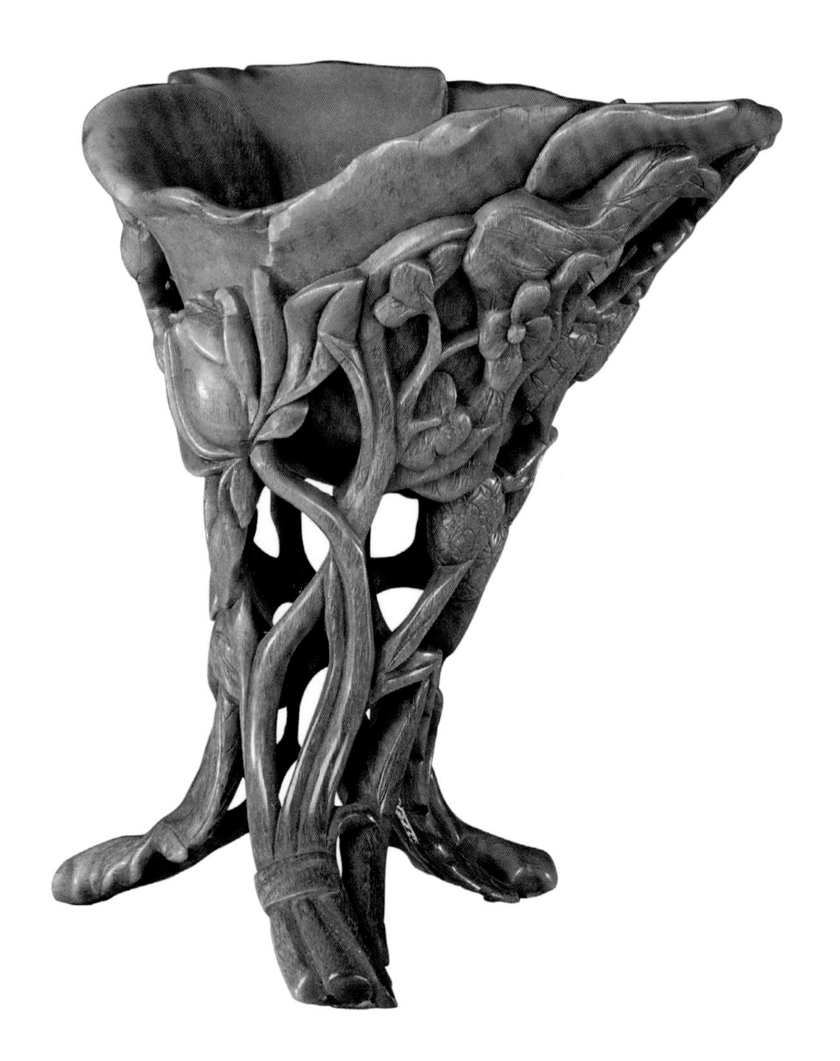

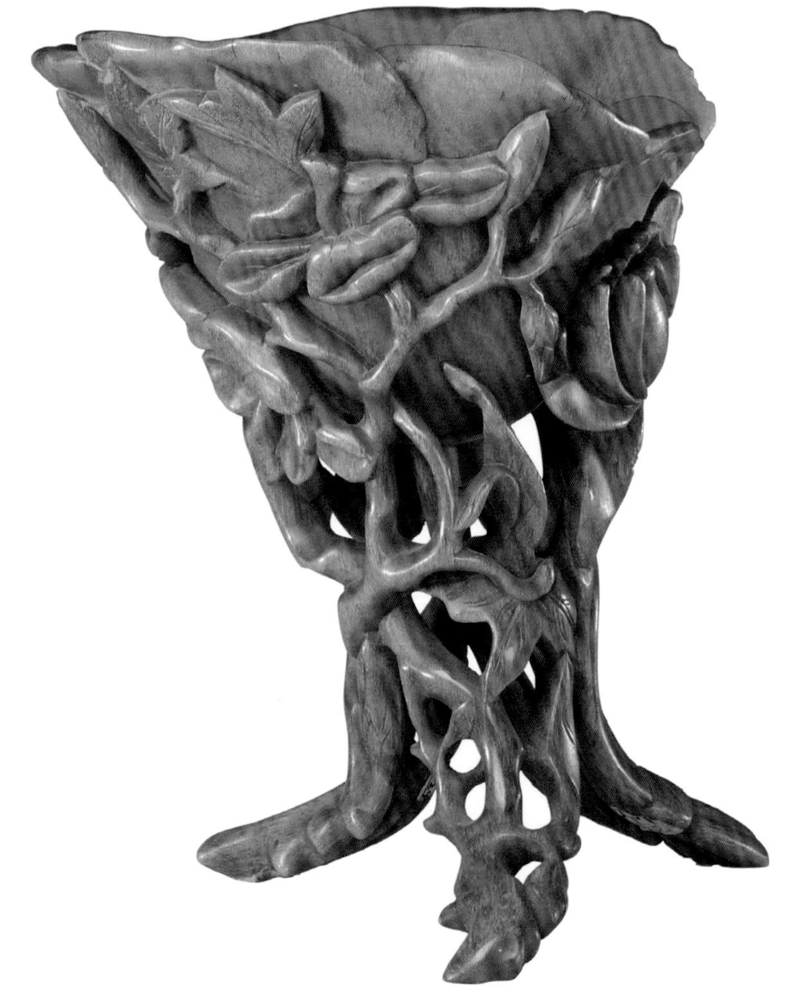

犀角雕葡萄纹杯

明

高8.9厘米　口径17.1厘米　足径4.3厘米

杯以犀角雕成一片卷曲的葡萄叶状。内壁刻叶筋，外壁满雕葡萄及枝叶，果实饱满。杯耳由葡萄藤镂空而成，上攀一螭，探首直入杯内。杯身镂雕葡萄枝叶伸至杯底构成底足。

此器采用阴刻、镂雕等技法，刀法粗犷有力，纹饰简单朴实，构思巧妙，透露出时代的气息。

犀角雕云纹盒

明

高1.8厘米　直径4.4厘米

盒扁体，圆形，有盖，与盒身子母口相合。盖、身外壁各雕刻三朵如意云头纹，模仿漆器工艺中剔犀的技术与装饰特点，线条圆转流利，打磨细腻入微，刀锋泯然无痕，惟妙惟肖。

此盒形制特殊，而又小巧玲珑，或为香盒之用，是犀角雕刻中颇富趣味的作品。

犀角雕折沿碗

明或清

高6.8厘米　口径16.1厘米　底径8.3厘米

器作敞口碗式，稍扁，折沿，方唇，玉璧式底。通体光素无纹，但造型稳重大方，磨工极佳，突现出犀角本身的质地纹理之美。犀角是珍贵材料，得之者往往殚精竭虑，极尽雕镂之能事，而此作不加雕饰，以天然为本，显示出不俗的品味。

底刻剔地阳文“墨林”篆书印章款。“墨林”即项元汴（1525～1590年），字子京，号墨林居士，浙江嘉兴人，明代著名鉴藏家，蓄珍玩书画皆精。

然查造办处《活计档》，乾隆八年二月初二日“刻字作”下有“将犀角元（圆）盒一件代（带）往圆明园，查古画内有‘墨林’二字，刻在盒底上”的记录。到初九日“画得口盒底下‘子京’字样一件持进呈览，旨准刻”。十四日“旨将款作旧”。十八日完成。所记虽非此碗，但伪刻款识却非常接近，故其年代还有待进一步探讨。

犀角雕碗

明

高8.9厘米　口径12.5厘米　底径8厘米

碗直壁式，碗形较高，微撇口，垂腹，平底，器形规整。杯壁光素，极薄，承空视之，几如透明。未经染色，质地温润细腻，丝状天然细纹如悬针，均有微妙差异，实有美不胜收的视觉效果。

依形状、纹理等推测，原料似为非洲犀角。

碗外底阴刻一周拉丁文“COPO. DE. ABADA.”，经查为葡萄牙文“犀牛杯”之意。在目前已知的中国犀角雕刻中，留有西文刻铭者，还是极为罕见的。

在碗外壁口沿下的一周凹弦纹，以及内外底的细密而均匀的工艺痕迹，不似手工而像是使用某种机械镟床的结果。类似的痕迹在其他犀角器物上似乎十分罕见，而在故宫博物院所庋藏的另一件牛角制球形小盒上可见同样的镟痕，其外包装盒上贴有“西洋仙工牛角球”字样。因此笔者推测这件犀角碗或许出自欧洲匠人之手，抑或局部曾经改制，至少是使用了西洋工艺手段。

犀角雕折枝荷叶形杯

明晚期

高15.8厘米　最大口径19.3厘米

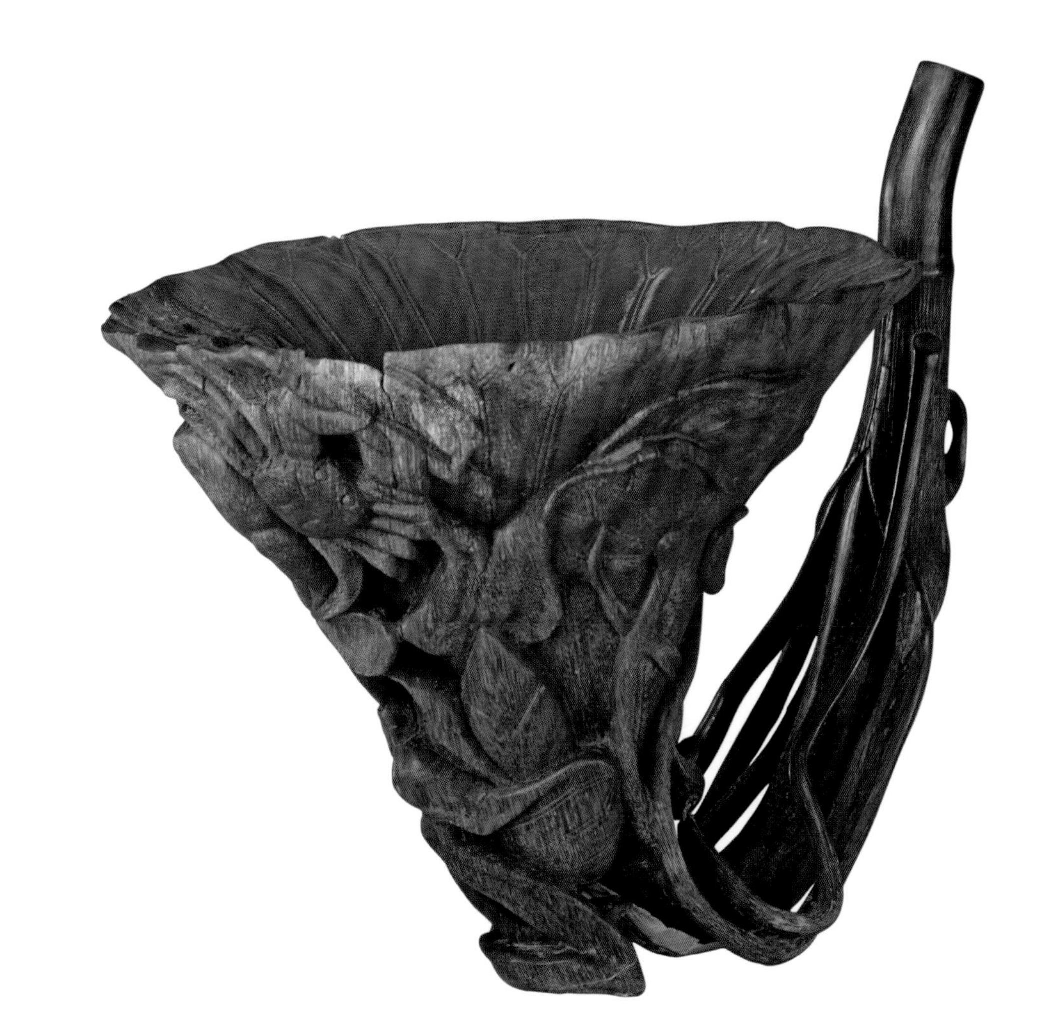

杯以一只整角雕成，有身有流，作“一把莲”式。其高明之处在于身与流并非粘接，而是先取犀角施以雕刻，再经变形处理，弯曲而成。

杯身为一只大荷叶，镂雕数小枝盘环旋绕，衬以莲叶、莲蓬、莲花、花苞及一茎蓼草。近口沿处雕一螃蟹，以螯剪荷茎，憨态可掬，饶有生趣。杯流稍高于杯口且微曲，使作品更显纤秀。其中空一直贯穿至杯身，似乎刚好取代了“通天犀”的那道贯通条纹，这种转变非常耐人寻味。

其造型新颖，意匠或来自所谓“碧筒杯”。据唐人段成式《酉阳杂俎》载，魏郑悫避暑于历城，取荷叶为杯，以簪将叶刺穿，使与叶茎相连，从茎的末端饮酒，因而“酒味杂莲气，香冷胜于水”。“碧筒杯”取诸自然而又富于风韵，体现了文人士大夫的生活品位、审美格调，乃至无处不在的创意灵感和对时尚的引领作用。这种酒具一直闻名于世，直到清代，梁绍壬在《两般秋雨庵随笔》中，还认为各种饮酒方式中“以碧筒为最雅”，也难怪犀角工艺中会出现此形制的器物了。

犀角雕勾莲纹爵式杯

明晚期

高10厘米　最大口径14.1厘米

杯吸收了商周青铜爵的某些因素，曲线流畅，头大身小，敦实可喜。口部流尾俱全，微内收，俯视呈束腰葫芦形，圆腹，三足，花瓣状，足尖外撇。杯两侧口沿下各浮雕一朵莲花，阴刻筋脉、叶片，流、尾下刻阳文如意金钱纹及灵芝纹，寓意吉祥。底部阴刻篆书“永春珍玩”款识。

犀角雕蟠螭纹执壶

明晚期

高13厘米　最大口径15厘米

此器以一只较大犀角截去角尖制成壶身，一较小犀角保留原型制成壶盖，有流有把，构思奇巧，突破了常见的犀角杯形制，有先声夺人之妙。壶身用极浅的阳文浮雕配合阴刻技法，模仿商周青铜器的装饰，雕刻出主体双层纹样：雷纹地上以简化扉棱为鼻左右对称的兽面，相向夔纹则似为眉部；其上一周又饰以夔龙、夔凤，其下一周饰蕉叶纹。盖上纹饰相近，亦饰蕉叶与夔纹。在壶的流及把上，还分别镂雕螭纹，蜿蜒攀爬，姿态生动。壶底刻减地阳文“鲍天成制”篆书印章。

这一时期的工艺思潮既强调仿古，又追求新奇，因此很多情况下古代器物的造型与装饰只是作为资源被引用，却并没有得到亦步亦趋地遵守，体现出的往往是古雅和时髦相互融合后的时代风貌。从这件小壶上，我们就能窥见一斑。

鲍天成，吴县（今苏州）人，擅制犀角，时人认为是吴中绝技之一，又能雕刻象牙、紫檀及各种香料等，做成图匣、香盒、扇坠、簪纽之类，种种奇巧，迈越前人，其作品传世绝少。

此器为香港收藏家叶义先生捐赠。

犀角雕双连杯

明晚期

高13.2厘米　最大口径15厘米　最大足径10.4厘米

杯作双连式，单体皆为八棱形，斜直壁，高足。口沿浮雕夔凤纹，双杯之间镂雕一怪鸟与一异兽，身体穿过空隙。鸟兽面有耳，双翅伸展如云，尾羽修长，卷曲于杯体另一侧。异兽被踏于其爪下，头生双角，颈长而弯，前足力撑，身体旋转一周后出现在另一侧。造型独特，装饰诡奇，染色沉暗，古色古香。

明清时期一般把这种器物称为“合卺杯”，而其上装饰的鸟兽则被看作鹰与熊的变体，可以谐音为“英雄”，因此这种双连杯又往往俗称“英雄合卺杯”。所谓合卺，是古代婚礼中的一种仪式，双杯连体，有永不分离之意。当然，这种器物在此时只是仿古作品，并非实用器具，其原型数见于战国时楚文化及深受楚文化影响的汉代墓葬中，而楚地风俗尊凤贱虎，所以怪鸟当是凤鸟，异兽应即为虎，似乎更近于原初状态。这种仿古双联杯似乎较早在玉雕中出现，如明代著名玉匠陆子冈就有类似作品传世，犀角雕刻应是受到玉器工艺的影响，同类器物留存极少，此器是突出代表。

此器为香港收藏家叶义先生捐赠。

犀角雕芙蓉鸳鸯纹杯

明晚期至清早期

高8.3厘米　最大口径12厘米　最大足径4.5厘米

杯形为典型之敞口、敛足、平底式样。外壁浮雕鸳鸯一对，雄鸟立于水边岸上，雌鸟缩颈偎依在旁。刀法精细入微，神态呼之欲出。镂雕芙蓉、湖石作为衬景，构成双耳状，花枝在有限空间内伸展穿插，极富匠意。雕镂纹饰集中于局部，而杯壁上半琢磨出自然的凹凸，如崖岸般；中部浅刻婉转水波纹。其大面积光素则是此类犀杯中所少见的。杯底刻阳文篆书“直生”“尤侃”方圆连珠印各一枚。

此作是目前所见带有“尤侃”款识的犀角杯中艺术水准较高的一件。起伏微妙的水纹、工致严谨的翎毛、意蕴丰满的留白及空间灵活的镂雕，都使之更近于一幅雅洁的花鸟画，极大地提升了它的品位与格调。

此器为香港收藏家叶义先生捐赠。

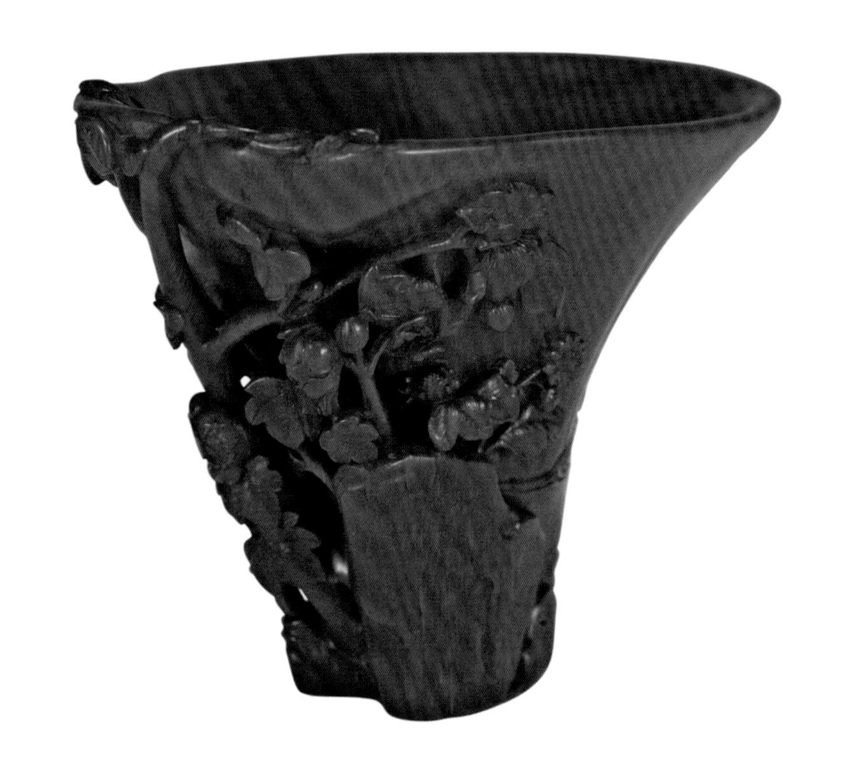

犀角雕芙蓉秋虫纹杯

明晚期至清早期

高9.2厘米　最大口径16厘米　最大足径4.4厘米

杯如合拢之芙蓉叶形，外壁叶脉的阴线与内壁双勾线纹既相呼应又有区别，其放射状形态，有一种非对称的美感，颇有新意。

杯镂雕枝干花蕾如耳式，延伸至下部成底足，恰与杯体构成正、倒、大、小三角形轮廓构图的对比，极具匠心。杯壁又浮雕野菊为衬，一只大腹蝈蝈伏于花叶间，是此类犀杯装饰中不多见的。

杯形灵巧雅致，精致可喜，镂雕工艺运用自如，而杯体不失圆润肥厚的质感，是最能显现犀角制品独特性的作品。

此器为香港收藏家叶义先生捐赠。

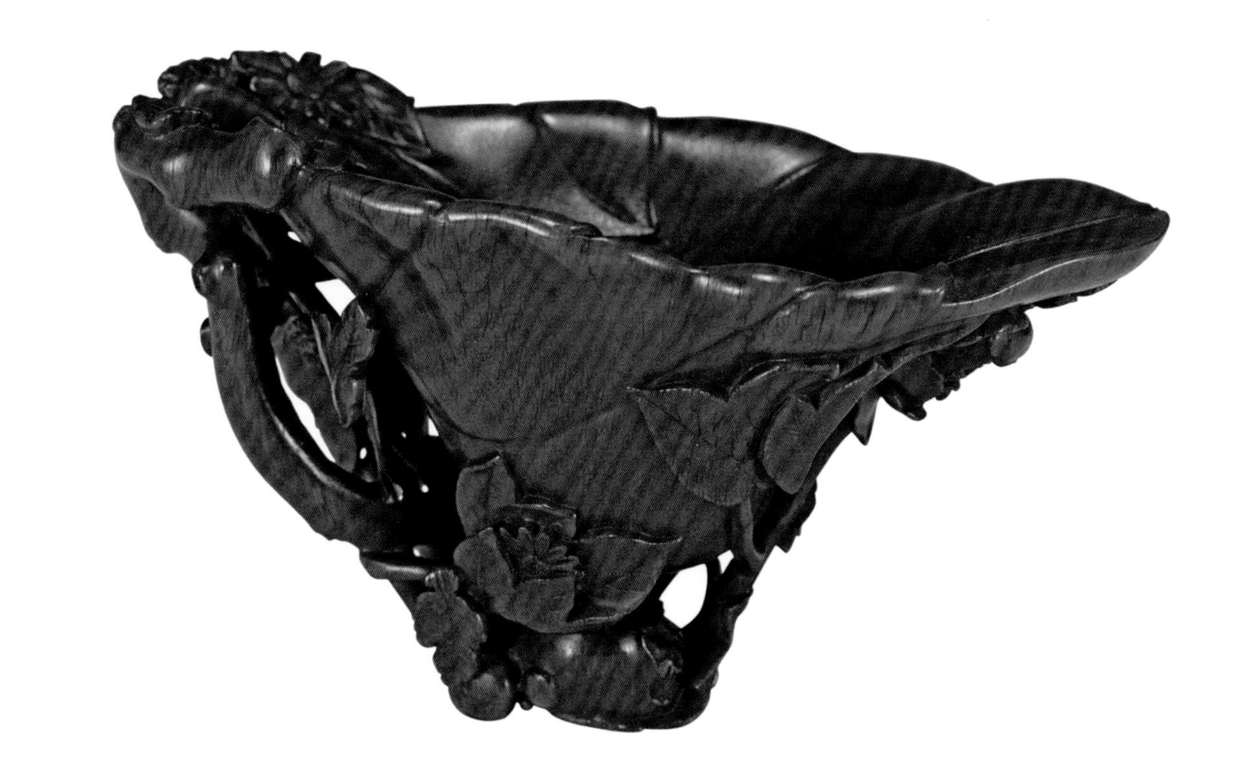

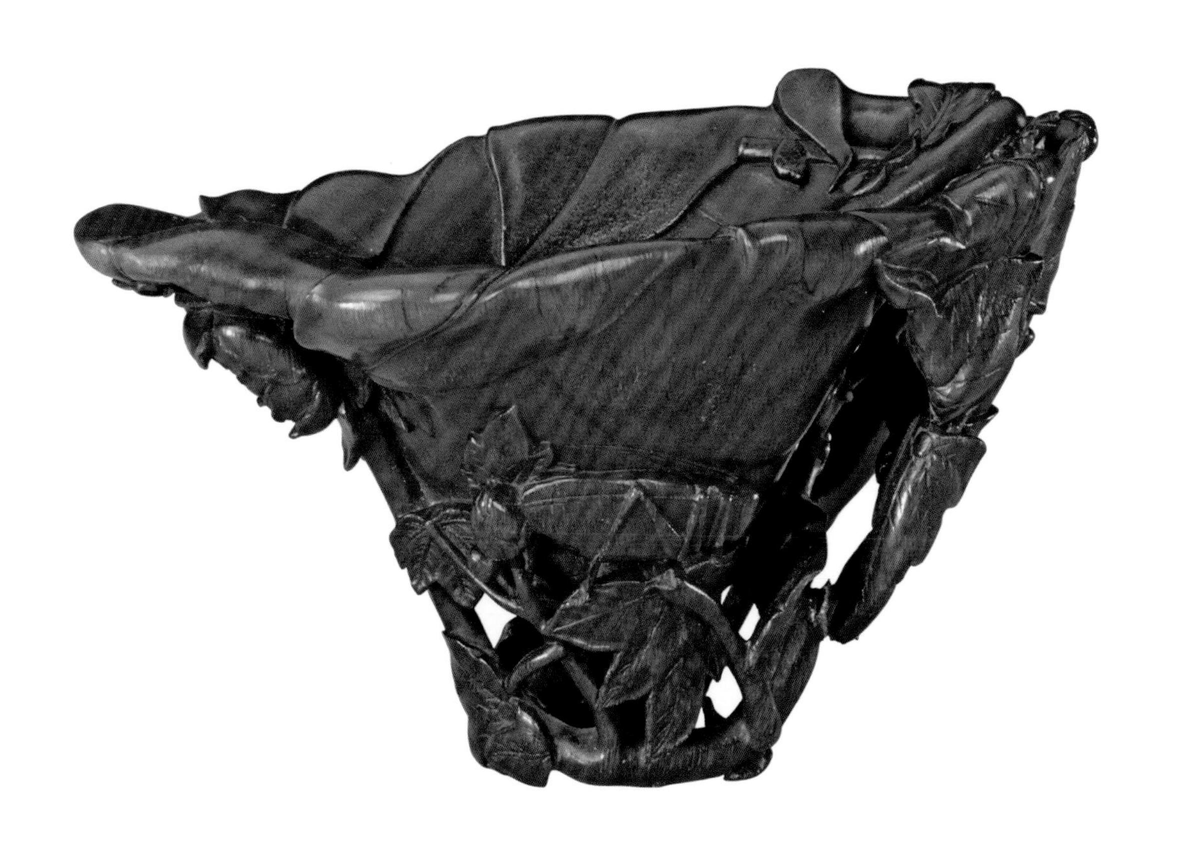

犀角雕兰亭修禊图杯

明晚期至清早期

高37.4厘米　口径17.8厘米

杯体硕大，外壁采取螺旋式构图，雕东晋时期王羲之等人在兰亭欢聚宴饮的故事。杯由下而上刻画了姿态各异的二十三人，衬以崇山峻岭，茂林修竹，小桥亭榭，曲水白鹅。镂雕松纹延伸至口内，衬托浅浮雕祥云及镂雕螭、龙各一，装饰效果突出。

此杯上部主要于内外壁浮雕纹饰，下部则纯用镂雕，刀法疏犷有力，纹饰层次分明，立体感很强。

从此杯外形推测，应为亚洲犀角所制，然形体如此巨大的，尚属少见。

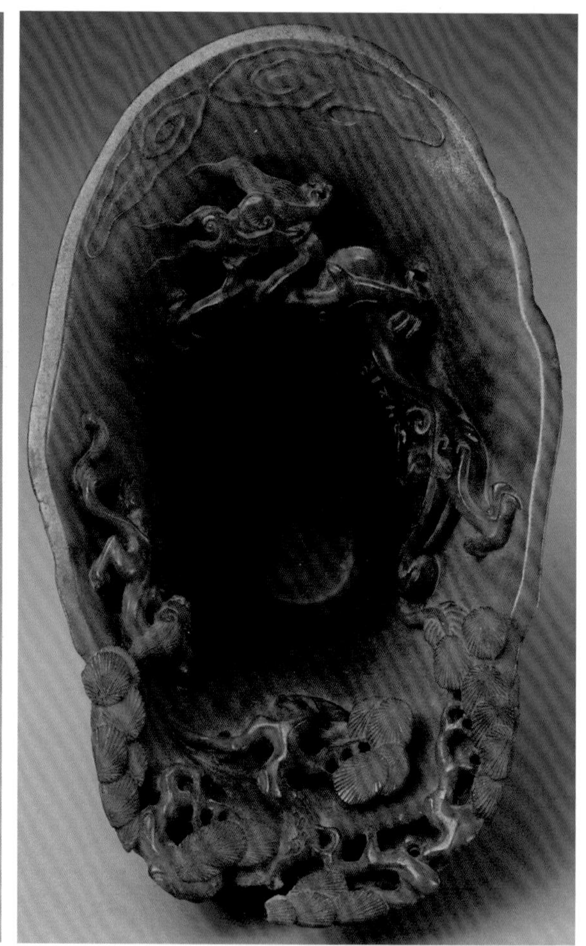

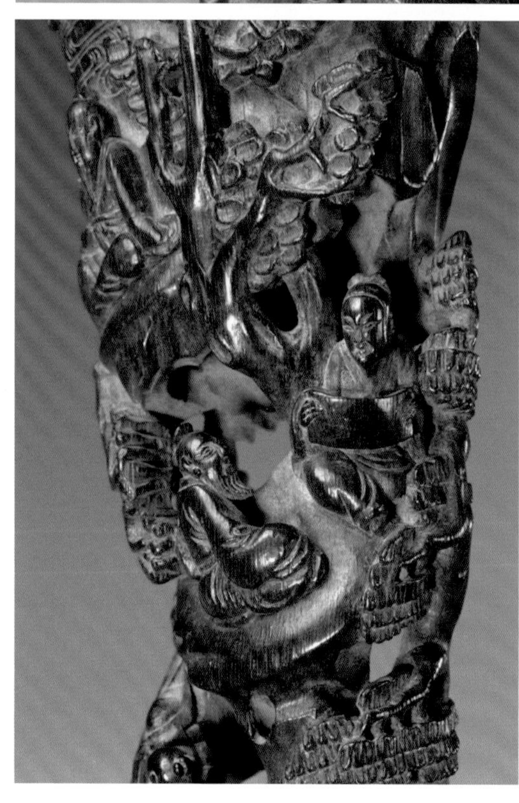

犀角雕柳荫放马图杯

明晚期至清早期

高9.7厘米　最大口径14.6厘米　最大足径4.8厘米

杯敞口，敛底。外壁浮雕二人于溪岸上，一立一坐；立者手执柳条，坐者手挽衣袖，目光所聚，为一健马欢然翻滚于草丛中，情景历历如在眼前。又浮雕岩石林立，形成杯耳，树枝轻扬，直入杯口之内；下有溪水潺湲，流转如丝。

此杯高浮雕技法十分纯熟，风格亦清新明快，并为同类题材犀角雕中所仅见，更显珍贵。

此器为孙瀛洲先生捐赠。

犀角雕螭纹长流杯

明晚期至清早期

高11.2厘米　最大口径17.5厘米　最大足径4.8厘米

杯口宽大，有明显的长流，器身扁圆，圈足式，微外撇。开敞的口部在内壁形成一周清晰的折痕。杯耳扁方，镂雕五螭纠缠合抱，其中探首入杯口的二条，脑生长鬣，似与其余有长幼之别。杯身外壁以雷纹为地，上刻变形夔纹，并高浮雕七螭，攀爬上下，姿态各异。

此器吸收商周青铜觥、匜等器物的造型与装饰特征，为适应材料的形状而加以融合变异，包含了这一阶段典型的形式元素，在仿古类犀角雕刻中非常富有代表性。

犀角雕蟠螭宝相花纹杯

明晚期至清早期

高8厘米　最大口径14.3厘米　最大足径3.6厘米

杯圆体，敞口，敛腹，小圆底。杯口沿磨平，呈花瓣式，外壁浅浮雕缠枝宝相花纹，每一分瓣上均有一朵。又高浮雕三螭攀爬，卷尾扭身，姿态各异，组成一“S”形，打破了杯身花瓣式的垂直线条，与宝相花纹的环形构图成对比，显示出高超的意匠。杯身花瓣的筋线与瓣间的接线形成凹凸的变化，极富韵律之美。杯耳的设计尤为点睛，以一螭衔杯口，身体屈曲，细长的尾部构成了耳的轮廓，这无疑增加了雕刻的难度，却也使作品更显轻巧而富于动感。外底阴刻团花纹，带有鲜明的西洋风格。

此器为孙瀛洲先生捐赠。

犀角雕梅枝耳兽面纹觚式杯

明晚期至清早期

高8.4厘米　最大口径9.8厘米　最大足径3厘米

杯仿古代青铜觚的造型，分作三段。截面略成椭圆，花瓣式口，直沿，身微弧出，高足外撇。口沿阴刻回纹装饰带，颈部刻蚕纹，身以雷纹作地，用阳线勾勒出兽面纹，足外墙刻蕉叶纹，足缘亦饰回纹。最值得注意之处，是增加了镂雕折枝桃花形耳，花枝垂于口内。造型别致，装饰考究，尤为难得。

此器为孙瀛洲先生捐赠。

犀角雕螭纹三足爵式杯

明晚期至清早期

高12.8厘米　最大口径14厘米　足距8.2／7.5厘米

杯仿古代青铜爵形。口呈长椭圆形，流低而尾高，三扁圆足外弯，流下一足与另两足角度稍有差别，为更趋稳定，使杯体微向后坐，也成了此器最引人注目之处。此形是将角尖分开后，剔除多余之处，用加热或浸入烧碱溶液等工艺使之变形而制成的。杯口沿阴刻回纹，腹部饰锦纹。又镂雕一螭贯通杯体和口边，如鋬式。两侧各浮雕一螭，口衔灵芝，伸出杯口，成镂空短柱。而在口内还浮雕有一条小螭。

此杯曾经染色，故表面色泽匀整沉着，加之造型新颖，不落俗套，可以说是仿古铜爵式杯中突出的作品。

犀角雕仙人乘槎杯

明晚期至清早期

长27厘米　宽8.7厘米　高11.7厘米

杯光洁莹润，色如浅栗，采用圆雕、浮雕等多种技法，随形制成一船形古木，前部翘起为流；中部突出部分花树扶疏，一老者手持如意，端坐其间；槎尾浮雕水波纹为饰。槎腹内底阴刻楷体诗句：

照渚幸而逭温氏，刻杯仍此遇尤家。

河源自在人间世，汉使讹传星汉槎。

并“乾隆御题”款及“比德”“朗润”二方印 。按此诗收入《清高宗御制诗集》四集卷九十八癸卯年（1783年）下，诗后有长篇自注，除辨析张骞寻河源事外，又谓“此犀角杯款刻尤通，作乘槎式，雕镂精巧生动。按《无锡县志》称尤氏以犀角饮器名，即尤通也”。槎尾上翘部分外壁有阳文篆书“再来花甲子”题铭及“尤通”款识，下为“雨源”方框印章 。

查《无锡县志》等材料，只说该地有尤某，以善刻犀角闻名，称“尤犀杯”，康熙年间曾被征召入宫，依前引乾隆帝认为此人即尤通，其说还需更多材料证实。不过，根据目前所见实物，尤通为犀角雕刻名家，当无疑意。“雨源”印一般同时出现，应为尤通之字号。这种槎杯的形制可能为元代银工朱碧山所创，本是附会汉使臣张骞乘槎寻河源的传说而来，后世多有仿作。

又据《万寿盛典初集》卷五十四载，康熙五十二年（1713年）玄烨六旬庆典时，三贝子曾恭进犀角仙人乘槎一件，不知是否与此器有关。

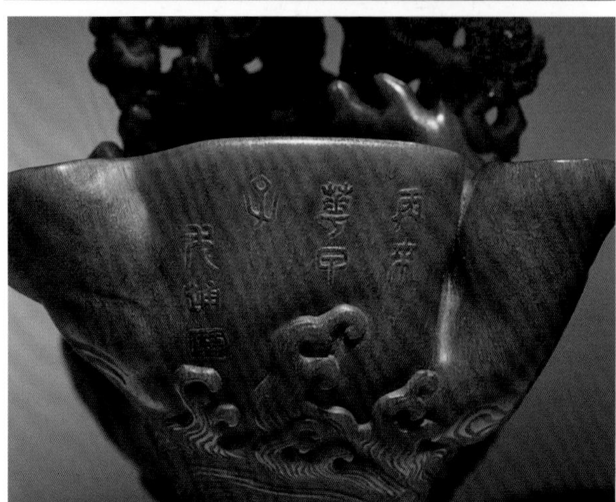

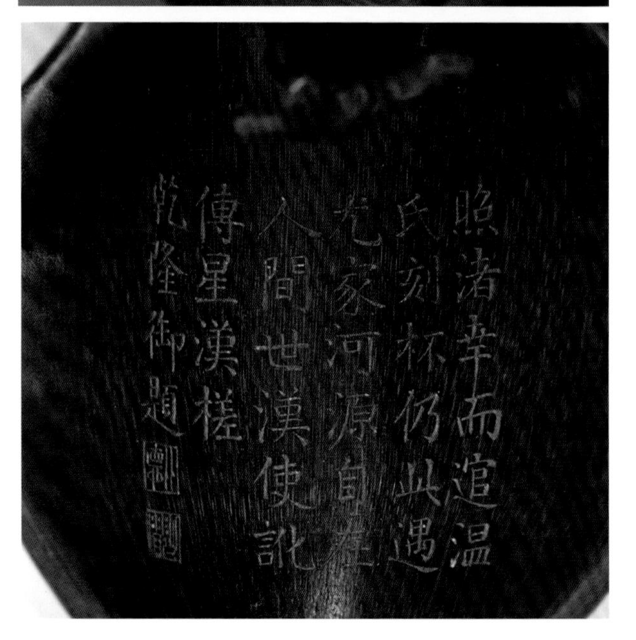

犀角雕仙人乘槎

明晚期至清早期

长21.1厘米　宽6.6厘米　高11.1厘米

槎体为刳作半爿枯树的独木舟式，一老者依靠枯枝坐于舟中。与前面一件槎形杯相比，此器身浅而没有储存酒液的空间。人物的比例明显偏大，以圆雕手法表现，且直接坐于槎内。槎体雕刻瘿节纹，虽打磨圆润，却显得更为满密与矫饰；槎尾翘起，超过了人物的高度；而槎底水波纹为高浮雕，立体感更强。因此，虽同为槎形器，但这一件与以尤通款为代表的几件颇为不同，有的学者认为此类型应出现在更晚一些的乾隆中期以后。①

① 见陈慧霞《明末清初雕犀角人物乘槎的时代意涵》，注57，载台北《故宫学术季刊》，第二十五卷第2期。

犀角雕仙人乘槎笔架

明晚期

通高6.4厘米　长10厘米

笔架雕作一节老树形，枝杈屈曲。又浮雕一长髯老者，斜卧其上，手执拂尘，葫芦滚落身旁。此器亦为乘槎题材，不过灵活使用边角材料，成一设计巧妙的案头清供。底刻阳文“尤雷复”篆书款。下配染色象牙底座，雕成碧波翻卷状，衬托仙槎人物，颇为传神。

犀角雕布袋和尚

明晚期至清早期

高7.9厘米　最大底径10厘米

雕像呈深栗色，下部略浅。以圆雕技法随形刻画一胖大和尚，神情慈祥，咧口而笑，憨态可掬，袒胸露腹，赤足曲肱，右手持桃，斜倚布袋而坐。又雕小童数人于其身周肩上嬉戏调笑。器底部以木板封护。

布袋和尚即五代时僧人契此，民间传说为弥勒佛的化身，因此汉化佛教里常把弥勒表现成富态而平和的普通僧人形象，也成了一般信众心目中喜庆、健康、多福等美好愿望的化身。

这件犀角雕布袋和尚把人物的神态传达得活灵活现，其成就，可以说不仅在犀角雕刻中允称神品，即令置诸同时代的造型艺术领域也不遑多让。

此器为香港收藏家叶义先生捐赠。

犀角雕花蝶纹杯

清早期

高12.8厘米　最大口径16.2厘米　最大足径5.4厘米

杯敞口，杯体弧线修长优美，杯底收小。外壁通体雕菊、兰、梅、茶等花卉。花叶扶疏，并以湖石相衬。菊叶于石中生出，相互缠绕，组成杯耳。菊花的枝叶垂入杯口。一蝶飞舞于花丛间，一蝶憩息于兰叶上。内壁刻山石纹理，里外纹饰浑然一体。

此杯采用高浮雕、镂雕、阴刻等技法雕成，纹饰满密，宛然如生。

犀角雕花果纹杯

清早期

高21厘米　最大口径17.7厘米

杯保留原角形雕镂而成，经染色，色泽深沉匀美。器身分作二部，上部口沿与内壁雕成葡萄叶叠拢为杯式；下部镂空，虚实对比，设计巧妙。纹饰以葡萄、石榴、桃之果实枝叶为主题，与明清时流行的“三多”纹近似，寓意亦不出“多子多寿”的吉祥含义。

此杯技法多用高浮雕甚至圆雕，故果实饱满，叶片肥厚，枝条丰润，藤蔓缠绕，纹饰满密处累累垂垂，纹饰间却又如留白般，能够留出空间，起到了很好的衬托作用。而细节的表现亦富特点：葡萄粒粒浑圆而不成串，桃实、石榴小巧玲珑，叶片边缘翻卷而中部内凹，藤蔓拳曲如簧，处处都于写实中不失装饰意味。

此器为香港收藏家叶义先生捐赠。

犀角镂雕松舟高逸图杯

清早期

高13.6厘米　最大口径16.5厘米　最大足径5厘米

杯敞口，口沿一端连弧如意式，相对一侧外壁镂雕松柏各一，由底直至口边，形成杯耳状。外壁以浮雕技法表现山水人物，以腰部为界，上半山崖壁立，怪石横生，林木疏朗，为烟岚所掩；下半以水纹为主，泾渭分明，一小舟自崖岸间将出未出，文士坐于舟头，意态悠闲，如有会心。面前立一古瓶，插莲荷之属，极富情趣。构图完整，浮雕工艺精良，层次丰富，水纹最浅，树木较高，营造出重叠幽杳、一望无尽的气象。

此器为孙瀛洲先生捐赠。

犀角雕西园雅集图杯

清早期

高13.9厘米　最大口径15.8厘米　最大足径4.8厘米

杯敞口，修身，底内凹，成高圈足式。外壁以“西园雅集图”为题材，浮雕主次人物共三十五人，分为八组，或饮酒，或晤谈，或相送，或参禅，或踞榻，或作画，姿态各异。虽人小如豆，却眉目清晰，加之景物疏朗有致，岩壁、树木、水流、桥梁布置妥贴，恰成映衬。并镂雕山石桧柏为杯耳。

此杯纹饰丰富细腻，层次分明，统一在完整的画面里，体现出高超的设计技巧。杯口内浮雕屈曲树枝一，似穿壁而出，将整体纹饰联系了起来。

此器为香港收藏家叶义先生捐赠。

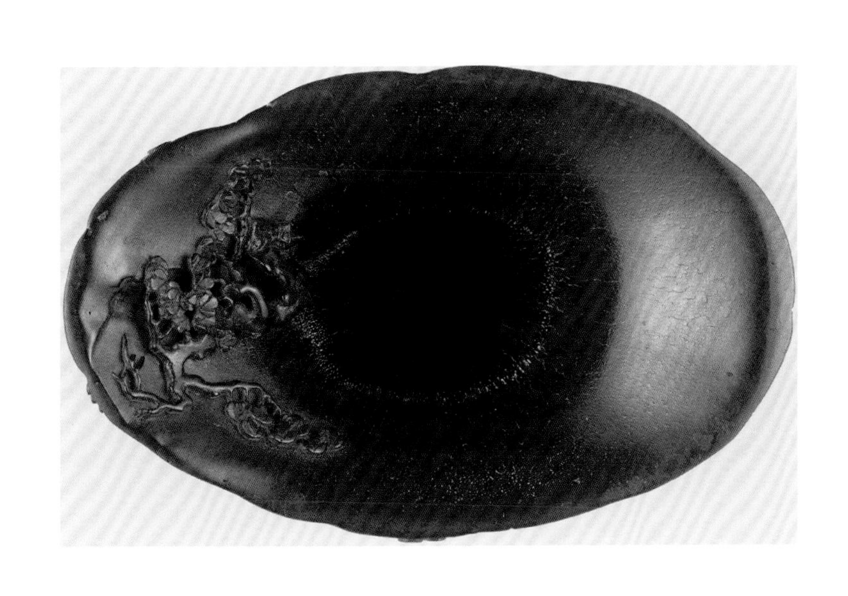

犀角雕狩猎图杯

清早期

高13.5厘米　最大口径16.6厘米　最大足径6.2厘米

杯敞口，敛腹，足中空，微外撇。通体浮雕林木苍郁，溪涧湍急，烟霭蔽日，并镂雕树木山石成杯耳式。出猎人物贯穿于景物间，二人一组，分别出现于杯流下及两侧，可视作一队列，也可视作行进、寻找、捕猎的过程。其中刻画特别精彩的是捕猎场景。一猎手纵马舞矛于前，一猎手驾鸢高呼在后，以点带面，山石后似有千军万马，蓄势待发，留予观者联想。马前亦只一兔狂奔，一虎乱窜，却已将出猎的壮阔场景很好地渲染了出来。

清代统治者本为北方游牧狩猎民族，入关后，尚武精神不退，影响所及，狩猎题材也成为此时工艺中的重要类型，而这件狩猎纹杯无疑是同类作品中的佼佼者。

犀角雕八仙庆寿图杯

清早期

高17.3厘米　最大口径20.1厘米　最大足径6.8厘米

杯体硕大，杯壁厚重，敞口敛足。通体浮雕山水人物为饰，并镂雕虬松巨干成耳式，自底至口，藤萝缠绕，枝叶伸入杯口。一面雕八仙立于林间隙地；另一面雕寿星盘膝而坐，手捧如意，身旁立二童子，一老者坐于石上似正发问。流下则雕溪桥远崖、白鹤翔舞、刘海金蟾，将两面的纹饰勾连起来。

此器庄重朴拙，刀法浑厚有力，气魄不凡，在构图满密之处几不容针，而疏犷之处则铲出大片空白，很能显示这一时期的工艺特点。

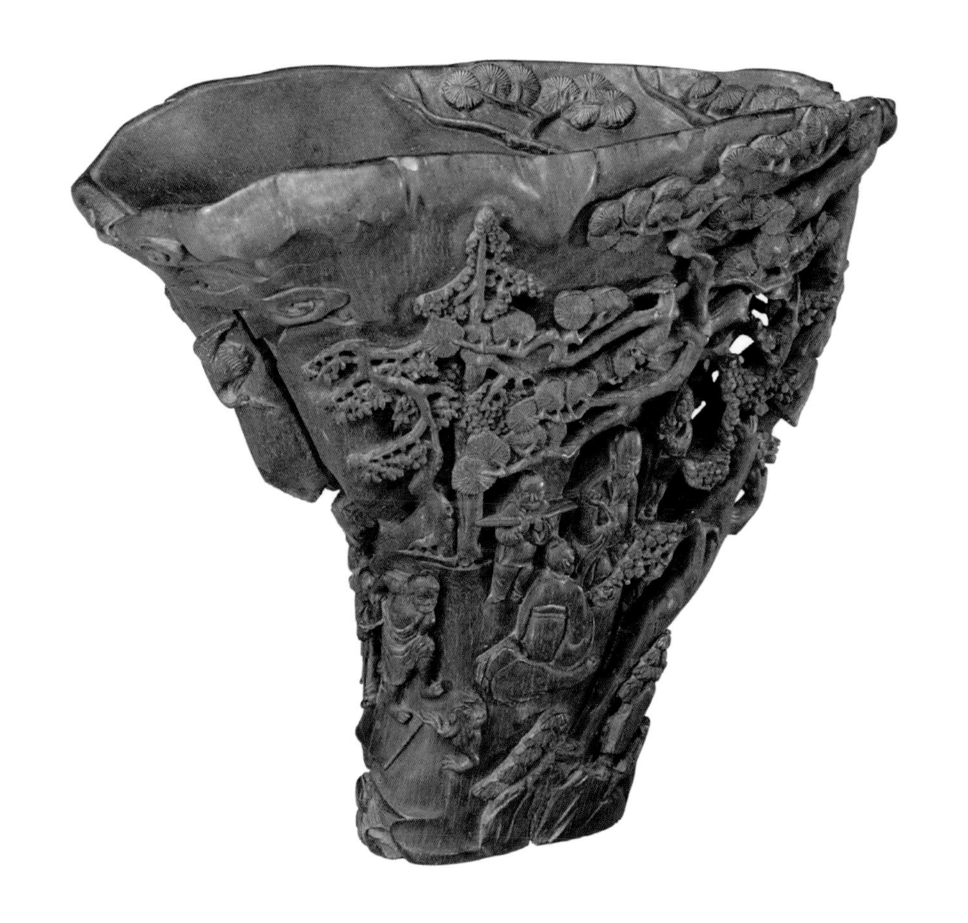

犀角雕福海图杯

清早期

高11.1厘米　最大口径14.4厘米　最大足径5.9厘米

杯随形，敞口敛足。口沿打磨极薄，呈不规则连弧状。外壁通体浅浮雕海水云气，波纹细如发丝，于规律中又含交接、叠压的变化，显现出不平静的运动状态。海浪仿佛花束一般，每一组均各具姿态，尤其是与近足处礁石的碰撞，更是缤纷飞溅，妙不可言。杯口内云纹上雕蝙蝠，点明吉祥之寓意。

此器虽略有侵蚀，但立意新颖，运刀如笔，实属难能可贵。

犀角雕瀛台仙境图杯

清中期

高14.3厘米　最大口径19.8厘米　最大足径6.4厘米

杯敞口敛足，流部弧线较大。口内壁满雕云龙纹，外壁纹饰亦以浮雕为主，又灵活运用了镂雕、粘贴、钻孔等工艺，刻画纤细入微。表现海岛仙山，云蒸霞蔚，怪石险径，林木蓊郁，湍流飞瀑，奇花瑞草，白鹤悠然，琼楼玉宇掩映其间，各路仙侣访客络绎不绝。杯侧镂雕的枝干，贯通上下，既传达了仙山松柏的参天姿态，又巧妙地保留了杯耳的形制。

此器色泽深沉，纹理细密，质料极佳。在平面上刻画建筑的透视效果，深具界画意味。而其纹饰繁缛，不留隙地，似也表现出一定的时代特征。

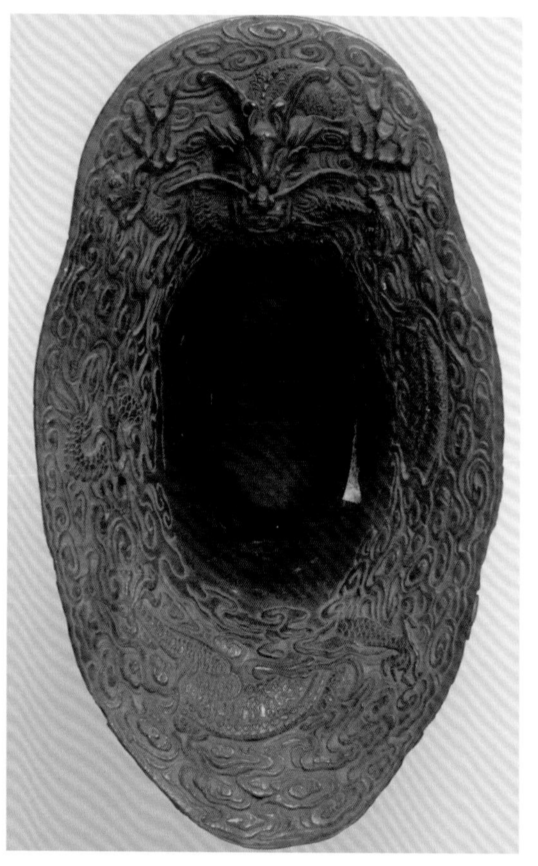

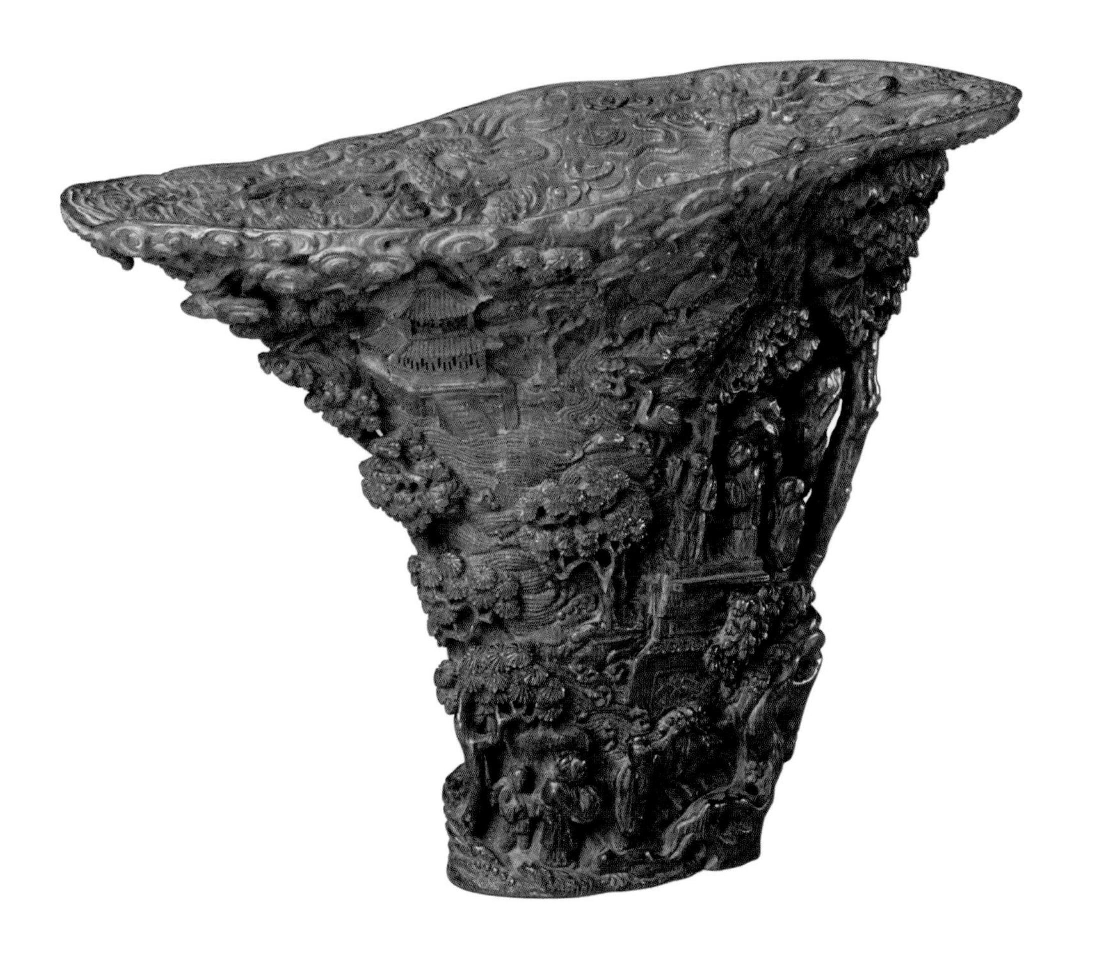

犀角雕九龙纹杯

清中期

高21.3厘米　最大口径19.5厘米　足径7.3厘米

杯依犀角自然形状雕成，近爵式，敞口，束腰，底足微撇。外壁满雕云纹，并浮雕九龙穿梭于云海。其云蒸霞蔚、苍龙隐现的景象，气势卓特，意境不俗。一侧镂雕云龙缠绕成双股杯耳式样，纹饰延伸直至杯口之内。

此器角质莹润，雕工流畅，琢磨光洁，纹饰繁缛，极富时代特色与宫廷趣味。

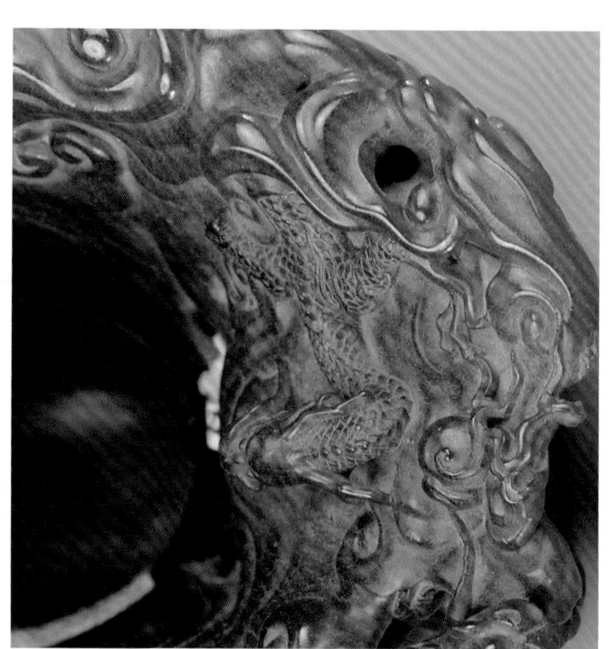

犀角雕螭龙柄杯

清中期

高11.5厘米　最大口径13.5厘米　足径5厘米

此杯形制极为特殊。其杯体较为规整，扁圆，敞口，修身，微撇圈足，似包含仿古觚式器物的造型因素。内壁光素，有四道分瓣式凸棱，在同类犀杯中还可见近似者。外壁浅浮雕纹饰，以二道带纹为隔，分作上、中、下三个区间。上部为变体回形纹；中部为双龙戏珠纹，写实中又适度简化；下部为变体云纹。中部龙纹本应占据主体装饰的位置，却并非全器最着意处。盖因其最引人注目处在镂空龙形柄，其贯通上下，并从杯底环至相对一侧，以三朵云纹为矮足，成一“U”形支架结构。这样镂空面积大、耗费材料多的杯柄设计，在其他器物上还颇为罕见。而且其雕刻精工，龙身曲折转侧却不乏弹性力感，龙纹形态亦不失法度，龙尾处还缠绕一小龙，极为生动。为了呼应攀于杯口的龙柄首，又于口沿浮雕相向二螭，大小四龙相配，似还包含有传统吉祥纹样苍龙教子的寓意。

此器构思巧妙，于整体造型上翻出新样，纹饰繁缛而主题统一，在仿古面目中又蕴蓄时代风格。

此杯为香港收藏家叶义先生捐赠。

犀角雕蟠螭仿古纹长流杯

清早期至清中期

高10.7厘米　最大口径13.9厘米　最大足径4.5厘米

杯大口沿，一面翻卷合拢成流式，口沿内饰有回纹装饰带。杯身环周有八道出脊，满饰仿古阳文兽面纹和变体夔纹。杯耳由一探至口沿的大螭和盘绕其首尾的小螭构成。下承高圈足，足外墙饰夔纹。足内底刻剔地阳文“胡星岳作”篆书印章款。

此器造型纹饰均有仿古意趣，而又富于时代特色，显示出制作者深厚的文化底蕴和高超的雕刻技艺。

犀角雕螭纹觚形杯

清中期

高16.2厘米　最大口径14.1厘米　最大足径5.9厘米

此杯仿商周青铜饮酒器觚形，略成方体，口部开敞，腰部稍弧凸，圈足外撇，三部分以光素凹槽分开，器形匀称，比例适度。四边及四面中线饰变体扉棱，口、足部饰去地阳文仰、覆莲瓣纹，腰部饰回纹及兽面纹。又以高浮雕及局部镂雕技法，刻画各种姿态的螭纹，蜿蜒于杯壁上，数螭纠缠于杯口，呈杯鋬式样，则是运用了镂雕甚至圆雕技法来表现。螭纹共计十五条，却无雷同，每条均雕刻工巧，令人称赏。器物主体古雅凝练，而纹饰繁缛富丽，两者叠加，产生了奇妙的装饰效果，十分典型地反映了清中期犀角工艺复古而蕴新变的审美格调，是这个时期犀角雕刻中的代表。

外底刻阳文“壬午七夕胡允中为仲青盟翁作”行书款识及“胡允中印”篆书方印，另有一圆形阳文印章，曾于多件作品上出现，或可释为“星岳”，疑与犀雕匠师胡星岳有关。至于“壬午”年款，依作品风格推测，当为1702年或1762年，而以后者可能性较大。

此器为香港收藏家叶义先生捐赠。

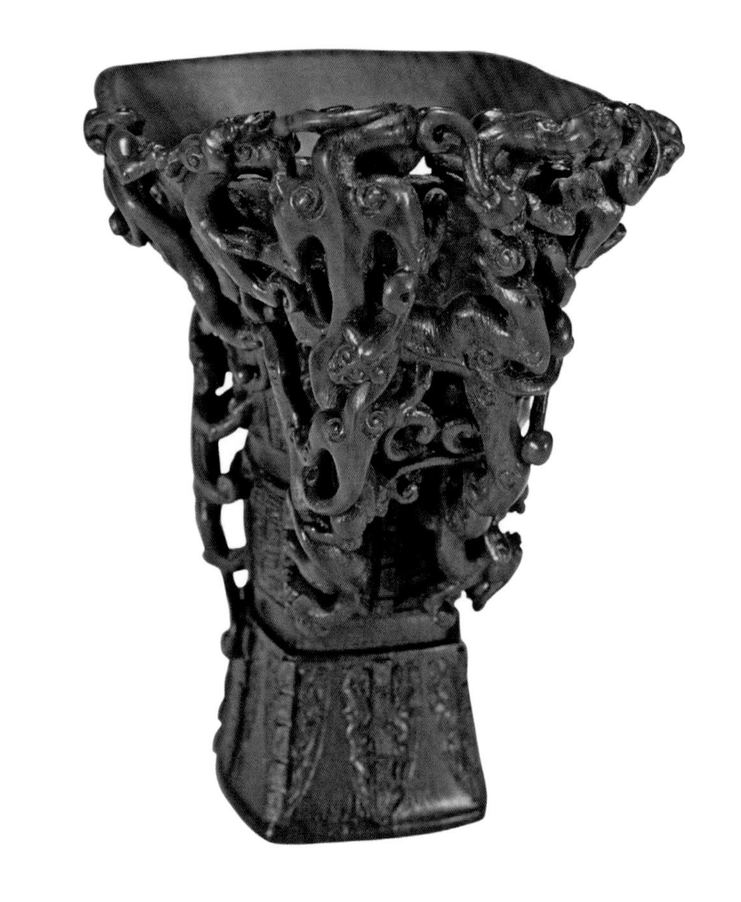

犀角雕螭纹方鼎

清中期

通高21厘米　鼎高16.2厘米　口边长9.5厘米　宽7.9厘米　足距8.6／6.4厘米

此器双耳四足方鼎式，器形端庄大方。外翻的四足，是将犀角尖端切分并以变形技巧塑造而成，使器物在整体上摆脱了原材料的束缚。鼎外壁阴刻云雷纹地，四转角浮雕扉棱，足阴刻几何纹。

最令人称奇的装饰却是鼎身上的十五条大小螭纹及一龙纹。以高浮雕及镂雕技法表现，攀爬于鼎耳、身腹及足间，或上或下，纽结穿插，活龙活现。它们与严整规矩的鼎形本不相侔，但经过巧妙地设计，却互为映衬，显露出一种雍容涵纳的华贵气度。再配以相得益彰的紫檀木盖，以及具有金元“秋山”玉风格的镂空鹿鹤灵芝纹白玉盖钮，更使人不得不感叹时代风格在一件器物上所留下的印痕竟是如此深刻。

犀角雕兽面纹小方鼎

清中期

通高11厘米　足距6.1／5.1厘米

此器仿青铜鼎造型。身如方斗，立耳，四圆柱足外撇，由口沿至足尖形成四条内弓的曲线，使其整体轮廓线秀雅而饱满。炉身四面有小扉棱，四角有出脊。每面纹饰均为上雕二阳起夔凤纹，下雕二夔龙纹，并合成一图案化的饕餮纹。炉底刻椭圆形阳文小印。制作此鼎需将倒转的犀角上部一劈为四，加热使之变形，再施雕刻而成鼎足，制作难度颇高，从中可见此时犀角工艺所达到的水平。

鼎外底有一剔地阳文椭圆小印，与前之觚式杯上“星岳”印章大同小异，故此器与名匠胡星岳亦有关联。

犀角雕兽面纹鬲鼎

清中期

高12.4厘米　口径9.6厘米　足距6.5厘米

鼎圆口，方唇，立耳，三柱足，足根呈袋状。这类上部似鼎而下腹似鬲并有高足的器物，一般称作“鬲鼎”，又名“分裆鼎”，在商代遗址中即有发现。此器吸收西周早期鬲鼎的特点，在装饰上也保留了其基本结构。其仿古意匠可以参照今存台北故宫博物院仿《西清古鉴》卷三“周友史鼎”的“玉兽面纹鼎”。

此器纹饰更为简洁，兽面纹浮雕于每一足根处，其余部分则任其光素。兽面形式特别，由多种几何纹组成，头上两组重圈，如绾双髻。整体看来，形成一种剪纸的效果，装饰性很强。这样做显然是为了突出犀角本身的色泽与纹理，也恰到好处地烘托出圆润秀雅的整体风格。其造型突破了材料形状的局限，显示出高超的工艺水平，是犀雕陈设中的上品。

依此器之造型与纹理特点推断，所用原料当为非洲产犀角。

犀角雕兽面纹爵式杯

清中期

高16.5厘米　最大口径14.4厘米　足距7.6厘米

杯仿古青铜爵式，有流有尾，两侧有方形短柱，一侧镂雕兽首几何纹鋬，三足外撇。外口沿浅浮雕夔凤纹装饰，身饰云雷纹出脊，在出脊之间，以云雷纹为地，上浮雕变形夔纹及兽面纹。下腹光素，足部饰兽面蝉纹。

此杯轮廓线圆滑柔和，纹饰虽多图案化处理，但古意盎然，富于时代特点，是清中期仿古犀角雕刻中较为严谨且兼具艺术性的作品之一。

此器为周作民先生捐赠。

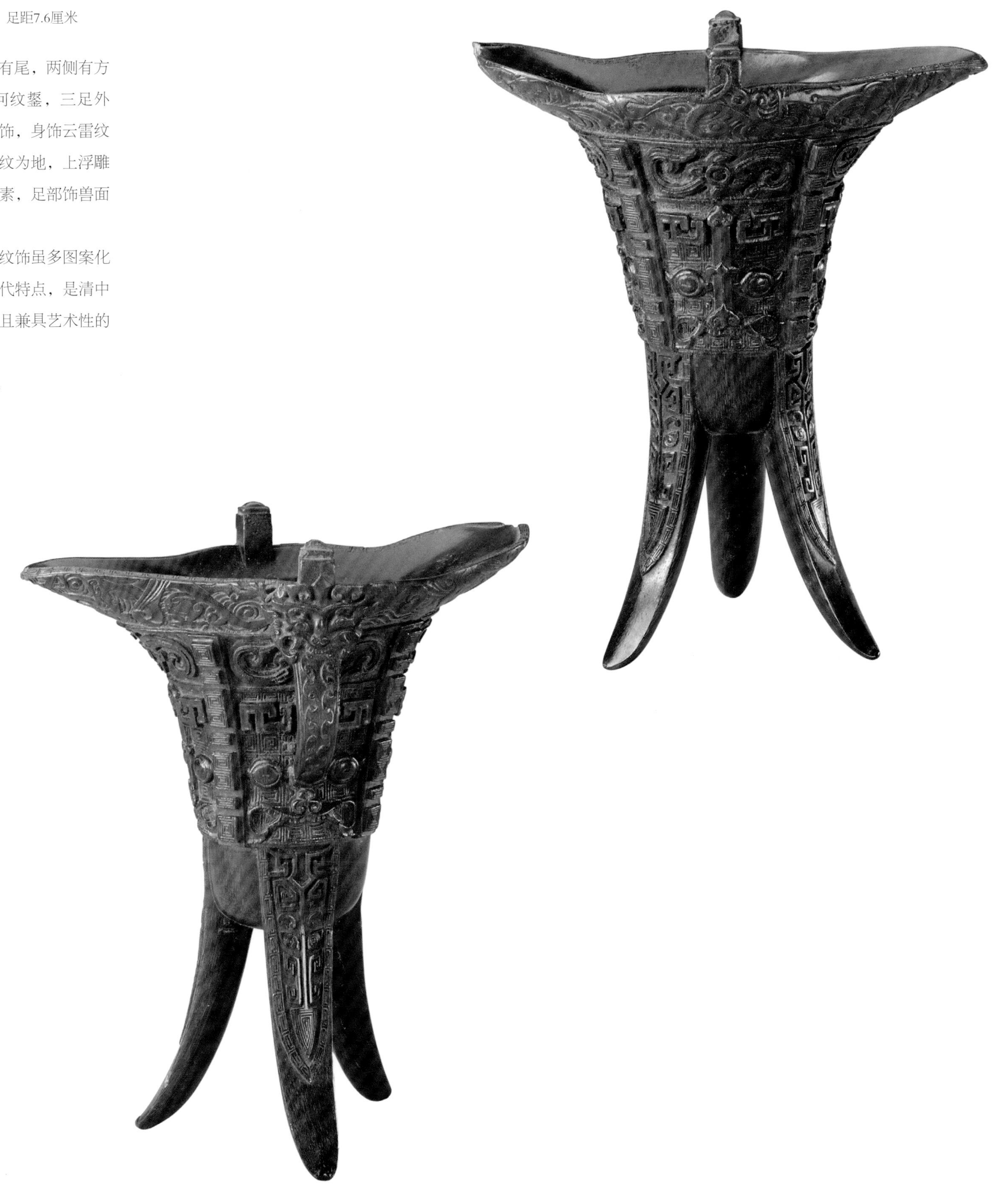

犀角嵌金银丝夔纹扳指

清中期

高2.3厘米　最大径3.1厘米　最厚0.5厘米

扳指略呈上小下大的圆柱形，外壁以金银丝嵌错仿古纹饰，边沿为锯齿纹，中为变形夔纹，并间隔插入“乾”“隆”“年”“制”四圆框篆书款。金银丝布局合理，镶嵌工艺细致，与犀角颜色、质感恰成映衬，装饰效果颇佳。这只扳指现为成套之一，配有海棠式紫檀木盒。盒盖天覆地式，外嵌金银片夔纹饰，盒内分两层，每层可储四只扳指。故宫博物院尚存其七，每只尺寸、式样差相仿佛，然嵌金银丝纹饰有所区别：除另一只与前述者相同外，剩下五只只饰兽面，却无年款，而其中二只与另三只上兽面又有差别，可知这一套扳指并非制于一时，最初甚或无意凑合一处。

查造办处《活计档》，乾隆十七年七月初六日做得“犀角商（镶）金银丝汉纹夔龙‘乾隆年制’款班指（即扳指）一件”，所指应即这一套扳指中制作最早的一件。乾隆帝看后似比较满意，随即传旨“犀角班指再做一件，得时后亦商金银丝”。①我们知道，带有年号款识的可信器物在犀角雕刻中极为罕见，而这组扳指不仅时代明确，且基本可以确定为造办处所制，其价值不言而喻。

扳指是由古代男子射箭时戴在大拇指上钩弦的“韘”演变而来的。清代满人尚武，以能引弓者为上，相习成风，扳指成了一种具有时代特色的男性流行饰物，而在材质、形制等方面也发生了很大的变化。像这组用犀角制作的扳指，内径甚小，很难戴于成年人指上，质料娇贵，亦不合拉弦之用，只可为摩挲赏玩与身份象征而已。

① 见中国第一历史档案馆、香港中文大学文物馆合编：《清宫内务府造办处档案总汇》第20册，页380，乾隆十九年八月二十七日“如意馆”条下押帖内开所记内容。查现存十七年《档案》，只在四月初十日“杂活作”条下有“着通武用犀牛角做班脂”的记载；当月十一日，员外郎白世秀将“前库收贮犀牛角十一件”进呈乾隆挑选，十四日又将“画得英雄花纹纸样一张”呈览，后来乾隆帝不满于其进度缓慢，还于八月初三日于热河传旨催促：“通武做的班指如何还不得？”到八月十五日活计才告完成(见第18册，页648)，其花纹、承做时间与乾隆十九年的记载都略有出入，也未提年款。又乾隆二十二年五月十一日“木作”下载，乾隆帝命给内盛“犀角班指八件”的“商金银海棠盒”配锦匣锦袱“入乾清宫时做上等”(见第23册，页10)。所记虽嫌简略，但极可能就是这一套。

犀角雕云龙纹饰件

清

长10厘米　宽7.2厘米　厚1.5厘米

饰件为扁体，椭圆形，两侧有断榫痕。正面镂雕短吻独角螭纹，鬣分六绺，向两边飘散，具有清代螭纹的某些特点。为适应构图需要身体弯折，近于正龙式，脚爪伸展，与海水纹配合，颇富动感。螭瞳仁处内凹，似原有嵌，已脱缺。侧面阴刻回纹，背面雕刻有荷叶、荷花纹样。

此作在清宫中原被用作镶嵌于盒、匣之上，为同类饰件中的精品。

犀角雕云龙纹嵌宝石鞘羚羊角柄小刀

清中期

长28.9厘米

刀鞘为犀角浮雕而成，狭长，稍稍束腰，线条优美，正背面各雕三条龙纹，并以云水为衬。刀柄则为羚羊角制成，光素无纹，内挖空槽分储金属镊子、耳勺、象牙牙签各一。铜鎏金嵌石柄首，可开启为盖。象牙制椭圆环，套于柄上，恰成格状。刃锋尖锐，有鎏金兽纹吞口。柄与鞘上之铜活装饰均鎏金錾花，镶嵌红、绿、蓝三色石料，其工艺有蒙藏地区的风格。此器将多种材质汇集一身，是一件颇具特点的器具。

小刀鞘上犀角雕刻深受当时牙雕工艺的影响，细腻入微，构图繁复，在很小的浮雕高度内划分出多个层次。从清宫《活计档》中我们可以找到乾隆二十年六月十二日“如意馆”条下“着黄兆所作乌角雕宋龙小刀鞘周围往精细里收拾”的记录，证明此类作品确有可能出自牙雕匠人之手。而乾隆十九年三月二十七日“如意馆”条提到的“犀角商丝鞘花羊角靶小刀”则亦当与此作十分接近。

图版索引

竹

木

牙

角

出版后记

《故宫经典》是从故宫博物院数十年来行世的重要图录中，为时下俊彦、雅士修订再版的图录丛书。

故宫博物院建院八十余年，梓印书刊遍行天下，其中多有声名皎皎人皆瞩目之作，越数十年，目遇犹叹为观止，珍爱有加者大有人在；进而愿典藏于厅室，插架于书斋，观赏于案头者争先解囊，志在中鹄。

有鉴于此，为延伸博物馆典藏与展示珍贵文物的社会功能，本社选择已刊图录，如朱家溍主编《国宝》、于倬云主编《紫禁城宫殿》、王树卿等主编《清代宫廷生活》、杨新等主编《清代宫廷包装艺术》、古建部编《紫禁城宫殿建筑装饰——内檐装修图典》等，增删内容，调整篇幅，更换图片，统一开本，再次出版。唯形态已经全非，故不再蹈袭旧目，而另拟书名，既免于与前书混淆，以示尊重；亦便于赓续精华，以广传布。

故宫，泛指封建帝制时期旧日皇宫，特指为法自然，示皇威，体经载史，受天下养的明清北京宫城。经典，多属传统而备受尊崇的著作。

故宫经典，即集观赏与讲述为一身的故宫博物院宫殿建筑、典藏文物和各种经典图录，以俾化博物馆一时一地之展室陈列为广布民间之千万身纸本陈列。

一代人有一代人的认识。此番修订，选择故宫博物院重要图录出版，以延伸博物馆的社会功能，回报关爱故宫、关爱故宫博物院的天下有识之士。

2007年8月